Sortir du piège

DU MÊME AUTEUR

Les rapides, roman, Montréal, Le Cercle du Livre de France, 1966, 224 p.

Encore faim, roman, Montréal, Le Cercle du Livre de France, 1971, 264 p.

Les grimaces, nouvelles, Montréal, Éditions Pierre Tisseyre, 1975, 248 p.

Le diable du Mahani, roman, Montréal, Éditions Pierre Tisseyre, 1978, 176 p. Collection Anticipations.

Les incendiaires, roman, Montréal, Éditions Pierre Tisseyre, 1980, 144 p.

Peut-être à Tokyo, nouvelles, Sherbrooke, Éditions Naaman, 1981, 144 p.

Trois voyages, chants poétiques, Hull, Éditions Asticou, 1982, 80 p.

La planète amoureuse, roman, Longueuil, Éditions du Préambule, 1982, 176 p.

Vingt minutes d'amour, roman, Montréal, Éditions Pierre Tisseyre, 1983, 100 p.

La frontière du milieu, roman, Montréal, Éditions Pierre Tisseyre, 1983, 152 p. Prix littéraire Esso 1983 du Cercle du Livre de France.

J'ai entendu parler d'amour, nouvelles, Hull, Éditions Asticou, 1984, 180 p.

Un tango fictif, roman, Sherbrooke, Éditions Naaman, 1986, 176 p.

Les visiteurs du pôle Nord, roman, Éditions Pierre Tisseyre, 1987, 320 p. Collection Anticipations.

JEAN-FRANÇOIS SOMCYNSKY

Sortir du piège

roman

PIERRE TISSEYRE
8925, boulevard Saint-Laurent — Montréal, H2N 1M5

Données de catalogage avant publication (Canada)

Somcynsky, Jean-François, 1943-

  Sortir du piège

  ISBN 2-89051-332-7

  I. Titre.

PS8537.042S67 1988   C843'.54   C88-096082-5
PS9537.042S67 1988
PQ3919.2.S65S67 1988

Dépôt légal: 1er trimestre 1988
Bibliothèque nationale du Canada
Bibliothèque nationale du Québec

Illustration de la couverture:
Ronald Du Repos

1

Louise regarde dans le cendrier le mégot qui refuse de s'éteindre, comme tant d'autres choses. Elle approche la main, hésitante. Elle n'aime pas toucher à une cigarette qu'elle a mal écrasée. Ça soulignerait sa maladresse, et la cendre lui salirait le bout des doigts. D'un autre côté, elle se sent mal à l'aise en voyant la braise qui persiste à dégager une mauvaise fumée. Daniel, en souriant, prend le mégot et l'éteint. Ensuite, il frotte son index contre son pouce pour se débarrasser du peu de cendre qui y a adhéré. Elle lui sourit, à son tour. De quoi parlaient-ils? Il lui a demandé si elle était heureuse avec André.

— Des fois, il est difficile de répondre.

— Non, dit-il, doucement. Si c'est compliqué, on y met des nuances, des *néanmoins*, des *nonobstant* et des *toutefois*. Mais tu as sans doute répondu, car on sait toujours quand on est heureux et quand on ne l'est pas.

Elle secoue la tête. Tout est toujours facile, pour lui. Il a l'air d'embrasser d'un coup d'œil toute la réalité, il peut la comprendre et l'exprimer sans faille. Son assurance, qui prend à l'occasion la forme d'une insupportable suffisance, la réconforte et l'excède à la fois. Daniel s'engage dans la vie avec une cuirasse de guerrier du moyen âge. Louise connaît bien la chair vulnérable qu'il cache sous son armure. S'il avait montré plus souvent son cœur que son enveloppe de métal, leur liaison aurait pu s'épanouir dans un jardin parfumé.

Mais il est trop tard pour rêver à ces choses-là. Ils se sont aimés pendant plus d'un an, puis l'amitié a pris le dessus.

— André et moi, c'est comme quand tu te baignes dans un lac au mois de juin. Ce n'est pas tout à fait agréable, l'eau est froide, tu en as des frissons. Mais tu y vas quand même, et tu y retournes, parce que c'est bon, de nager. Tu trouves même cela revigorant, rafraîchissant.

— J'ai horreur d'aller au lac avant juillet! J'aime qu'il fasse soleil et que l'eau soit assez chaude.

— Ça n'arrive pas souvent! remarque-t-elle, en riant.

— C'est vrai, nous avons un climat plutôt inhumain. Je crois que c'est Michelet qui a dit: «*La nature est atroce, l'homme est atroce, et ils semblent s'entendre.*» Ou quelque chose comme ça.

Elle sourit, affectueuse, les lèvres serrées. Elle ne connaît pas Michelet, mais Daniel en parle comme de quelqu'un qu'il fréquente, sans que ça prenne le ton d'une citation d'universitaire.

La serveuse approche, une carafe de café à la main. Louise la regarde remplir les tasses. Elle devrait refuser, une deuxième tasse l'empêchera sans doute de dormir, mais elle s'abandonne, comme souvent, à sa passivité.

— Je crois que je continue à sortir avec André parce que je ne vois pas de raison de ne plus sortir avec lui. Tu sais bien que mon naturel, c'est de dire oui.

— Tu sais aussi dire non.

Il n'y a aucun reproche dans sa voix. Louise essaie de trouver des mots pour décrire la voix de Daniel: un sang-froid chaleureux. Oui, c'est bien cela. Daniel prend la réalité la plus pénible, la plus douloureuse, et l'exprime avec une sympathie affectueuse. Mais il ne la trompe pas: il est un juge compatissant, mais un juge quand même.

C'est vrai qu'elle sait dire non, puisqu'elle a pris l'initiative de mettre fin à leur liaison, deux ans plus tôt. Quand ils se sont connus, elle travaillait à Statistique Canada, où il avait obtenu un emploi d'été à la fin de sa première année d'université. Il y avait en lui beaucoup de fraîcheur, assortie d'une étrange maturité. Au début, elle le regardait de loin. Sa facilité à rire et son regard perçant la séduisaient, mais il était un gamin de vingt ans et elle en avait vingt-cinq. Comme elle s'habillait plutôt en femme qu'en jeune fille, leur différence d'âge sautait aux yeux. Elle acceptait quand même ses invitations à dîner au restaurant, à aller au cinéma; elle n'hésitait qu'à peine quand il l'emmenait dans des soirées. Un jour, comme elle s'y attendait, il lui fit des avances. Elle mentionna leur âge. Il éclata de rire et la serra dans ses bras.

Ils avaient été très heureux cet été, et cet hiver, et l'été suivant. Daniel, jeune, vigoureux, affamé, était un amant chaleureux et sensuel, avide de caresses et de nouvelles caresses. Avec lui, elle avait pris goût aux plaisirs charnels, qui n'avaient pas jusque là occupé grand-place dans sa vie. Il se montrait toujours tendre, facile, compréhensif. Elle appréciait moins ses amis, des camarades d'université, pour qui elle n'était que la maîtresse de Daniel, une secrétaire rencontrée au hasard d'un emploi d'été, avec qui on ne pouvait tenir que des conversations insignifiantes.

Daniel ne tenait pas à l'épouser, ni même à vivre avec elle. Il l'aimait, il lui consacrait ses fins de semaine et bien des soirées, mais Louise aspirait déjà à autre chose. Elle rêvait d'un bel amour qui finirait par un mariage et des enfants. Puisque Daniel s'y refusait, il lui fallait redevenir libre: elle ne pouvait imaginer de fréquenter sérieusement deux hommes à la fois. L'entourage de Daniel, sans qu'il y fût pour rien, blessait de plus en plus son amour-propre. Elle se sentait malheureuse, même avec lui.

Enfin, comme elle sombrait dans la mélancolie, qui est une maladie, elle lui expliqua la situation. Daniel, avec ses manières de chirurgien, tenta de lui présenter les choses de façon rationnelle, avec une série d'options qui protégeaient leur liaison. C'était inutile, elle préférait rompre. Mais s'ils mirent fin à leur liaison amoureuse, ils continuèrent à se fréquenter, en amis et en confidents. Ils se racontaient leur vie, leurs amours, ils éprouvaient beaucoup de plaisir à se rencontrer au moins une fois par mois pour bavarder, voir un film, être ensemble.

Elle pense tout à coup qu'elle se sentira bien seule à la fin de cet été, quand Daniel déménagera à Montréal pour y faire sa maîtrise.

— Songes-tu, éventuellement, à épouser André?

— Non, répond-elle, sans hésiter.

Pourquoi sourit-il? C'est vrai qu'il a toujours un sourire pour elle. Se demande-t-il pourquoi elle fréquente André sans vouloir l'épouser, alors qu'elle a refusé de poursuivre sa liaison avec Daniel parce qu'il ne tenait pas au mariage? Inutile de diriger la conversation de ce côté: il étalerait une panoplie d'arguments avec la précision méthodique d'un joueur d'échecs, sans penser que les arguments, les explications et les justifications ne servent jamais à rien. Il y a deux ans, c'était une autre époque de sa vie; chaque ensemble de circonstances contient ses raisons particulières, qui ne s'appliquent qu'à cette situation.

— André n'est pas le meilleur homme, mais il est affectueux et...

Elle fronce les sourcils, comme si elle cherchait le meilleur qualificatif, et ajoute :

— Il est protecteur. Oui, c'est ça. Je me sens bien avec lui. À l'aise.

Louise se mord la lèvre : en quittant Daniel, elle avait insisté sur le fait qu'elle ne se sentait pas à l'aise avec lui. Blessé, il n'avait pas semblé comprendre ; c'était même une des seules fois qu'elle l'avait vu désemparé, démuni. Cette fois, il n'a pas bronché. Au contraire, il lui caresse la main :

— Alors, tu as raison. Être à l'aise, et à l'aise avec quelqu'un, c'est une des choses essentielles. Dommage que ce soit si rare.

Ils partagent la note. Louise est plutôt habituée à ce que ses compagnons paient le repas, mais elle sait que Daniel, encore étudiant, a peu de moyens. Ils choisissent toujours des restaurants ordinaires, comme celui-ci, sur la rue Dalhousie. André, par contre, cherche souvent à l'impressionner en l'emmenant dans des endroits mieux cotés.

— Je vais te raccompagner.

— Non, ce n'est pas la peine, je n'ai que quelques rues à faire.

— Justement, ce n'est pas loin.

Elle refuse encore. Il la dévisage, affectueux. Il est déjà onze heures du soir et il habite dans la Côte-de-Sable, alors qu'elle a un studio sur la rue Cathcart, dans l'autre direction. La nuit est douce, elle doit trouver agréable de marcher seule. Il n'insiste pas. Il la serre contre lui et l'embrasse sur la bouche, comme ils font toujours.

Avant de se retourner, Daniel suit longuement des yeux ce corps tant aimé qu'il n'étreindra sans doute plus.

Louise porte ses jeans d'une façon absolument ravissante. Avec un soupir résigné, il se décide à rentrer chez lui, en laissant de côté l'étude des incompréhensibles motivations des gens.

Louise pense encore à Daniel en marchant. Il faisait l'amour avec beaucoup plus d'appétit qu'André, et davantage de tendresse. Pourtant, si elle devait choisir, et elle a toujours le choix, elle continuerait à n'ouvrir son lit qu'à André, avec ses réticences et ses préjugés, ses jouissances parfois prématurées et ses érections précaires dès qu'il a bu un verre de trop. Quand elle songe au délire sensuel qui parfumait sa liaison avec Daniel, elle se dit qu'elle a fait un très beau rêve avec lui; et on ne tient pas vraiment à ce que nos rêves se prolongent dans l'état de veille. Les difficultés occasionnelles de ses relations sexuelles avec André, qu'elle se garde d'exagérer, lui offrent un coussin de sécurité. André ne trouve pas dans ses défaillances le moindre sujet de préoccupation. Il aime l'amour simple, clair et net. Quand il échoue, il se dit qu'il est fatigué, ou qu'il a encore trop bu, il se couche sur le côté et s'endort comme un chat. Rien ne trouble jamais son égalité d'humeur. Quant à Louise, elle voit dans les carences de son amant un pendant à ses propres lacunes, qui ne sont pas physiques mais consistent plutôt en une propension à la morosité. Elle devient alors irritable, parfois désagréable. Plutôt que de lui en vouloir, André respecte profondément ses sautes d'humeur. Tu supportes mes faiblesses, je m'accommode des tiennes.

En approchant du coin de la rue Clarence, Louise se demande quel chemin elle prendra pour rentrer chez elle. La rue Dalhousie lui semble morne, mais toutes les rues le sont, la nuit, de ce côté du marché. On dit que le quartier s'animera, qu'on rénovera les maisons, qu'on ouvrira des cafés, des restaurants, des discothèques, on parle de projets de développement touristique, de boutiques, d'arcades, de trottoirs aménagés, mais tout cela prend bien du temps à venir. Quand même, on s'apprête déjà à démolir la vieille taverne *Chez Lucien,* dont les abords servaient de point de rassemblement aux prostituées du quartier. C'est très modeste, mais on en voit toujours deux ou trois dans les environs; en hiver, quand il fait froid, Louise éprouve bien de la sympathie à leur endroit.

Elle sourit: quand elle était plus jeune, les prostituées lui inspiraient plutôt de la répulsion. C'est sous l'influence de Daniel, qui aime tout ce qui se rattache au plaisir, qu'elle a appris à voir dans ces filles des êtres humains dont le métier lui paraît maintenant aussi honorable qu'un autre.

Guidée par ces pensées, Louise s'engage dans la rue Clarence. Le quartier commence peut-être à prendre une allure cosmopolite, puisqu'on vient d'ouvrir un petit café tenu par un Argentin où on sert des *empanadas.* Plus loin, il y a toujours la poissonnerie portugaise. Elle connaît aussi une épicerie polonaise, une charcuterie qui a l'air allemande et un snack-bar tenu par un Libanais.

Tout est fermé, à cette heure. Louise croise un couple, étroitement enlacé. André ne lui passe jamais le bras sur l'épaule, dans la rue. Il n'aime pas les marques d'affection en public. Quand elle colle sa hanche contre la sienne, il s'éloigne. Quand elle lui touche la taille, il se secoue. Si elle lui prend la main, il la repousse gentiment en disant qu'on marche mieux en laissant ballotter ses bras selon le rythme des jambes. Daniel, au contraire, marchait toujours près d'elle, souvent en laissant traîner la main sur sa fesse, ou en l'entourant de son bras jusqu'à lui couvrir le sein. Louise avait eu du mal à s'habituer à ces gestes impudiques, mais elle avait fini par y prendre goût, gagnée par la bonne humeur contagieuse de son jeune amoureux.

André ne la regarde jamais avec l'insatiable convoitise et l'adoration constante dont Daniel faisait montre. Et pourtant, si elle les regrette, elle s'avoue qu'elle se sent plus à l'aise en compagnie d'André. Daniel, bien installé dans sa liberté souveraine, dégageait un climat d'imprévisibilité. André est plus sûr, et elle trouve chez lui autant d'affection que chez Daniel, même si elle se manifeste avec plus de retenue.

Oui, se dit-elle, c'est cela: la retenue. L'amour jeune et vibrant de Daniel la menaçait, sa chaleureuse idolâtrie l'embarrassait. Elle craignait souvent de n'être plus à la hauteur de ses désirs, de ce qu'il attendait d'une femme. Il ne s'agissait pas là de questions charnelles mais de l'ensemble de sa personnalité. À cette époque surtout, Daniel s'affichait comme un garçon brillant, gourmand, tendu de vitalité. Il était fait pour aimer une déesse, et Louise ne se sentait nullement telle. Ils ne s'ennuyaient guère ensemble, mais Louise appréhendait le jour où Daniel aurait envie de nouvelles conversations. Il chercherait alors une compagne aussi éduquée que lui, avec qui il pourrait parler de poésie et de philosophie.

Mais non, ce n'est pas pour cela qu'elle l'a quitté, qu'elle a mis fin à leur liaison. Louise sourit, en marchant. Elle a parfois tendance à s'inventer des explications à des choses qui n'ont pas besoin d'être expliquées. Un air de violon se mélange bien à un air de flûte et moins bien à des battements de tambour. Et elle ne se demandera pas qui est la flûte ou le tambour! Elle peut jeter un regard de juge sur les gens, elle peut comparer Daniel avantageusement à André, mais il n'est pas question d'envisager de reprendre leur liaison.

Une fois, elle a dit à Daniel qu'elle le préférait comme ami. Il a paru blessé, sans se départir de son sourire. Plus exactement, l'aveu de Louise lui faisait de la peine, comme si on préférait un bon vin de table à un grand cru. Mais Louise préfère encore un bon vin de table à une bouteille millésimée. Elle s'est fait des goûts simples, plus faciles à rassasier.

Un homme, plutôt âgé, la frôle. Louise sursaute: ses rêveries lui font-elles oublier de regarder devant elle? Elle tourne la tête: le vieil homme ne marche pas vraiment droit. Elle sourit. Elle a de la sympathie pour les ivrognes, même si elle les évite, de peur qu'ils aient des gestes inattendus, brutaux. Ce qu'elle aime chez eux, c'est leur capacité de plonger dans une stupeur reposante, d'endormir ces pensées qui n'arrêtent pas de se chamailler dans la tête.

La rue est maintenant vide, il n'y a vraiment plus personne. Elle arrive au coin de la rue Parent, absolument déserte. Les filles qui la fréquentent auraient-elles trouvé des clients? Tant mieux pour elles, tant mieux pour eux aussi...

Tout à coup, devant elle, de l'autre côté de la rue, deux silhouettes, sorties de l'ombre. Louise se sent un creux dans l'estomac. Si l'obscurité lui semble inquiétante, ces silhouettes le sont davantage. Plutôt que de continuer sur Clarence, elle bifurque résolument dans la rue Parent.

Surtout, aller droit devant soi, ne pas se retourner, ne pas indiquer qu'elle a remarqué ces deux hommes. Elle avance, les poings serrés, le visage crispé. Elle a la certitude d'être suivie.

Quand même, se ravise-t-elle, pas de paranoïa! Elle entend les pas, derrière elle. Eh bien, il s'agit tout simplement de gens qui vont dans la même direction qu'elle. Elle tournera au prochain coin, ils continueront tout droit. Il n'y a surtout pas de quoi prendre peur. Ottawa n'est pas New York, ou Chicago!

— Mais non, arrête, ne cours pas si vite!

C'est bien à elle qu'ils s'adressent. Louise a horreur d'être abordée par des inconnus, dans la rue, et surtout la nuit. Les inconnus, c'est toujours menaçant, ça a besoin de quelque chose.

Elle presse le pas.

Les autres aussi.

Elle ne veut pas les regarder. L'un se trouve à sa gauche, l'autre à sa droite. Et aucune voiture ne passe!

— Tu sais que tu es bien tournée?

Ça y est, elle comprend: ils la prennent pour une prostituée. C'est normal, dans ce coin-là, justement. Louise porte des jeans serrés et un chandail moulant. Elle s'habille toujours de façon excitante quand elle voit Daniel. Pas pour le séduire, pas pour l'aguicher, mais pour lui être agréable, parce qu'il aime, selon ses mots, *le plaisir des yeux*.

Oui, il est bien normal que ces hommes, à cet endroit, se méprennent. Il suffira de leur expliquer, de mettre fin à la confusion.

— Je ne suis pas une de ces filles, dit-elle, rapidement, sans ralentir le pas et sans tourner le visage.

— Oh, mais on n'a pas du tout pensé ça!

— On préfère les filles bien, nous autres...

— Et moi, je veux qu'on me fiche la paix!

Le pas décidé, elle s'engage dans la rue Murray. Elle est aussi obscure, aussi vide que la rue Parent, mais il y a moins de chances que les deux hommes prennent ce chemin, à moins d'avoir vraiment envie de tourner autour du même bloc.

Pendant quelques secondes, elle a l'impression de s'en être débarrassée. Elle soupire, le cœur encore serré. C'est la première fois qu'une telle chose lui arrive. Elle habite ce quartier depuis quatre ans, depuis qu'elle a quitté la maison familiale à Pointe-Gatineau, moins par besoin d'autonomie que pour éviter de passer une heure dans deux ou trois autobus pour se rendre au bureau. Elle connaît chaque rue transversale entre Dalhousie et

Sussex. Même si elle a toujours éprouvé une inquiétude naturelle à déambuler dans ces rues sombres, la basse-ville ne lui a jamais fait peur. On rencontre parfois des gens antipathiques autour du marché, à la nuit tombée, mais il ne sont pas hostiles, ni agressifs. On s'écarte, on fait mine de ne pas les avoir vus, et ils continuent à cuver leur bière ou à chercher une aventure plus accueillante. Quand on a dépassé la rue Murray, on ne voit plus personne, sinon des gens qui rentrent chez eux sans même regarder qui ils croisent.

Enfin, le silence. Louise prend une grande respiration et se rit de sa frousse passagère. Quand même, la prochaine fois, elle prendra la rue Saint-Patrick, où des voitures circulent toujours. Ou bien, elle acceptera d'être raccompagnée.

Tout à coup, de nouveau, des pas, derrière elle. Ce n'est pas quelqu'un qui marche, mais qui court. Elle a envie de courir à son tour, mais elle se retient. Surtout, ne paniquons pas! De toute façon, elle n'a jamais su courir très vite.

— Mademoiselle! Mademoiselle!

Elle ne se retourne pas. Avancer, toujours avancer, comme si de rien n'était.

Les deux hommes l'ont déjà rejointe. Pis encore, ils l'entourent, comme tantôt.

— Mademoiselle, on ne voulait pas vous faire peur.

— Pas du tout, ajoute l'autre, le ton convaincant.

— Vous ne m'avez pas fait peur, ment Louise, en s'efforçant de mettre de l'assurance, voire de la dureté, dans sa voix.

— C'est que...

Il y a dans cette voix une étrange anxiété, teintée de timidité. Malgré elle, Louise succombe à la tentation de voir à qui elle a affaire. Celui qui a commencé à parler, puis s'est ravisé sans finir sa phrase, n'a probablement pas plus de vingt ans. Il porte un coupe-vent foncé sur une chemise sans col, sans doute un t-shirt. Son expression attristée, son regard implorant surprennent Louise. Qu'allait-il lui dire? Elle se tourne vers son compagnon. Celui-ci, plus âgé, peut-être approchant la trentaine, porte veston et cravate. Il ressemble aux multiples fonctionnaires qu'elle côtoie toute la journée. Malgré l'obscurité générale, elle distingue un visage tranquille, vaguement souriant, inoffensif.

De tout évidence, elle les a mal jugés. Ils sont peut-être à la recherche d'une femme, comme bien des hommes à cette heure-là, et ils ont pu la prendre pour une des prostituées du coin. Elle ne peut pas le leur reprocher. Ce n'est pas non plus leur faute si leur façon de l'aborder l'a tellement inquiétée.

Celui qu'elle appelle «le fonctionnaire», contrairement à l'autre, qui est «l'ouvrier», avance rapidement, se retourne et lui barre le chemin, en levant légèrement les bras pour l'inciter à s'arrêter, ce qu'elle est bien obligée de faire.

— Mademoiselle, nous voulons surtout nous excuser.

— Oui, c'est cela, enchaîne l'autre. C'est ce que je voulais dire.

Louise ne sait pas quoi répondre. Elle aurait été plus heureuse s'ils l'avaient tout simplement laissée filer, mais peut-on en vouloir à quelqu'un de chercher à réparer ses gaffes?

— Ce n'est rien, dit-elle, ce n'est rien.

— Mais oui: on vous a fait peur.

— Et on le regrette.

Elle ne parvient pas vraiment à croire en leur sincérité. Il y a quelque chose de forcé dans leur façon de parler. Mais, à bien y penser, ils n'ont rien à se reprocher, puisqu'ils ne cherchaient pas à l'effrayer. L'essentiel, et c'est un point en leur faveur, c'est qu'ils tiennent à lui présenter leurs excuses.

Louise se fabrique un sourire un peu crâneur.

— Je vous l'ai dit, vous ne m'avez pas fait peur.

Le «fonctionnaire» la dévisage, non sans ironie.

— Mais oui... Une fille toute seule, la nuit, quand elle se croit poursuivie par deux hommes, eh bien, ça lui fait un peu peur.

— Et c'est ce que nous regrettons, ajoute son compagnon, penaud.

Comment leur dire que ce qu'elle veut surtout, maintenant, c'est qu'ils lui fichent la paix? Beaucoup d'hommes sont du genre collant, peu importe les circonstances. Elle ne tient surtout pas à les indisposer.

— D'accord, reconnaît-elle, conciliante, j'ai eu un peu peur. Mais ce n'est rien de grave. Maintenant, c'est fini. Bonsoir.

Elle essaie de faire un pas, mais le «fonctionnaire» lui barre encore le chemin. Surtout, ne pas le repousser, ne pas le toucher.

— Vraiment, vous ne nous en voulez pas?

— Non, je vous assure, dit-elle, avec un brin d'irritation.

Elle y réfléchit et ajoute, en souriant:

— C'est tout oublié.

— Dans ce cas...

Elle hésite. Une étrange lueur a traversé les yeux de l'homme, quelque chose de malicieux, de victorieux.

— Dans ce cas, répète-t-il, on peut vous embrasser.

— Oh oui! s'écrie l'autre, le ton gourmand.

Louise blêmit. Elle a vu juste: ils sont collants et pourraient être désagréables. La scène des excuses n'a servi qu'à la prendre au piège.

— Je... je n'embrasse pas des inconnus.

— C'est très bien, cela! N'est-ce pas que c'est très bien?

— Très très bien, confirme le plus jeune.

— C'est tellement bien, mademoiselle, qu'on ira prendre un verre ensemble, tous les trois, pour faire connaissance.

Au moins, se dit Louise, celui-ci à l'esprit agile. Que faire? Accepter, les suivre dans un bar, et en profiter pour s'enfuir? Non, surtout pas. Ne pas leur donner l'impression qu'elle marche. Elle sera franche, directe, et ils comprendront.

— Merci beaucoup, mais il est tard et je préfère rentrer chez moi.

— Vous habitez loin?

Si elle dit que oui, ils insisteront pour l'accompagner afin de la «protéger» contre de mauvaises rencontres. Si elle dit que non, ils penseront peut-être, avec un peu de chance, qu'il est préférable de laisser tomber.

— À deux pas, répond-elle. Et mon mari m'attend.

Elle a un frisson d'horreur quand le «fonctionnaire» lui prend la main.

— Tu ne portes pas de bague?

— Je l'ai oubliée chez moi.

Il éclate de rire. Au moins, il a lâché sa main.

— On t'accompagne. Ton mari sera heureux de savoir qu'on a pris soin de toi, dans ces rues dangereuses.

— Je peux me défendre toute seule!

— Bien sûr, mais un peu de compagnie ne fait pas de tort. Et s'il n'y a pas de mari, on pourra s'amuser, tous les trois.

Louise se sent bouillir. Ça a commencé quand on lui a pris la main, et la colère a monté quand elle a remarqué qu'on la tutoyait. Elle devrait leur faire carrément face, leur crier d'aller se faire pendre ailleurs. Mais comment réagiraient-ils? L'essentiel, c'est de bouger, d'avancer, de s'éloigner.

— Alors, on y va? dit le plus jeune.

— On y va, déclare-t-elle.

Enfin! Le «fonctionnaire» s'écarte, Louise se remet à marcher. Elle ne se sent guère en sécurité, escortée par ces deux hommes aux intentions peu rassurantes. Elle réfléchit. Soudain, une idée: elle ne les conduira pas chez elle. Le quartier est trop désert. Arrivée au chemin Sussex, elle tournera plutôt à gauche et se rendra jusqu'au centre. Il doit bien y avoir un restaurant d'ouvert sur la rue Rideau, et des taxis, des gens, même des policiers.

Ils n'ont pas fait vingt mètres que le plus âgé des deux hommes lui saisit le bras. La douceur qu'il met dans son geste n'enlève rien à la répulsion qu'elle en éprouve.

— Lâchez-moi! crie-t-elle, en se secouant.

— C'est qu'elle est nerveuse, la petite.

— Je ne suis pas nerveuse, mais vous me tapez sur les nerfs. Alors, on se dit adieu, vous retournez vous chercher qui vous voulez, et je m'en vais de mon côté. C'est clair?

Elle a dû s'arrêter pour dire tout ça. Louise est très contente d'elle-même. Le sang lui a monté au visage et lui brûle les joues, elle sent une forte tension dans ses yeux, mais son accès de combativité lui fait du bien. Il ne lui arrive pas souvent de se disputer. Quand elle est en désaccord avec des collègues, ou que ses patrons l'excèdent, elle se referme et dresse des barrières autour d'elle. Quand il lui est arrivé d'avoir une véritable dispute avec un homme, elle a toujours reculé pour ensuite cesser de le voir. Si, dans un restaurant, elle se sent mal servie, elle ne proteste jamais: il lui suffit de ne plus fréquenter l'établissement.

Louise a l'impression, en ayant dit à ces deux hommes de lui fiche la paix, qu'elle a accompli un geste héroïque. Tout se dégonfle quand elle entend la voix goguenarde de l'«ouvrier»:

— J'aime ça, les femmes passionnées.

— Oui, murmure l'autre, posément, je crois que nous sommes bien tombés.

Louise serre les dents pour les empêcher de claquer. Non, ça ne se passera pas comme ça!

— Je ne suis pas passionnée et je n'ai pas l'intention de l'être! Vous me fatiguez! Pour qui vous prenez-vous? Ça a assez duré! Allez vous faire foutre ailleurs, un point, c'est tout!

Là, elle les repousse, ou plutôt ils s'écartent avant qu'elle puisse les repousser, et elle reprend sa marche, en pressant le pas. Elle croit avoir gagné, car ils ne la suivent pas. Elle tend l'oreille: ils semblent échanger quelques mots qu'elle ne comprend pas. Sans doute conviennent-ils de laisser tomber une partie si mal engagée.

Quelle belle sensation de victoire! Le cœur bondissant, Louise a l'impression de voler. Au fond, ce n'est pas mauvais, une aventure de ce genre. Elle vient de découvrir un aspect d'elle-même dont elle ignorait la force: le goût de l'affrontement, de la lutte. Bien sûr, se dit-elle, il ne convient pas d'exagérer ces choses-là. Par contre, s'il en demeure quelque chose le lendemain, ce sera bien un sentiment gratifiant, la certitude de savoir faire face au danger, de ne pas se laisser démonter, d'avoir une fibre solide dans sa personnalité.

Des bruits de pas, encore, et au pas de course. Elle ferme les yeux. Réussira-t-elle à s'en débarrasser? Que cherchent-ils? Qu'espèrent-ils? Quoi qu'il en soit, elle n'a pas peur. Il y a des voitures sur Sussex, et plus de lampadaires et de vitrines éclairées que sur la rue Murray. Encore cinquante mètres et elle atteindra la zone protectrice.

Les deux hommes la dépassent déjà, s'arrêtent, lui barrent le chemin.

— On ne veut pas jouer avec toi au chat et à la souris, tu sais.

Sait-il à quel point il a employé les mots justes? L'image s'installe brutalement dans la tête de Louise. C'est vrai, depuis cinq minutes, depuis cette éternité de cinq minutes, elle est la souris. Elle a beau se débattre, croire déjouer ses adversaires, elle est la souris piégée, harcelée, qui sera vaincue.

Non! Elle a résisté, elle résistera, elle échappera aux griffes qui la menacent.

— Vous me laissez passer, oui ou non?

Elle a dit cela sur un ton dur, le plus dur qu'elle a pu tirer d'elle-même. Ça ne semble pas impressionner ses adversaires.

— Il serait tellement plus facile de s'entendre!

— On ne te veut pas du mal, tu sais.

— Au contraire! glapit le plus jeune, en ponctuant sa phrase d'un petit rire.

— C'est agréable, un peu de plaisir. Tu dois en avoir l'habitude, jolie comme tu es.

— Et quand c'est désagréable, ça passe quand même très vite. On s'essuie et on oublie ça.

Louise se sent le cœur en compote. C'est la première fois qu'ils lui disent, clairement et vulgairement, ce qu'ils attendent d'elle.

— Vous me laissez passer, oui ou non? répète-t-elle.

Elle les regarde, mauvaise, les bras crispés.

Le plus âgé la contemple, sourire aux lèvres.

— Non, dit-il, doucement.

Reculer? Impossible: elle retrouverait alors la rue Parent, la nuit, l'absence de tout secours. Foncer? Que pourrait-elle contre ces deux hommes? Se battre peut-être, résister, jusqu'au passage d'une voiture, ou de quelqu'un? Les chances sont plutôt minces: pourquoi quelqu'un passerait-il par là à ce moment précis? La police circule parfois dans le quartier, mais elle concentre son attention sur les trottoirs fréquentés par les putains.

Surtout, ne pas fuir, ne pas montrer qu'elle a peur. S'en aller lentement, dans une direction ou l'autre, ou en pleine rue, d'un pas décidé mais sans panique.

Comment n'y a-t-elle pensé? Justement, sur sa gauche, cette cour intérieure qu'on a aménagée avec des bancs et une fontaine... Les quelques fois qu'elle s'y est rendue, elle a toujours vu au moins un couple d'amoureux. Et peut-être que le restaurant est ouvert, quelqu'un la verrait. Les chances d'y trouver une protection sont assez bonnes. Et s'il n'y a personne, la situation ne sera pas pire que maintenant. La cour s'étend jusqu'à la rue Clarence, elle débouchera à deux pas du chemin Sussex, et ce sera encore plus près du centre, des voitures, des gens.

Elle a envie d'insulter les deux hommes, une dernière fois, mais se retient. Le silence vaut mieux. Elle leur lance un regard hostile, puis s'engage dans la cour, d'un pas ferme.

Aucun bruit. On ne la suit pas. Passé dix mètres, elle se retourne, brièvement. Elle distingue une silhouette nonchalamment adossée au mur. L'homme se met à siffler, sans bouger.

Bon, c'est fini, se dit Louise. Le sifflement l'agace, comme une dernière moquerie, mais elle ne l'entendra bientôt plus. Voici la fontaine, bien éclairée. Elle commence à la contourner. Les bancs sont vides. Tant pis, cela n'a plus d'importance. Elle a déjà traversé la moitié de la cour.

Il lui semble que le sifflement se rapproche. Ne pas se retourner. Courir, peut-être? Inutile, il ne lui manque que vingt mètres.

Brutalement, elle aperçoit le deuxième homme, le plus jeune, qui avance en sa direction, en sifflant, lui aussi. Il a dû courir le long de la rue Sussex pour lui barrer le chemin en entrant dans la cour du côté de Clarence.

Louise éprouve comme une nausée. Elle a mal calculé, la voilà prise au piège, et pas même dans une rue mais dans une cour déserte.

Elle s'arrête, livide. À sa gauche, la fontaine. Devant elle, derrière elle, les deux hommes qui avancent en sifflotant. À sa droite, la façade arrière du restaurant déjà fermé.

Le chat et la souris, se rappelle-t-elle. Pis encore: les chats et la souris.

Reculer? Elle ne pourrait reculer que du côté du restaurant, dans l'ombre. Là où elle se trouve, c'est bien éclairé. On doit pouvoir la voir de la rue Murray, si quelqu'un s'avise de passer et de regarder dans cette direction.

De toute façon, elle se battra, elle se débattra, elle ne se laissera pas faire.

— Tu vois, dit le «fonctionnaire», de sa voix suave, si on avait été chez toi, ç'aurait été plus agréable. Plus confortable.

— Mais là, c'est plus excitant, ricane l'autre, en montrant les dents.

Louise les dévisage, durement. Un bout de phrase tourne dans sa tête, incessant, comme un disque rayé : ne pas paniquer, ne pas paniquer.

— Pour la dernière fois, murmure-t-elle, en hachant les mots, foutez-moi la paix!

Pour toute réponse, les deux hommes s'approchent davantage, chacun de son côté.

— Si vous me touchez, si vous essayez seulement de me toucher, je hurle.

Le plus jeune lève le poing.

— Tu seras trop occupée à avaler tes dents.

Il ne blague plus. Glacée, Louise regarde ce poing fermé, à quelques pouces de son visage. Son cœur se serre sur l'image violente, ressentie de l'intérieur, de sa bouche en sang.

— Et ce serait bien dommage, dit le plus âgé, avec une horrible gentillesse, comme s'il lui faisait une faveur. Une bouche comme la tienne doit servir à de bien meilleures choses.

— Je pensais justement à ça, confie son compagnon, les yeux brillants. Je crois même que je suis prêt, ajoute-t-elle, en se touchant la braguette.

Quand est-ce que tout cela a commencé? Il n'y a pas dix minutes, sans doute, mais la peur découpe chaque instant et le prolonge jusqu'à en décupler la durée. Louise tremble de peur, même si elle continue à afficher un visage immobile de tension.

— Qu'est-ce que... qu'est-ce que vous me voulez?

— Tu t'en doutes un peu, non?

— On peut te faire un dessin, si tu veux.

— Non, non...

Les mots sont inaudibles. Les deux hommes se regardent.

— Moi, je veux la bouche, déclare l'«ouvrier».

— Moi, vraiment, je préfère le ventre. J'ai envie de lui voir les cuisses.

D'un mouvement brusque, Louise fonce sur le plus jeune, le repousse, et s'apprête à courir de toutes ses forces. Un bras solide la retient par la taille. Avec un effort brutal, elle recule, en espérant culbuter son adversaire. Elle parvient au moins à lui faire lâcher son étreinte.

L'autre lui fait face, bien cambré sur ses jambes. Le contourner, déjouer son attention... Louise se précipite du côté du restaurant, en se proposant de faire volte-face et de bifurquer du côté de la rue.

C'est trop simple, les hommes devinent son jeu et lui barrent le passage. Elle a encore perdu. Maintenant, ils sont dans la région la moins éclairée, hors de vue de tout passant.

Les hommes la regardent, amusés. Elle éprouve encore une envie de vomir. Que c'est horrible, quelqu'un qui se croit le plus fort, qui se sait le plus fort! Louise se sent absolument démunie. Abandonner, abandonner, et que tout soit fini! Transformer ce présent en passé. Après tout, elle a son stérilet, ce sera une aventure atroce, répugnante, mais qui ne laissera pas de trace.

Non, non, jamais! Trop souvent, presque toujours, quand le sort lui a donné les mauvaises cartes, elle a eu tendance à se résigner, pour se venger ensuite, de façon minable, en plaquant un ami ou en ne retournant pas dans une boutique. Cette fois, c'est autrement sérieux. Elle se trouve vraiment au pied du mur.

— Alors, tu les enlèves, tes culottes?

— Ou on le fait pour toi?

Malgré elle, Louise éprouve un frisson dans le bas-ventre. Le danger et la violence sont souvent source d'excitation, même pour la victime. Ce frisson n'a rien à voir avec le désir, pas plus que le visage d'extase qu'un excès de torture peut provoquer chez le supplicié. Il est aussi de courte durée, et se transforme vite en un creux glacial.

— Je compte jusqu'à cinq, annonce le «fonction-naire».

— Jusqu'à trois, demande l'autre. C'est plus amusant, une femme qui se débat.

— Un... Deux...

Louise fait un saut, à sa gauche. Le jeune homme, aussi agile, lui barre le chemin, en riant. Elle essaie à sa droite. C'est la même chose. Et les deux se rapprochent, se rapprochent! Elle ne peut que reculer. Et bientôt, ce sera le mur.

— Tu sais bien qu'on n'hésitera pas à te casser la gueule, ma petite. Peut-être même que ça nous fera plaisir. Un peu de coopération t'évitera bien des dégâts.

— Après tout, on n'est pas si moches que ça.

— Si tu veux, tu peux toujours fermer les yeux.

Louise a parfois pensé, depuis son adolescence, à ce qu'elle ferait si on tentait de la violer. Elle a toujours su qu'elle se défendrait. Elle pouvait s'imaginer battue, assommée, violée, mais seulement après une longue résistance. Au secondaire, une professeure plus éveillée que les autres lui a fait suivre, avec ses camarades, des démonstrations d'auto-défense avec des techniques tirées de méthodes de combat orientales. Là, elle se souvient à peine des gestes, et elle sait bien qu'elle est encore la plus faible. Elle a aussi pensé, en envisageant une telle situation, qu'elle hurlerait à perdre haleine, suffisamment pour effrayer son assaillant ou pour alerter des passants. Elle n'a pas prévu la menace réelle du poing sur les dents. Elle a même songé de dire au violeur éventuel qu'elle a l'herpès ou une autre maladie contagieuse. Mais là, dans la réalité, elle se sent aussi muette qu'une roche.

— Bon, c'est assez. On n'a pas toute la nuit.

Louise regarde, atterrée, la main qui lui étreint le bras. C'est le plus jeune, le plus dur. Elle jette un regard implorant sur son compagnon. Celui-ci la dévisage, amusé, s'approche, et la serre contre lui.

Il trouve un corps glacé, crispé comme un cadavre. Il approche le visage. Elle recule le sien, autant qu'elle peut. Il lui met la main sur la nuque et la force à accepter un baiser. Il rencontre une bouche fermée, les dents serrées, qu'il parcourt de la langue.

Le cœur gonflé, Louise sent sur sa taille les mains du plus jeune, qui cherche à lui baisser les jeans. Il n'y parvient pas, ils sont trop serrés.

— Le zip, lance l'autre.

Le garçon trouve la fermeture éclair, réussit à l'ouvrir, mais oublie le bouton de sécurité. Le plus vieux, croyant que cette partie de l'opération est achevée, saisit Louise par les épaules et lui fait soudainement un croc-en-jambe. Les genoux pliés, elle tombe en avant. Le «fonctionnaire» s'accroupit, les cuisses de Louise entre les siennes, et essaie, sans succès, de lui retirer ses jeans. Il a beau tirer sur les côtés, les hanches de Louise retiennent la ceinture, il ne parvient même pas à arracher le bouton, qui n'est pas un bouton-pressoir.

— Allez, tourne-toi, ordonne-t-il, en lui donnant une claque sur les fesses.

Louise hésite, terrifiée. Le plus jeune, du côté du mur, est en train d'ouvrir sa ceinture, de baisser son pantalon. Elle retrouve son instinct: se battre, se battre. Avec un sourire forcé, pour faire illusion, elle se tourne sur le dos, plie les genoux, lève les cuisses, pose les pieds contre le ventre de son assaillant et le repousse brutalement.

Le «fonctionnaire» se retrouve sur le dos, en jurant. Son compagnon se précipite sur Louise, déjà relevée, mais il doit retenir son pantalon d'une main. Louise songe à lui assener un coup de pied entre les jambes, mais décide plutôt de courir à perdre haleine jusqu'à la rue Clarence.

— La salope! La salope!

Ils la rejoignent, mais elle a déjà quitté la cour, elle a atteint le coin de Sussex.

Une voiture passe, sans arrêter.

Le plus jeune saisit les mains de Louise et les serre violemment sur son dos.

— Là, c'est assez! Viens!

Une voiture ralentit. Le conducteur a vu la scène et se dit que quelque chose ne tourne pas rond. Il arrête, pour voir cela de plus près.

— Laisse, dit le plus âgé. C'est raté.

Il s'approche de Louise, lui donne une terrible paire de gifles et lui crache au visage. Le conducteur klaxonne. Les deux hommes s'enfuient en courant et s'enfoncent dans la cour.

Louise reste sur le trottoir, immobile, silencieuse. Est-ce vraiment fini? Une de ses joues lui fait très mal. Elle a l'impression de saigner.

Le conducteur se penche de son côté, en ouvrant la fenêtre.

— Avez-vous besoin d'aide, mademoiselle?

Elle le regarde. Il a peut-être cinquante ans, le visage accueillant d'un commis-voyageur, et l'expression inquiète.

Il inspire confiance. Mais n'est-ce pas à ce moment qu'il faut se méfier?

— Ce... ce n'est rien. Une... une petite dispute.

— Ça m'a eu plutôt l'air d'une grosse dispute. Vous ne voulez pas que je vous conduise chez vous?

Elle hésite. Les deux hommes aussi, pendant un instant, lui ont paru sympathiques.

Un taxi approche. Elle lève le bras. Le taxi arrête.

— Je m'excuse. Merci beaucoup, dit-elle au premier conducteur, la voix encore tremblante.

Et elle saute dans le taxi, les yeux mouillés, le cœur éperdu.

2

Louise se réveille brusquement, comme si un film avait pris fin à un moment inattendu sans avoir été vraiment conduit à son dénouement, en laissant des fils qui pendent et des épisodes incomplets. De toute façon, elle a déjà oublié son rêve, elle ne sait même plus si elle en a fait un.

Elle a mal partout, elle se sent chiffonnée, les tendons crispés, des élancements dans la tête. Quelle heure est-il? Deux heures? Trois heures? Non, la clarté du jour envahit déjà la chambre en se glissant autour des rideaux. Louise regarde le réveil, sur la table de chevet. Sept heures moins le quart. Son épuisement ne l'a pas empêchée de se réveiller spontanément, comme chaque jour, quinze minutes avant la sonnerie.

Dormir, dormir... Elle baisse les paupières. Elle a mal aux yeux, comme si elle avait pleuré, ou trop bu de mauvais vin; mais elle n'a pas bu, ni pleuré.

Une idée, tout à coup. Sans hésiter, elle se lève et se précipite dans la salle de bains. Elle emplit un verre d'eau, se gargarise, et avale une aspirine, puis une deuxième. Le peu de liquide qu'elle vient d'ingurgiter la ranime, lui permet de commencer à y voir plus clair. Elle remarque qu'elle a gardé ses bas-culottes, son slip, son soutien-gorge, alors qu'elle dort normalement nue. Elle les retire, les fourre dans le panier et retourne dans sa chambre.

Louise se recouche sur le ventre, écartelée, la tête entre les deux oreillers. Vingt minutes de repos, de demi-sommeil, lui suffiront sans doute, avec les aspirines.

Elle ne pense à rien. Il n'y a en elle qu'un grand vide et la nuit, une nuit intérieure, immobile et froide. La seule impression qu'elle conserve de la veille, c'est d'avoir nau-fragé dans la nuit.

Ce bruit... La sonnerie, bien sûr. Elle allonge la main jusqu'au réveille-matin. Le silence, enfin. Elle se sent la tête plus dégagée, les muscles plus reposés, mais les nerfs encore douloureusement sensibles. À quelle heure s'est-elle couchée? Il n'était pas encore minuit quand le taxi l'a déposée, et elle a tout de suite gagné son lit, sans se démaquiller, sans se brosser les dents.

Son sac à main! Non, évidemment, elle ne l'a pas perdu, puisqu'elle a pu payer le taxi, sortir ses clés, ouvrir la porte. Elle regarde autour d'elle. Son chandail et ses jeans traînent sur la chaise, là où elle les a jetés. La sacoche est tombée sur le tapis. Heureusement, elle la portait en bandoulière, pas dans les mains. Assise sur le bord du lit, elle fait l'inventaire du contenu. Rien ne manque.

Rassurée, elle se lève. Elle trouve encore pénible de bouger, mais ce n'est pas insurmontable. Louise parvient même à sourire en se demandant si elle pourra, comme elle le fait cinq fois par semaine, prendre une demi-heure pour sa toilette, une demi-heure pour son petit déjeuner, attraper l'autobus de huit heures cinq et arriver au bureau quinze minutes plus tard, tout cela sans se presser, juste en accumulant méthodiquement les gestes familiers.

Elle se contemple dans le miroir. Quel visage fripé! Réussira-t-elle à effacer cette poche sous son œil gauche? La saveur du dentifrice à la menthe lui fait du bien. Soudain, elle grimace. La brosse a touché une blessure, sous la lèvre.

Louise baisse les paupières en se rappelant les gifles, surtout celle du revers de la main. Elle parvient mal à se souvenir des traits de ses assaillants. Il y avait «le fonctionnaire» et «l'ouvrier». Le premier: un visage fade, presque doux, obséquieux, mais c'est lui qui l'a frappée. Sa coiffure? La couleur de ses yeux? Blanc de mémoire. Le second, les traits plus grossiers, plus sensuels, un regard mauvais, un soupçon de moustache, les cheveux très noirs, et longs. L'autre était-il blond?

La douche la réveille tout à fait. Elle ne se contente pas de se savonner: elle se masse le corps, chaque muscle qu'elle peut atteindre. Ensuite, un shampooing. Il ne s'agit pas seulement de se laver les cheveux, mais de se frictionner vigoureusement le crâne. Louise essaie de se faire, d'une certaine façon, un corps neuf, en vérifiant son fonctionnement.

Nettoyée, épongée, revigorée, elle se concentre sur son maquillage. D'abord, une crème rafraîchissante, pour s'humidifier la peau. Malgré la sensation agréable, elle ne parvient pas à esquisser un sourire. Elle continue. Au moins, elle peut se faire un visage présentable.

Déjà sept heures quarante! Comment s'habillera-t-elle? Elle enfile un peignoir et se rend à la cuisine. Deux toasts dans le grille-pain, un verre de jus d'orange, vidé d'un trait, un peu de café dans le percolateur, et le tour est joué.

Assise à la table, Louise regarde les toasts qu'elle vient de beurrer. La pensée d'y mettre les dents lui soulève le cœur. Des céréales, comme chaque jour? Non, vraiment, elle ne pourrait pas avaler la moindre bouchée. Une cigarette, peut-être? Elle ne fume jamais avant midi, mais puisque tout est bouleversé...

Elle s'étire, sort un paquet du tiroir et le contemple, hébétée. Il faut absolument se secouer. Elle avale une gorgée de café et allume la cigarette. La fumée lui provoque un délicieux dégoût. Elle l'aspire profondément, à plusieurs reprises, entre deux lampées de café.

Là, une crampe, violente. Elle serre les cuisses et se penche pour comprimer son estomac. Ça passe, c'est passé. Non, ça revient. Elle court jusqu'à la salle de bains. C'est une indigestion liquide, désagréable. Louise a envie de pleurer.

Évidemment, ce n'est pas le repas de la veille mais sa nervosité. Là, elle en veut férocement à ses attaquants. Ils ont brisé quelque chose en elle, quelque chose de vital. Ce problème d'estomac n'est que le signe d'un désarroi autrement plus profond. Ces deux hommes... Oh, les avoir devant elle, à sa merci! Elle leur lacérerait la peau, elle leur crèverait les yeux, elle leur ferait éclater les testicules!

Louise se met la main sur la poitrine, pour cesser de haleter. Ça fait au moins dix minutes qu'elle est là, assise. Tout se calme. Elle se lève. Huit heures et quart! Elle choisit une chemise rose, un tailleur gris, s'attarde une dernière fois devant le miroir, abandonne tout espoir de se faire un visage serein, et sort.

Le ciel est couvert mais la pluie ne menace pas encore. Louise se rend jusqu'à l'arrêt d'autobus. Un homme, débonnaire, dans la soixantaine, glisse un commentaire sur la température. Elle ne réagit pas. Il dit quelque chose à propos des autobus et du degré de fiabilité des horaires. Il y a des gens comme ça, qui préfèrent n'importe quoi au silence. Louise ne répond pas. Perplexe, l'homme se résigne à son insociabilité.

Enfin, l'autobus. Louise se rend compte qu'elle a dévisagé tous les passagers avant de s'installer au dernier banc. Croit-elle vraiment que ses assaillants pourraient se trouver là, ce matin, et qu'elle saurait les reconnaître?

Il est neuf heures moins cinq quand elle entre au bureau. Monique l'accueille, toujours amicale:

— Bonjour! Je croyais que tu ne viendrais pas.

— Moi non plus, répond Louise, sèchement.

Pourquoi cette brusquerie? Monique est une de ses meilleures amies. Louise songe brièvement à s'excuser, puis décide qu'elle n'a surtout pas envie de parler. Nos amis, ce sont ceux qui nous pardonnent nos sautes d'humeur. Elle ouvre le classeur.

— J'ai mis les papiers de M. Lemelin sur son bureau.

— Merci, c'est très gentil, dit Louise, la voix rauque, comme si ouvrir la bouche lui coûtait un effort substantiel.

Elle reprend son souffle et demande s'il est déjà arrivé.

— Peut-être. Il y avait une cigarette dans son cendrier. J'ai regardé son agenda: il avait quelque chose à huit heures trente. Il a horreur de ces réunions matinales. Ça doit l'avoir mis de très mauvaise humeur.

Louise se retient de réagir. C'est bien le genre de Monique de souligner aussi indirectement sa piètre humeur à elle. Imperturbable, elle ouvre le tiroir et sort ses deux paniers. Elle a beaucoup travaillé la veille, mais il lui en reste pour toute la journée, sans oublier ce qui lui arrivera.

Non, ne pas se sentir fatiguée d'avance. Elle s'installe, retire la housse de sa machine à écrire et introduit la première feuille blanche.

— Bonjour.

— Bonjour, répond-elle, froidement.

Antoine Dubois s'arrête et la dévisage, avec une nuance d'ironie. Célibataire, dans la quarantaine, il a toujours l'air, selon Louise, de marcher avec une pièce de monnaie entre les fesses. Doué d'une vive intelligence et d'un caractère désagréable, il essaie parfois de se rendre sympathique, mais ses bons mouvements se noient dans son humour glacial et glaçant.

— Vous avez l'air d'avoir passé une très belle nuit. Félicitations.

Louise serre les lèvres, plus exaspérée qu'offensée. En effet, ses traits tirés, fatigués, peuvent être pris pour le résultat d'une nuit passionnée. Et alors? Est-ce que ça le regarde? Oh, pouvoir dire aux gens ce qu'on pense d'eux!... Mais Louise s'est toujours sentie faible devant ses supérieurs hiérarchiques.

Monique se porte à son secours en attirant l'attention de Dubois sur une question de bureau. Ça l'intéresse, il se fait exposer le problème, il promet de s'en occuper. Louise le regarde s'éloigner. Elle a toujours pensé qu'il était homosexuel, à cause de sa gaucherie avec les femmes. Mais s'il ne l'était pas? S'il était tout simplement un frustré, un refoulé? Serait-il capable de violer une femme? Avec son aversion pour le désordre, il aurait besoin de deux complices qui immobiliseraient la victime afin de lui permettre de la violer proprement, consciencieusement, sans froisser ses vêtements.

Non, se dit-elle aussitôt, non! Ne délirons pas! Elle ne va pas se mettre à voir des violeurs partout! Elle commence à taper sa lettre. Elle a au moins trois pages. C'est excellent, ça l'aidera à se rasséréner, comme tout geste mécanique.

— André a appelé, un peu avant que tu arrives.

— Tant mieux pour lui, lance-t-elle, sans même réfléchir.

Ce n'est pas à André qu'elle pense, mais à Monique. Serait-ce une façon de lui rappeler qu'elle est arrivée en retard? Ça lui arrive si rarement que Monique cherche peut-être à en savoir la raison. Peut-elle le lui dire? D'ordinaire, elles se racontent tout, leurs histoires de famille, les films qu'elles ont vus, les performances et les impuissances de leurs amants, les bonnes et les mauvaises soirées, leurs rognes et leurs plaisirs. Cette fois, c'est différent. Louise ne tient pas à partager son aventure, sa mésaventure. Elle se demande si Monique a jamais été violée, ou si elle a au moins été, comme elle, la victime d'une tentative. En aurait-elle parlé? Louise n'a jamais hésité à évoquer un orgasme singulièrement vibrant, une caresse particulière, tout en employant des mots pudiques et des insinuations transparentes. Ce qui lui est arrivé la veille est beaucoup plus intime que l'expérience de n'importe quel plaisir et plus personnel que la pire faute qu'on voudrait confesser à une amie. La violence dont elle a fait l'objet lui a écorché la zone la plus secrète du cœur.

Elle plonge dans ses pensées en laissant ses doigts courir sur le clavier. Aucune de ses amies ne lui a jamais parlé de viol, pas de façon personnelle. Des abus de la part d'un mari ou d'un amant, oui. Ce genre de viol intéresse les avocats dans les procédures de divorce, pas la police. Elle fouille sa mémoire et ne trouve rien. Pourtant, le viol n'est pas rare, on en traite dans les journaux, on en dresse des statistiques, on estime même le nombre de ceux qui ne sont jamais rapportés.

Oui, décide-t-elle, il y a de bonnes chances qu'une de ses copines, à un moment donné, ait été victime d'une attaque. Pourquoi lui en aurait-on parlé, puisqu'elle ne peut même pas imaginer de le mentionner à Monique, sa confidente de chaque jour? Louise forme les mots dans sa tête: «*On a essayé de me violer, hier soir.*» Qu'est-ce qui rend une telle phrase impossible à prononcer, même avec une amie très chère?

Louise arrête de taper. Elle a trouvé la raison, le mot: c'est l'humiliation.

Monique, qui se trouve de l'autre côté du bureau, profite de cette pause pour dire à sa collègue qu'André a demandé qu'elle le rappelle.

— Oui, plus tard.

— S'il a appelé si tôt, c'est peut-être important.

— Rien n'est important, riposte Louise, butée.

Monique sourit: elle croit comprendre. Évidemment, André et Louise se sont chamaillés. Ça a dû être une grosse dispute, puisque Louise est entrée avec une demi-heure de retard. André a appelé pour s'excuser, sans tarder, mais Louise a encore leur dispute sur le cœur.

— Quand on se chicane, dit Monique, qui n'est pas dépourvue d'instinct maternel, l'essentiel, c'est de se réconcilier au plus tôt.

Louise la regarde, les yeux grands ouverts. De quoi parle-t-elle?

— Tu vois, poursuit Monique, avec une montagne d'indulgence, ces petites disputes, c'est des plis sur une robe. On ne jette pas une robe dès qu'elle se froisse. C'est un très bon gars, André. Il a ses défauts, comme toute le monde...

— Mais il est une belle robe, c'est ça?

Elles éclatent de rire. Louise était tellement tendue que son rire nerveux se prolonge jusqu'à lui opprimer la poitrine. Elle tousse, violemment.

— Mademoiselle, mon mémoire sur la révision du budget, est-ce qu'il est prêt?

C'est James Black, l'un des agents de la direction, un anglophone timide et exigeant. Louise travaille pour lui et le directeur, M. Lemelin, tandis que Monique écope de Dubois et des deux autres agents. Le travail est bien réparti, puisque Black produit comme deux.

— Je ne l'ai pas vu, dit-elle, surprise.

— Mais oui! Celui avec les tableaux. Je l'ai mis là, moi-même...

Il commence à fouiller dans le panier. Louise lui a dit maintes fois qu'elle trouvait cela très déplaisant. Elle en a même fait toute une histoire. Elle a abordé la question avec le directeur, en soulignant que Black risquait de tomber sur des pièces de correspondance personnelle; Lemelin a promis d'en parler à Black, mais il ne l'a pas fait, ou sans résultat. Monique, toujours philosophe, en a profité pour rappeler à sa collègue que dans ce monde les agents ont des bureaux et des lignes de téléphone tandis que les secrétaires sont laissées dans des corridors élargis avec une ligne commune et des pupitres ouverts à tous.

Louise bouillonne en voyant le jeune homme tripoter ses papiers. Elle le regarde durement, faute d'oser lui dire qu'il n'a vraiment pas le droit de toucher à quoi que ce soit sur son bureau. Black finit par trouver son document.

— Le voici! glapit-il, victorieux. Je l'ai mis là hier, juste avant cinq heures, pour que vous ayez le temps de le faire ce matin, avant que j'arrive.

— Eh bien, je n'ai même pas eu le temps de le voir. Vous auriez dû me le remettre en mains propres, ou au moins avec un bordereau.

— Je croyais qu'il suffirait de le mettre là pour que vous compreniez qu'il fallait le taper.

— J'ai aussi des choses à faire pour M. Lemelin, signale-t-elle, suavement.

— Je sais, mais...

Il consulte sa montre. Louise essaie de deviner ses pensées: croit-il qu'une lettre se dactylographie en cinq minutes, ou songe-t-il surtout qu'il perd un temps précieux à discuter avec une secrétaire?

— Écoutez, mademoiselle: cela est très urgent, même si vous ne vous en apercevez pas. J'y ai beaucoup travaillé. Alors, faites-moi plaisir, et mettez-le au moins au haut de votre pile.

Louise, furieuse, le regarde partir. Tout à coup, il se retourne:

— Je veux le signer avant d'aller déjeuner. Je vous apporterai une lettre de présentation dans une demi-heure.

— Je peux la rédiger, si vous voulez.

Il lui sourit avec commisération, comme s'il ne l'en croyait pas capable.

— Non, ne vous dérangez pas. Vous en avez suffisamment comme ça.

Quand il est parti, Monique se met à rire:

— Si tu avais eu des fusils à la place des yeux, il serait mort dix fois.

Louise, encore trop en colère, ne répond pas. Black, normalement réservé et poli, devient facilement autoritaire avec les secrétaires et les commis. Quand il a une idée en tête, une tâche à accomplir, les modalités lui semblent secondaires. S'il entreprenait de faire l'amour à une femme et si elle lui résistait soudain, il n'hésiterait pas à la violer afin d'atteindre son but.

Elle se secoue. Décidément, ça devient une manie. On peut imaginer n'importe quel homme dans le rôle de violeur, comme on peut se demander quel genre de mère serait une femme. Surtout, ne pas en faire une idée fixe. Il y a des hommes méchants, bien sûr, mais la majorité ne le sont pas.

— Tu oublies André, lui rappelle Monique.

— Après ce maudit document.

Elle feuillette les cinq pages pour se faire une idée du format, de la disposition. En effet, il y a deux tableaux, pleins de décimales et de pourcentages. Elle sort sa machine à calculer. Même si Black est méticuleux, il n'est pas à l'abri d'une erreur. Une fois, elle en a trouvé une. Quand elle le lui a signalé, il a semblé plus furieux que reconnaissant : Comment ? elle vérifiait son travail ? elle se croyait plus compétente que lui ? Il a quand même rectifié son addition, en se plaignant d'être toujours dérangé par le téléphone quand il a besoin de concentration. Elle n'a pas osé lui rappeler que, dans ces cas-là, il n'avait qu'à lui dire de retenir ses appels.

Cette fois, les tableaux sont corrects, mais la révision des chiffres lui a pris quinze minutes. Pour finir de taper cela avant midi, elle devra sans doute se passer de café, à moins que Monique veuille bien le préparer. C'est pourtant le tour de Louise, cette semaine, et elle ne voudrait pas abuser de la serviabilité de sa collègue.

Elle tape rapidement, les yeux sur le manuscrit. Louise, avec sept ans d'expérience, n'a pas de peine à se dissocier de son travail. Une question se pose : doit-elle porter plainte ? Elle ne se demande pas encore si elle en aurait le courage, mais comment ça se passerait si elle décidait de le faire.

D'abord, où porte-t-on plainte ? Au poste de police. Elle n'y a jamais été. Ça doit se trouver dans l'immeuble où l'on paie ses contraventions. L'adresse, c'est la moindre des choses. Mais dans quel bureau ? Appeler, dire à la standardiste qu'elle désire rapporter une tentative de viol ? «*Oui, ne coupez pas, je vous mets sur la ligne.*

Excusez-moi, c'est engagé. Préférez-vous garder la ligne ou rappeler dans dix minutes?» Une plainte de cette nature doit aussi faire son chemin dans des méandres bureaucratiques. Elle tomberait enfin sur la personne responsable. Ce serait probablement un détective, un inspecteur, un homme. On lui demanderait des détails: *«Quand est-ce que ça s'est passé? Hier? Pourquoi n'avez-vous pas appelé aussitôt? J'imagine que ça ne vous a pas semblé important, si vous avez pu attendre jusqu'à aujourd'hui, et même pas au début de la matinée.»*

Non, se dit Louise, ne le prenons pas comme ça. Spontanément, ou par entraînement, le responsable, homme ou femme, réagirait avec sympathie: *«Ainsi, vous avez été violée. Non? Une tentative, seulement?*

— *Oui, SEULEMENT une tentative,* répondrait-elle, en maîtrisant sa colère.

— *Ne vous méprenez pas sur mes mots, mademoiselle. Je cherche à établir les faits. Croyez-moi, pour la loi, une tentative de viol est condamnable au même titre qu'un viol consommé. C'est une expérience aussi traumatisante. Vous avez sans doute besoin d'une attention particulière en ce moment. Je vais vous donner le nom et le numéro de téléphone de notre psychiatre de service. Attendez, je consulte l'annuaire...»*

Elle exagère peut-être. Le policier chercherait avant tout à dresser un procès-verbal de l'incident. Là, elle devrait tout raconter, geste par geste, mot par mot. *«Tu les baisses, tes culottes, ou on le fait pour toi?»* *«Moi, je veux la bouche.»* *«Moi, je veux lui voir le ventre.»* Est-ce que le policier sourirait quand elle lui raconterait qu'ils ont eu du mal à lui descendre ses jeans? Ou peut-être qu'il dirait: *«Si vous portiez des pantalons aussi serrés, je comprends que ça les ait excités.»*

Louise a beau envisager divers scénarios, elle aboutit à la même conclusion: elle ne pourrait pas raconter cette scène sans trembler d'humiliation. Ce serait aussi pénible qu'une femme qui se résout à révéler que son mari la bat. En disant: «*Il m'a giflée et il m'a craché au visage*», elle sentirait toute sa figure barbouillée par le crachat.

— Tu te sens mal, Louise?

— Non, non, ça va.

Elle a pourtant pâli à cette dernière image. Ce crachat lui a fait songer à du sperme. Pourra-t-elle encore faire l'amour sans penser que son amant lui envoie un crachat?

Ne pas sombrer, ne pas s'abandonner à de telles associations. Où en était-elle? Oui, le policier, le procès-verbal. Elle surmonterait peut-être son humiliation, elle réussirait à raconter toute la scène. Et ensuite? On lui demanderait de décrire ses agresseurs. «*Il faisait nuit et j'avais peur. Je ne voulais pas les regarder.*

— *Vous les avez quand même vus, non? quand ils étaient sur vous.*

— *Oui, oui. L'un ressemblait à un fonctionnaire, et l'autre à un ouvrier.*

— *Vous avouerez, mademoiselle, que c'est plutôt insuffisant pour entreprendre des recherches.*» Il proposerait, comme dans les films, de rassembler une dizaine de suspects pour une séance d'identification; comme dans les films, elle risquerait de «reconnaître» un parfait innocent.

— Alors, ça avance?

Black lui tend la note dont il lui a parlé une demi-heure plus tôt. C'est court, et Louise peut la lire en un clin d'œil: «*Vous trouverez sous ce pli copie du rapport intitulé...*» En effet, il a dû penser qu'elle serait incapable de rédiger un tel texte.

Il fait le tour du bureau et se met à lire la première page de son travail, encore sous le rouleau de la machine à écrire. Quand il lit ainsi, dans son dos, ce qu'elle est en train de taper, Louise se sent envahie dans son intimité, comme si on lui soulevait la jupe ou qu'on regardait dans son corsage. Elle retient une envie de lui enfoncer le coude dans le ventre pour l'éloigner. Elle a aussi un peu honte de n'avoir encore tapé qu'une vingtaine de lignes; mais pourrait-elle lui dire qu'elle a passé un quart d'heure à vérifier ses tableaux?

— Made-moi-selle...

Elle respire difficilement. S'il lui fait la moindre remarque, elle criera.

— Louise, as-tu des allumettes?

C'est Roger, le plus jeune des agents, fraîchement sorti de l'université. Il fait parfois des commentaires d'une rare insensibilité, mais la plupart du temps il est un rayon de soleil, cordial, chaleureux, énergique. Elle lui passe un carton, en souriant. Elle a pris l'habitude d'en tenir une provision en réserve, après avoir remarqué à quel point les agents, y compris M. Lemelin, semblent souvent incapables de prévoir leurs besoins, de s'acheter un briquet ou de garder des allumettes dans leurs tiroirs.

— Merci. Je te le rendrai.

Il ne le fait jamais. Au moins, les allumettes, ça ne coûte pas cher.

— Mademoiselle... répète Black, un peu excédé.

Il est encore dans son dos, celui-là? Également exaspérée, Louise se retourne. Elle le regarde froidement, encore hésitante, puis elle plonge:

— Si vous voulez me parler, M. Black, dit-elle, en pesant chaque syllabe, je vous prierais de passer de ce côté.

Elle lui montre l'endroit normal, devant son bureau. James Black, interloqué, se tourne vers Monique, à l'autre bout de la pièce. Celle-ci fait semblant d'être absorbée dans son travail. Il dévisage Louise, comme s'il cherchait ses mots.

Celle-ci, une seconde, repasse dans sa tête ce qu'elle vient de dire. La mettra-t-on à la porte, pour impertinence? Non, c'est elle qui a raison!

— Je voulais...

Il n'achève pas sa phrase. Le directeur, M. Lemelin, arrive en coup de vent, comme d'habitude, et l'invite à l'accompagner dans son bureau. Black le suit. Il est heureux quand son directeur le convoque: ça veut dire qu'il compte, qu'il joue un rôle clé. Il ferme la porte du bureau, pour souligner qu'il doit s'agir d'une conversation importante.

— Bravo, ma petite Louise. Tu l'as remis à sa place.

— Il me fatigue tellement, des fois... murmure Louise. Si au moins il me laissait travailler!

Monique a trente-sept ans et ne manque pas d'expérience. Elle sourit:

— Il y a toutes sortes de moineaux, tu sais. Il a ses manies, James, mais dans l'ensemble, il n'est pas parmi les pires.

— Si on ne lui met pas le nez dedans, il ne saura jamais que ses manies à lui sont insupportables.

— Peut-être. Mais, tu sais, il y a des patrons qui n'apprennent jamais, et je crois qu'il est de ceux-là.

— Qu'est-ce que tu fais, alors?

Monique lève les mains, dans un geste d'indulgente résignation. Louise la contemple, immobile. Elle a vraiment de moins en moins envie de se soumettre. Ça lui a fait du bien de parler à Black sur ce ton. Mais l'intervention de Lemelin n'a fait qu'interrompre l'affrontement.

Elle finit de taper la première page et entreprend la seconde. Ça avance bien. Elle regarde les lignes s'ajouter les unes à la suite des autres. Si elle peut garder ce rythme, elle aura amplement le temps de faire les tableaux avant le déjeuner.

Déjà la troisième page. La porte du bureau de Lemelin s'ouvre. Comme catapulté par un ressort, James Black se dirige sur Louise. Elle est contente de pouvoir lui montrer qu'elle a fait plus de la moitié du travail et qu'il aura son précieux document avant midi.

— Mademoiselle Bujold, je suis du bon côté?

Il la regarde, ironique. Quelle tête à claques, pense-t-elle. Doucereuse, elle dit :

— Oui, monsieur Black.

— Merci, continue-t-il, avec une insupportable politesse. J'ai remarqué une coquille, sur la première page.

Elle le dévisage, fatiguée. Lui dire qu'elle revoit toujours ses textes, mais une fois qu'ils sont achevés? Elle n'a pas envie d'expliquer, de discuter.

— Où donc? demande-t-elle.

Elle lui tend la feuille avant qu'il ne recommence à tripoter ses papiers.

— C'est ici. Vous avez tapé «nous voudrons» au lieu de «nous voudrions».

Louise a une excellente mémoire visuelle quand il s'agit de ce qu'elle tape. Elle prend aussitôt le manuscrit et le lui montre: il a écrit «nous voudrons».

Elle s'en veut de ce geste peu charitable, et elle s'en veut de jouir méchamment en voyant poindre une rougeur humiliée sur les joues de son interlocuteur. Mais c'est bien fait pour lui!

— Il est évident, mademoiselle, que je voulais écrire
«nous voudrions». C'est clair, dans le contexte. J'espère
que je peux quand même compter sur vous pour déni-
cher ces choses-là.

«*On m'a humiliée, je t'humilie, tu m'humilies*», songe
Louise, intérieurement. Doit-elle répliquer? Lui dire que
non, que ce n'est pas clair, que le contexte dont il parle
n'existe que dans sa tête? Elle choisit de prendre un stylo
rouge et d'écrire un gros i encerclé sur la feuille manus-
crite.

Le téléphone sonne. C'est le troisième bouton, le
numéro général du bureau. Pourvu que ce ne soit pas un
appel personnel, se dit Louise, ce serait le comble, en ce
moment. Et si c'est André, il voudra parler de leur
rendez-vous, ce soir, auquel elle ne veut peut-être plus se
rendre. Elle laisse sonner, en sachant que Monique s'en
occupera dans deux secondes. Black la regarde, étonné,
et prend l'appareil.

Louise en est estomaquée. Comment peut-il oser...?
Il sait que ce n'est pas son numéro. C'est comme ouvrir
une lettre qui ne nous est pas adressée.

— Allô? Oui? Non, mademoiselle Bujold est trop
occupée. Veuillez rappeler plus tard, après le déjeuner.

Il raccroche, victorieux. Louise tremble, les nerfs à
vif. Comment a-t-il pu se permettre...? Et il a raccroché,
en plus! Il n'a même pas pris le nom de la personne.
Quelqu'un voulait lui parler, elle était là, et Black a coupé
la ligne. Et ce n'était pas pour accélérer la dactylographie
de son document, mais pour l'humilier, encore une fois.

Une phrase se forme en elle: «*Ne recommencez
jamais, monsieur Black.*» Les mots ne sortent pas. Elle se
sent blême, exsangue, les lèvres serrées à lui faire mal.

— Je vous laisse travailler, maintenant.

Il ne s'est pas éloigné de dix pas qu'elle le rappelle, alors qu'il s'engageait déjà dans le couloir.

— Monsieur Black!

— Oui? demande-t-il, en se retournant.

— Ne recommencez jamais, je vous prie.

Elle semble si visiblement bouleversée qu'il choisit de battre en retraite:

— Excusez-moi, je croyais que c'était pour moi. J'attends un appel très important.

Louise, encore frissonnante, continue à taper son texte. Quand on rencontre James Black, on est vite séduit par son charme, ses bonnes manières, sa réserve courtoise. Il conserve cette attitude avec la plupart de ses collègues, y compris les femmes, mais pas avec les secrétaires, en qui il ne semble voir qu'une excroissance préhistorique d'une machine à écrire. Louise, dont la grammaire est excellente, prend soin de présenter un travail généralement irréprochable. Il lui arrive même de discuter de nuances syntaxiques avec Lemelin, Grevisse et Hanse à l'appui. Cependant, il est parfois difficile de réviser un texte long quand on est pressée par le temps. Black prend alors un malin plaisir à relever une coquille, heureux de voir dans sa secrétaire un instrument défectueux plutôt qu'un être humain.

Cette fois, il a eu tort, totalement tort. Non seulement il a pris un texte non corrigé, mais la coquille n'en était pas une. Au lieu de s'excuser, il a essayé de lui prouver qu'elle aurait dû deviner, si elle avait été un peu plus compétente, qu'il a voulu dire «nous voudrions». Ensuite, son geste abominable d'intercepter l'appel et de raccrocher. Quel goujat! Les numéros sont bien indiqués sous les boutons lumineux. Sa ligne, c'est le premier bouton, pas le troisième. On a même écrit son nom, en dessous. Et il l'a bien vu, avant de prendre l'appareil.

On sonne. C'est André, ravi de l'entendre. Il lui demande qui était l'ostrogoth qui a répondu.

— Je suis très occupée, André, j'en ai vraiment par-dessus la tête. Je te rappelle vers midi. Je t'embrasse.

Comment est-il, André, avec ses secrétaires? Méprisant, comme Black ou Dubois, ou chaleureusement insensible, comme Roger? Lemelin, professionnel et un peu distant, a un côté paternel et semble aimer le contact des femmes. La dernière agent, Marie Lussier, est aussi méprisante que Black ou Dubois. Ancienne secrétaire, elle se croit meilleure que d'autres parce qu'elle a réussi à gravir quelques échelons bureaucratiques. Elle donne toujours l'impression qu'elle pourrait dactylographier et s'occuper de sa correspondance plus efficacement si elle avait encore le temps de le faire elle-même.

Au fond, se dit Louise, les gens avec qui elle travaille sont plutôt moches. Comment ne s'en est-elle pas aperçue avant?

Bon, son texte est fini, elle peut s'occuper des tableaux. Elle compte les colonnes et mesure l'espace qu'il leur faut. Ça lui prendra au moins une heure, si elle n'est pas trop dérangée.

Lemelin, le directeur, sort de son bureau. Elle fait la grimace: s'il ne se sert pas de l'intercom, c'est qu'il va lui demander quelque chose de compliqué.

— Louise, est-ce que vous pourriez appeler Stevens, au Personnel, et lui dire que je le verrai demain après-midi? Qu'il me propose une heure, et vérifiez sur mon agenda. Je voudrai aussi parler avec André Tourigny, et ensuite, mais seulement ensuite, avec Mel Boychuk. Il travaille aux Finances, je ne sais pas exactement où, mais avec un nom pareil vous le trouverez sans difficulté. Si on m'appelle, dites que je ne suis pas là, j'ai un rapport à étudier attentivement. Sauf si c'est Sawyer ou Lucie

Lemoyne. Oh! Je reçois deux visiteurs, à onze heures. Est-ce que vous pourriez nous apporter du café? Pas de la cafétéria: dans des tasses, s'il vous plaît.

Louise a griffonné les noms et les instructions, en sténo. Elle fait une moue visible quand il mentionne le café. Monique, qui connaît l'aversion de sa collègue pour ce type de requête, surtout quand il faut ensuite laver les tasses, a un bon mouvement:

— Je m'occuperai du café, monsieur Lemelin. Louise est très occupée. M. Black ne lui laisse pas une minute.

— Ah, bon! Oui, merci. À onze heures et quart, environ.

Le directeur retourne dans son bureau. Monique regarde Louise, en souriant:

— Tu es vraiment à prendre avec des pincettes, aujourd'hui.

Louise sent des larmes lui monter aux yeux. C'est vrai, elle est nerveuse, irritable, mais c'est parce que les gens, autour d'elle, la harcèlent et l'indisposent. Ce n'est pourtant pas une matinée particulière. Chaque nouveau jour lui ramène Monique, Dubois, Lemelin, Black et les autres. S'il y a aujourd'hui quelque chose de spécial, c'est d'être elle-même plus sensible aux aspects inhumains, déshumanisés, de l'atmosphère ordinaire du bureau, et de constater que les dés sont pipés en sa défaveur.

Monique, toujours alerte, remarque les yeux embués de son amie.

— De quoi s'agit-il, Louise?

— Rien, rien...

En reniflant et en avalant sa salive, elle dispose la feuille pour les tableaux. Monique décide de ne pas insister. Comme sa collègue ne venait pas, elle a nettoyé le percolateur et l'a rempli de café frais. Elle s'assure qu'il y en a suffisamment pour les visiteurs, et assez de tasses propres.

— C'est gentil à toi de t'en occuper.

— Ce n'est rien, je t'assure, ça me fait plaisir. Marie ne rentre pas aujourd'hui et j'ai un peu de temps, même si elle m'en a laissé au moins douze pages.

— J'apprécie beaucoup.

Confusément, Louise a l'impression que son cauchemar de la veille se poursuit. La violence prend des formes plus sournoises que la force brutale de ses assaillants, le mépris d'elle-même en tant que personne se traduit par une relation de patron à secrétaire plutôt que celle de mâles en chaleur à l'endroit d'une femme prise au piège, mais c'est toujours la même humiliation et c'est toujours elle qui est humiliée.

Le premier tableau s'annonce bien. Au moins, Black lui présente des manuscrits clairs, ordonnés. À onze heures, elle l'a déjà fini. Elle a aussi réussi à faire les appels demandés par le directeur.

Tout à coup, une nausée. Évidemment, elle a faim, elle n'a presque rien pris de la matinée. Elle se lève et se verse un café, qu'elle dépose sur son bureau en sentant venir une crampe d'estomac.

— Je vais aux toilettes, Monique. Tu veux répondre au téléphone?

— Oui, bien sûr.

Monique la suit des yeux, avec une compassion inquiète. C'est la première fois qu'elle voit Louise dans un état pareil. Il lui est déjà arrivé d'être de piètre humeur, morose, triste, irritable, sans que ça se prolonge, sans que ça semble aussi profond. Surtout, d'ordinaire, elle en parle. Elle a dû avoir une véritable dispute avec André! Pourtant, si elle lui a répondu de façon laconique au téléphone, c'était sans rancœur, même avec douceur.

Quatre personnes bloquent le corridor. Roger et des collègues de la direction voisine, en grande conversation, ont les yeux braqués sur une fille qui leur tourne le dos, en s'éloignant, déjà à l'autre extrémité du couloir. Louise la connaît: c'est une nouvelle secrétaire, dans un autre bureau, très belle, dont les jupes toujours courtes dégagent une remarquable sensualité, agrémentée par sa constante bonne humeur et une facilité à rire. Il est bien naturel qu'elle attire l'attention des mâles.

— Vraiment superbe! commente un des hommes.

— Tellement belle, renchérit Roger, les yeux gourmands, qu'elle mériterait d'être violée.

Louise s'arrête, livide. Roger s'écarte pour la laisser passer. Il remarque sa pâleur.

— Ça ne va pas, Louise? demande-t-il, préoccupé.

— Ce n'est rien, répond-elle, la voix enrouée.

Elle a pourtant envie de crier, et de vomir. Elle n'en veut pas à Roger: c'est un bon diable, qui parle souvent à travers son chapeau. Mais les autres n'ont pas réagi: personne n'a trouvé atroce l'idée qu'une fille, parce qu'elle est attirante, *mérite* d'être violée.

Non, elle ne laissera pas passer cela. En faisant un grand effort sur elle-même, en comprimant son estomac dérangé, en empêchant sa voix de trembler, en prenant le ton le plus tranquille possible, elle lui dit:

— Et tu crois que ça lui fera plaisir de se faire violer?

Roger éclate de rire:

— Ben voyons, Louise! L'amour, c'est toujours bon. Une femme normale aime ça, un peu de vigueur. C'est excitant.

— J'imagine que tu trouverais ça excitant, toi, de te faire violer par une bande de pédés.

Elle lui lance un regard glacial et se rend à la salle de bains. Roger la suit des yeux, étonné, hausse les épaules, salue ses confrères, également perplexes, et va porter à Monique les papiers qu'il tient à la main.

— Elle est bizarre, Louise, ce matin. Tellement susceptible!...

— Quand les gens sont nerveux, Roger, on met des gants.

— Tu as raison. Je suppose qu'elle est menstruée.

Il croit avait fait un mot d'esprit, tout en témoignant d'une connaissance approfondie de la psychologie féminine. Monique refuse de réagir. «Pauvre enfant!» se dit-elle. Elle tient à passer ses journées, et chaque heure de ses journées, sans jamais s'opposer au courant, en acceptant tout ce qui vient, avec gentillesse, compréhension et indulgence. Elle prend le travail que Roger lui tend et le remercie.

Quand il est parti, elle jette un coup d'œil sur le texte, désemparée d'avance. Quel fouillis! Des ratures, des flèches, des mots encerclés avec des «insérer ici», des paragraphes intervertis, et toujours des prépositions inadéquates et des conjugaisons fautives... Elle décide de s'en débarrasser tout de suite afin de consacrer l'après-midi aux documents de Dubois et de Lussier, plus lisibles et reposants.

Le téléphone sonne: c'est l'intercom de Louise. James Black semble tout à fait étonné que Louise n'ait pas pris l'appel, comme s'il ne pouvait concevoir qu'une secrétaire puisse se débrancher de sa machine à écrire. Monique, avec une courtoisie exagérée, lui explique que Mlle Bujold a dû s'absenter brièvement. Avec une extrême suavité, elle en donne la raison.

— Des fois, maugrée-t-il, j'ai l'impression que les femmes passent la moitié de leur vie dans des salles de bains. Dites-lui de me rappeler, voulez-vous? Non, plutôt non, ça peut prendre du temps. Dites-lui que je dois aller voir tout de suite le directeur des Politiques. Comme j'ai une réunion importante cet après-midi, je ne rentrerai pas au bureau avant quatre heures. J'espère que mon travail sera prêt.

— Elle l'a presque fini, monsieur Black. Je lui ferai le message.

Elle raccroche. Voilà pour le document urgent qui devait être absolument signé et envoyé avant midi! Comment Louise réagira-t-elle? Normalement, elle hausserait les épaules, en sachant bien que les patrons veulent toujours que leurs papiers soient tapés, expédiés et reçus par le destinataire dans le temps de le dire, et qu'il ne faut pas se faire de bile quand on découvre, neuf fois sur dix, que ça pouvait attendre. Mais ce matin, Louise semble tellement proche d'une crise de nerfs...

Louise arrive, remaquillée, presque de bonne humeur. Monique, pour s'en assurer, lui demande de l'aider à déchiffrer un mot sur le texte de Roger. Louise jette un coup d'œil sur la feuille. Comment Monique peut-elle se retrouver dans ce chaos de bouts de phrases retranchés ou ajoutés, renvoyés plus haut ou plus bas, un essai pénible de rendre potable un texte rédigé sans réflexion préalable? Quant au mot en question, il est parfaitement illisible.

Elles se regardent, médusées.

— Je ne veux pas aller lui le demander. Oh! il me le dirait tout de suite, mais ça l'insulte, quand on ne comprend pas ce qu'il a écrit. Il est encore pire que Dubois, de ce côté-là.

Louise hoche la tête: presque tous les agents sont comme ça. Et au lieu de reconnaître qu'ils ne savent pas écrire, ils préfèrent blâmer leur secrétaire.

— Mets n'importe quoi, suggère-t-elle. Du moment que ça a du sens... Si ça ne va pas, il te le fera savoir.

— Roger signe ses choses sans les relire. Je ne veux pas inventer un mot qui n'irait pas.

Louise reprend la feuille. Il s'agit d'un adverbe, mais lequel? Toutes ces pattes de mouches, les n et le m comme des v et des u... Si Roger écrivait à son amie de cœur, ferait-il un plus grand effort de lisibilité? Si oui, faut-il en conclure qu'il manque de considération envers sa secrétaire?

— «Communément». Oui, c'est sans doute ce qu'il a voulu écrire.

Monique analyse le mot. Un o ouvert, des e mal arrondis, ce point à la place d'un accent... Ça ressemble bien à «communément».

— Merci mille fois. Oh! Black a dû se rendre aux Politiques. Il reviendra après quatre heures.

— Plus il est loin, moins il fait de dégâts.

Au moins, elle n'a pas pris cela trop mal. Monique, soulagée, commence à taper. Louise regarde l'heure et se décide à aller servir le café dans le bureau de Lemelin. Quand il la remercie, elle a le plaisir de dire qu'elle a déjà été serveuse de restaurant, une fois, quand elle était étudiante. Évidemment, il ne comprend pas. Elle retourne à son bureau et s'attelle au deuxième tableau. Quand elle a fini, son amie lui rappelle André. C'est vrai, elle a promis de l'appeler avant midi.

Louise hésite devant l'appareil: a-t-elle vraiment envie d'entendre André, de lui parler, de le revoir? Que lui veut-il? Pourquoi lui est-il devenu soudainement si étranger? Serait-il capable de violer une femme?

Elle le fréquente depuis dix mois. Il lui est arrivé de ne pas vouloir faire l'amour alors qu'il en avait visiblement envie. Il insistait, et elle acceptait. Elle lui a toujours cédé. Des images lui reviennent, comme des vagues. Elle est fatiguée, indifférente, rétive. Il la regarde, avide. Il ouvre sa blouse, il dégrafe sa jupe. Elle le laisse faire. Elle l'accueille en elle, sans désir, elle le regarde bouger en elle, sans rien éprouver, elle lui sourit, ils s'embrassent, ils s'endorment, apaisés. Lui, parce qu'il est rassasié, et elle, parce que c'est fini et qu'elle est contente de lui avoir procuré un peu de bonheur. S'agit-il d'un viol?

Non, se dit-elle, pas d'idée fixe, n'en faisons pas une manie! Elle l'appelle. Un ami vient de lui offrir deux billets pour le Centre national des Arts, ce soir même. Comme ils avaient envisagé d'aller voir un film, il a racheté les billets, car elle aime le ballet. Ils n'auront qu'à devancer le dîner.

Louise l'écoute parler, les yeux fermés. C'est vrai, elle aime le ballet, ça lui changerait les idées. Mais elle n'a pas envie de passer la soirée avec André ni avec personne. André... Elle l'aime beaucoup, elle aime son côté caressant, affectueux, ses bras solides, protecteurs. Mais à quoi lui a servi sa protection, la nuit dernière? Bien sûr, elle ne lui en veut pas, il n'était pas là. On ne doit pas chercher la moindre sécurité ailleurs qu'en soi-même.

— André, je vais te dire la vérité: ce soir, je préfère être seule.

— Mais on a convenu de passer la soirée ensemble!

— Je préfère décommander. Tu ne m'en veux pas?

— J'ai payé vingt-huit dollars pour ces billets!

— Je te les rembourserai.

— Il ne s'agit pas de cela! proteste-t-il. J'aurais trouvé cela bien agréable, d'être avec toi, c'est tout. Un vendredi soir!...

Il s'attendait sans doute à passer une longue nuit ensemble.

— C'est non, dit-elle, gentiment, sans vouloir discuter. Et ne viens pas me voir. Je veux... je veux surtout me reposer.

— Quelqu'un d'autre, n'est-ce pas?...

— Imbécile!

Elle se retient de raccrocher et lui propose plutôt d'inviter Monique, avec qui il s'entend bien. Celle-ci fait signe que oui, elle accepterait.

— Je veux bien, dit André, mais c'est avec toi que je voulais sortir.

— André, mon bel amour, ce soir, je veux être seule, c'est tout. Et tu fais mieux de t'habituer, parce que j'ai l'intention de ne plus jamais faire ce que je n'ai pas envie de faire. Allez, je t'embrasse. Je te rappelle dimanche. Et je te passe Monique.

Elle appuie le bouton qui retient la ligne et dépose doucement l'écouteur. Monique la contemple, intriguée:

— Toi, tu n'es pas dans ton état normal.

— On va dire, au contraire, qu'à partir de maintenant, je suis dans mon état normal. André t'attend.

Monique prend l'appareil. Pendant qu'elle discute avec lui des arrangements de la soirée, Louise vérifie le document de Black avant d'aller en tirer des photocopies. Les lignes tremblent sous ses yeux. Elle se sent mal, tellement mal!

— Tu es toute pâle! s'écrie Monique, qui vient de raccrocher.

— Je crois que j'ai faim, c'est tout.

— J'irais bien avec toi, mais...

— Je sais, je sais. Merci.

Une des secrétaires doit rester de garde quand l'autre va manger. Louise se lève. La tête lui tourne. Elle attend un instant, les yeux fermés. Ça va mieux. Elle sort.

Sur la rue Bank, elle commence à respirer. Elle n'a pas d'appétit, mais elle se convainc d'entrer dans un restaurant. Elle commande, au hasard. Elle pense à son projet de plainte. Ce serait sans doute un service à rendre à d'autres femmes. Mais pourquoi? Une telle mésaventure ne lui est arrivée qu'une fois. À quoi bon semer la panique? «*Hier, le 18 juin, dans la région du marché...*» Rien ne lui permet de croire que la police la prendrait au sérieux. Une tentative de viol, sans voies de fait apparentes, sans conséquences visibles, dans un quartier fréquenté par des prostituées... On décidera, tout au plus, de resserrer les mesures de surveillance.

Contre ses prévisions, les premières bouchées du club sandwich lui font du bien. C'est cela, revivre? C'est bon... Elle songe qu'il y a autre chose que la police. Des centres spécialisés, où l'on s'occupe des victimes de viol, ou de tentatives... Non. Elle ne veut rien raconter, elle ne veut pas entendre de conseils, de suggestions. Elle ne veut pas être réconfortée, cajolée, prise en pitié. C'est elle seule, toute seule, qui fera face à ce qui lui est arrivé : toute seule.

3

Une femme blonde, robuste, dans la trentaine. Elle a surgi d'une obscurité bleue, mouvante, des masses très sombres, bleu marine, comme on peut en voir dans des tableaux lorsque le peintre ne tient pas à peupler son arrière-plan d'objets précis, définis. On devine quand même une pièce, un appartement, des couloirs perdus dans l'ombre.

Qui est cette femme? Ce n'est pas Louise. Elle est blonde, comme elle, mais ses cheveux ne forment pas des boucles, ils sont plus épais, moins soyeux. Louise a les traits fins, les pommettes saillantes, le visage mince. Cette femme, au contraire, tout en étant belle, présente des traits plus lourds, les joues remplies, un air de calme maturité. On distingue sa robe souple collée au corps, une robe jaune, couleur que Louise n'affectionne pas.

Louise se reconnaît pourtant dans cette femme, comme on peut s'identifier à un personnage différent de soi, rêver qu'on est un peu ce cow-boy aventureux, cette courtisane mélancolique, cet assassin tragique, ce condamné à mort, cette banquière énergique. Cette femme sortie de l'ombre dégage une impression de force, elle irradie la tranquille assurance dont Louise n'a pas réussi à faire preuve.

La femme s'estompe. Elle reste là, on le sait, mais les ombres l'ont avalée, l'ont mise en veilleuse, l'ont remplacée par deux jeunes gens. Leur âge? Dix-huit ans, vingt ans, les traits anguleux, le regard morne, un rien de moustache. Il s'agit peut-être de la même personne, dédoublée.

Le premier se tient debout, à l'avant-scène, sur la gauche. Il est attaché, vraiment ficelé comme un saucisson, des genoux à la gorge, les bras sur les côtés, avec de la grosse corde blanche. Son compagnon, enveloppé de la même façon, se trouve un peu plus loin, couché dans un hamac.

Tiens, la femme reparaît, près du hamac. Elle ne s'en occupe pas, elle semble plus intéressée à l'autre prisonnier. Il bouge, maintenant. Il fait des petits mouvements, il sautille, sans pouvoir se dégager de ses liens, incapable même de les relâcher. Ses cuisses, collées l'une à l'autre, lui laissent une trop faible marge de manœuvre.

La femme s'approche de lui, lente et décidée. Elle fait penser à une infirmière, efficace et compétente. Elle s'arrête devant le prisonnier. Froidement, sans la moindre sensualité, sans la moindre dureté non plus, comme s'il s'agissait d'une opération grave mais familière, elle approche la main de la ceinture et baisse d'un coup la fermeture éclair. Ses doigts écartent la braguette, fouillent dans le slip bleu, visiblement gonflé.

Louise continue à gémir en regardant la scène. Qui est cette femme, qui sont ces garçons? Que leur veut-elle? Elle ne tient nullement compte du regard implorant du prisonnier. S'apprête-t-elle à le masturber ou à le châtrer?

Le rêve piétine, hésite, disparaît dans la lumière. Louise a ouvert les yeux. Elle ne gémit plus, mais elle respire encore avec difficulté. Se calmer, se calmer...

Une main la caresse, apaisante. C'est bon, c'est très bon. Elle ferme les paupières. Il n'y a plus rien, le rêve a pris fin. De quoi s'agissait-il? Une femme blonde, dans la trentaine, un garçon ficelé, une main qui plonge, le bleu du slip... Tout s'est éteint, elle ne saura pas la fin de l'histoire.

Cette main, sur son sein... C'est André, bien sûr, mais ce n'est pas tout à fait lui, c'est une main dépersonnalisée, une source de chaleur qui la ramène au monde.

La paume lui couvre le sein, le masse légèrement, excite la pointe, se rend à l'autre sein. La caresse est douce, une caresse de demi-rêve. Surtout, ne pas ouvrir les yeux, flotter dans ces nuages, dans cette langueur exquise où son corps engourdi absorbe passivement la pression de la main.

Celle-ci forme des cercles croissants autour de chaque sein, comme on dessine un 8, puis les abandonne et commence à voyager sur le ventre. Louise aurait préféré qu'elle continue à lui réveiller les seins. Son ventre n'est pas prêt à la recevoir, il aurait fallu attendre.

Louise ne bouge pas, ne réagit pas, ni dans le sens de la répulsion ni dans celui de la volupté. Cette main qui trace des ronds sur son ventre, sans être vraiment agréable, n'est pas déplaisante. Les doigts glissent entre les poils pubiens, sans insister. La main va et vient maintenant le long de la cuisse. C'est dommage, Louise commençait à s'habituer à la sentir sur son ventre.

La main s'éloigne, n'est plus là. Louise ouvre les yeux. André la contemple en souriant. Elle lui sourit aussi, mais peut-être machinalement. Il se colle contre elle, passe un bras autour de ses épaules, glisse une jambe entre ses cuisses. Elle ne bouge pas, elle ne dit rien. Il se couche sur elle.

Qu'il lui semble lourd! André s'en rend compte et se dresse sur les coudes pour ne pas lui opprimer l'estomac. Il n'a pas bonne haleine, le matin. Louise se retient de respirer, elle accepte son baiser sans ouvrir les lèvres.

Il s'installe entre ses cuisses, fier de lui faire sentir son érection matinale, très dure.

— Non... murmure-t-elle.

Il continue à faire pression. Les yeux mi-clos, elle entrevoit son visage gourmand, amoureux. Croit-il qu'à force de cogner à la porte il finira par l'exciter? Elle n'est pas prête à le recevoir, elle n'est pas prête...

— Lève les jambes, demande-t-il, à voix basse.

Elle secoue la tête. Soudain, un frisson, une image atroce: cet homme, le «fonctionnaire», qui essayait de lui dégrafer les jeans.

— Non, André! Je ne veux pas!

Il l'embrasse pour la faire taire. Louise ne bouge pas. André s'agenouille, place les mains sous les cuisses de la jeune femme et les soulève. Elle frissonne, elle a froid. Il commence à la pénétrer, à s'enfoncer en elle, malgré elle.

— C'est bon... susurre-t-il, en tremblant d'extase. Tu es toute serrée...

Il lui fait mal: un poignard... L'image se précise: un viol. Oui, c'est un viol... Elle se débat mais il s'est entièrement introduit en elle, elle se sent clouée sur le lit, immobilisée comme un papillon sur la planche.

— Je ne veux pas!...

— Oh, oui! insiste-t-il, la voix lourde de désir.

Envahie par une tristesse soudaine, Louise cesse de résister. Son propre corps lui devient étranger, comme si elle voulait ainsi neutraliser cette présence en elle qu'on lui impose. «*Ce n'est pas moi*, se dit-elle, *je ne suis pas là.*» Cet homme qui remue en elle appartient à un rêve, à un mauvais rêve.

Ses pensées s'éclaircissent. Les yeux grand ouverts, elle regarde son amant. Il lui sourit avec affection et convoitise. Elle connaît bien son visage, ses expressions, sa façon de faire l'amour. Il se retiendra, il prolongera ses mouvements avec des pauses appropriées pour s'assurer qu'elle a joui avant lui, ou en même temps.

Louise commence à respirer profondément. Sa poitrine se soulève, elle se fabrique un halètement, elle émet des petits râles. Elle mimera une jouissance pour qu'il aille plus vite et que ce soit fini.

Il s'y méprend, en effet. Louise tend ses muscles, durcit les cuisses, le ventre, et feint de gémir, doucement, longuement. À ce signal, André accélère ses mouvements, se raidit... Ça y est, elle sent ses derniers frissons.

— Que c'était bon!... murmure-t-il.

Elle ne réagit pas. Il se retire doucement, l'embrasse tendrement sur la joue et se couche sur le côté, en la regardant. Une dernière caresse, légère, et il ferme les yeux.

Louise écoute la respiration tranquille d'André. Elle prend le bras de son compagnon, qui traîne encore sur elle, et le repousse. Il ne bouge pas, il dort déjà profondément. Immobile, elle contemple le plafond. Quel gâchis, quelle gifle du destin, quelle horrible moquerie! C'est aujourd'hui le 18 août. Il y a deux mois, jour pour jour, qu'elle a été attaquée, près du marché. Elle pensait avoir oublié. C'est elle qui a proposé à André de passer la fin de semaine dans les Mille-Îles. Elle envisageait des journées romantiques, amoureuses, qui finiraient d'effacer la soirée la plus pénible de sa vie.

Ça s'annonçait pourtant bien. Ils sont arrivés la veille à Gananoque le cœur léger, de bonne humeur. Ils ont trouvé ce motel, dont elle n'a pas remarqué le nom. Après un bon repas, ils se sont couchés, fatigués. Et puis ce rêve étrange, et cette copulation forcée...

Le cœur serré, elle sent la trace de l'homme couler sur sa cuisse... C'était donc vrai... Avec une répulsion glaciale, elle tend la main, trouve sa sacoche, en sort un kleenex. Non, ce n'est pas suffisant. Elle se lève et gagne la salle de bains pour se nettoyer à fond.

Est-ce que ça se serait passé de cette façon si elle n'avait pas réussi à se débarrasser de ses agresseurs? L'un des deux avait dit: «*On s'essuie et on oublie ça.*» Elle serait rentrée chez elle et elle se serait lavée pour effacer tout vestige du viol. Elle n'aurait pas pu s'en arracher la marque dans le cœur.

Elle retourne dans la chambre. André dort profondément, il ne se réveillera pas avant neuf ou dix heures. Louise ne veut pas se recoucher, pas auprès de lui. Elle s'enroule dans une couverture et s'assoit dans un fauteuil.

Qu'a-t-elle fait, depuis deux mois? Le lendemain de l'attaque, elle s'est sentie révoltée, furieuse, elle a décidé de ne plus jamais se laisser faire. On ne lui marcherait plus sur les pieds, elle ne tolérerait plus le moindre mépris, la moindre humiliation. Et puis elle s'est réhabituée au bureau, elle a revu André, elle a relégué son mauvais souvenir dans les limbes les moins fréquentées de sa conscience.

Maintenant, la blessure est rouverte, la plaie toujours vive. Elle n'a pas oublié, elle n'oubliera jamais. *Rien ne s'est passé en deux mois.* Rien. Le viol, la tentative de viol, c'était la veille, c'est cette nuit. Ses assaillants ne sont plus le «fonctionnaire» ni l'«ouvrier», mais André.

Peut-elle lui en vouloir d'avoir ranimé ses fantômes? Elle n'a jamais parlé à personne des événements du 18 juin. Elle a continué à vivre sans rien changer à ses habitudes, comme pour se convaincre que rien ne lui était arrivé. L'amour d'André a contribué à la tranquilliser, à la rassurer.

Mais l'aimait-elle toujours? Comment le savoir? Elle sait toutefois que maintenant, elle ne l'aime pas. Pourtant, ce n'est pas la première fois qu'elle l'accueille sans désir, ce n'est pas la première fois non plus qu'elle simule un orgasme pour lui faire plaisir ou pour en finir plus vite. Oui, voici une différence. La plupart du temps, quand il la désire sans qu'elle en éprouve la réciproque, elle s'abandonne quand même, par gentillesse, par amour. Elle sait, à ces moments, qu'il se sert d'elle, qu'il l'utilise comme une poupée de chair, mais elle est heureuse d'être utilisée, d'être l'occasion et le lieu de son plaisir. Cette fois, elle lui a dit qu'elle ne voulait pas, il n'a même pas l'excuse de son silence.

Elle n'aurait pas dû simuler une jouissance. Elle aurait dû rester de marbre et bâiller. Cette image la fait sourire. Comment aurait-il réagi? Et elle ne sourit plus. On ne la reprendra plus, décide-t-elle.

Déjà huit heures moins cinq! Louise se couche à côté d'André. Il remue, sans se réveiller. C'est un étranger, se dit-elle. Elle n'a jamais fréquenté des bars, mais elle peut imaginer comment ça se passe. On rencontre un homme, pas trop désagréable, on prend un verre, et un autre, on écoute son bavardage, on l'accompagne chez lui ou dans un motel, on s'arrache quelques frissons parce qu'il faut bien donner une pitance à ses désirs, il faut bien sentir son sexe battre de temps en temps pour avoir l'impression de vivre, d'être vivante, et on se réveille plus tard auprès d'un étranger. On fait semblant d'être heureuse, par courtoisie, et on a hâte de rentrer chez soi. On recommencera sans doute une autre fois, comme on mange un sandwich insipide à midi parce qu'il faut bien se mettre quelque chose sous la dent quand on veut s'éviter des crampes d'estomac et des maux de tête.

André a-t-il été cet étranger depuis toujours? Louise s'interroge, le cœur serré mais décidée à y voir clair. Elle était heureuse avec Daniel. Pourquoi l'a-t-elle quitté? Elle cherchait une garantie de durée, une présence plus continuelle, dans le mariage ou la cohabitation. Mais elle n'a jamais voulu vivre avec André. Elle prétendait qu'elle voulait être plus sûre de ses sentiments, elle le mettait à l'essai, en probation. Mais fouillons, creusons davantage. Elle savait qu'elle ne l'épouserait jamais, qu'elle ne vivrait pas avec lui, et elle a continué à le fréquenter. Par hypocrisie? Non, plutôt par inconscience, ou par paresse. Elle avait besoin de tendresse, de douceur, de moments de plaisir. On peut trouver cela avec un étranger qu'on rencontre dans un bar, mais elle ne voulait pas l'admettre, elle n'a jamais été portée aux mœurs légères, à ces liaisons passagères qu'on dit faciles. André, c'était un étranger déguisé en amoureux, acceptable, respectable, présentable.

«*Able, able, able*», répète Louise, avec un sourire triste. Des mots, des sons, du bruit... Il est temps de faire face à la réalité.

Doucement, elle repousse le drap et contemple cet *étranger*. Des épaules solides, un corps musclé, des cuisses velues. Ce sexe endormi, si elle le couvrait de sa main, il se dresserait encore et elle l'aimerait sans doute, elle pourrait l'aimer, le désirer en elle. André n'en demeure pas moins un étranger: il est devenu infiniment remplaçable.

M. Lemelin est en congé de longue durée, après avoir subi une crise cardiaque. Antoine Dubois, temporairement en charge du bureau, se prend pour un directeur et lui fait faire son courrier personnel, ce qu'elle a en horreur. Roger a obtenu une mutation et sa position n'a pas encore été comblée. Elle est toujours à couteaux tirés avec James Black mais ils apprennent à se supporter, sinon à s'accepter. Monique est profondément amoureuse, elle irradie du bonheur, mais la joie des autres est rarement contagieuse, elle évoque plutôt un bon repas qui nous est refusé. Quand Louise songe à ces changements, et à ce qui n'a pas changé, elle n'en voit plus que des images flottant dans une grisaille neutre. Grisaille que le bureau, grisaille qu'André, grisaille que sa vie.

Là, tout s'éclaire, elle comprend les choses, elle se comprend elle-même. Sa vie ne s'est pas vraiment modifiée, mais son cœur, son cœur à elle, a cessé de battre. C'est arrivé le 18 juin, il y a deux mois, exactement deux mois.

Elle se lève, sans prendre la précaution de ne pas troubler le sommeil d'André. Tant pis si la douche le réveille! Elle a envie de foncer dans la vie. Maintenant et désormais, ce sera elle. Pas pour vivre, ce serait trop demander, mais pour survivre.

Intriguée, Louise se demande si elle ne commence pas à ressembler à la femme blonde dans son rêve. Elle a oublié ses traits, elle n'a guère retenu qu'une image floue de sa figure, mais elle se souvient de son calme, son assurance, la précision froide de ses gestes. Louise ne peut toutefois pas s'imaginer dans sa situation, avec les hommes ligotés. Cet aspect du rêve demeure incompréhensible.

Elle se contemple dans le miroir. Y a-t-il moyen de remplacer ce regard nerveux, trop souvent inquiet, par une expression de force, de contrôle tranquille? Réussira-t-elle à ressembler à la personne qu'elle veut être? Si elle commençait par changer de coiffure? Elle se lisse les cheveux sous le séchoir. Ce ne serait pas mal. Ça fait cinq ans qu'elle se fait des boucles. Il est temps de changer. Elle s'en occupera dès la semaine prochaine.

Peu à peu, sans faire d'effort, elle sent circuler et s'étendre en elle une énergie robuste et glacée. Oui, pourquoi faire semblant? Déguiser ses sentiments à l'occasion, par politesse, pour ne pas blesser les gens, elle est prête à le faire. Mais les dissimuler par lâcheté, par timidité, non, plus jamais. Surtout, préserver sa dignité et ne pas se mentir à soi-même. Ne pas se répéter qu'elle aime André, puisque ce n'est pas vrai. Elle apprécie sa compagnie, sa chaleur, mais elle n'a plus besoin de prétexter le moindre amour pour justifier son appétit d'une liaison avec un homme.

— Tu es très belle, mon amour! s'exclame André.

Elle roule une phrase dans sa tête: «*Je vais déjeuner. Rejoins-moi quand tu seras prêt.*» Non, ce serait inutilement dur, elle ne tient pas à se montrer cruelle. Elle l'invite quand même à se presser.

Quinze minutes plus tard, au restaurant du motel, André commande du jus, des toasts, des céréales, des œufs, du bacon. Louise sourit, affectueuse.

— J'ai fait de l'exercice, cette nuit, explique-t-il.

Elle se fige. Évidemment, il ne faut pas le prendre au mot. Que s'est-il passé? Il s'est servi d'elle pour se soulager. Il s'est réveillé d'humeur érotique, il a trouvé son corps, il l'a utilisé. Cela, Louise ne le lui reproche pas. Il lui arrive à elle aussi d'éprouver un besoin de volupté, de détente sexuelle, et de chercher un autre corps comme on prend un verre d'eau quand on a soif. Elle y met alors des manières, des enjolivures sentimentales, mais il s'agit vraiment de se servir d'un partenaire pour se faire plaisir.

— Un problème? demande André, préoccupé par le changement visible sur le visage de sa compagne.

Elle secoue la tête. Ne pas parler: réfléchir. Généralement, André est ravi de faire l'amour. Il peut arriver que
ce ne soit pas le cas. À l'occasion, c'est lui qui n'en a pas
envie, il préférerait dormir, mais elle insiste et il accepte.
Les relations sexuelles ne sont pas toujours marquées
par la tendresse, le goût d'échanger, de partager, de
donner. Parfois le désir crie et on veut prendre. Elle ne
reproche pas à André de l'avoir prise, mais de l'avoir prise
contre sa volonté.

Elle a commandé un petit déjeuner substantiel, elle
aussi. Ils mangent, en silence. André se dit qu'elle a faim,
ça se comprend, on ne peut pas toujours parler. De
temps en temps, il lui sourit. Elle reste de pierre. Il sent
bien que quelque chose ne tourne pas rond. Finalement,
au café, il se décide:

— Qu'est-ce qui ne va pas, ma chérie? Non, ne dis
pas que ce n'est rien. Tu es lugubre, et il doit y avoir une
raison.

Louise n'a pas l'habitude de se confesser. Elle a toujours caché ses cartes, de peur de perdre trop facilement.
La vie, ça se joue serré. Si on mentionne ses points
faibles, les autres en abusent immanquablement. Parler
de ce qu'on aime, de ce qu'on n'aime pas, quand il s'agit
d'un film, d'une tierce personne, d'un chanteur populaire,
d'un problème de bureau, c'est facile. Mais se mettre à nu
dans ce qu'on ressent le plus, révéler ses émotions
intimes? Elle ne l'a jamais fait, ni avec André, ni, malgré
les apparences, avec ses amis les plus proches, comme
Daniel ou Monique.

Elle le regarde fixement:

— Je n'ai pas aimé, cette nuit.

Il ne comprend pas. Elle précise: à six heures du
matin. Il s'en souvient, c'était très bon, il éprouve encore
un agréable frisson entre les jambes quand il y pense. Et

elle aussi, elle a aimé! Il revoit son ventre tendu, sa tête qui va de droite à gauche, ses râles de plaisir. Non, il ne comprend pas. Il la presse de s'expliquer, elle répète qu'elle n'a pas aimé. Il insiste pour vider la question. Elle montre les gens aux tables voisines. L'endroit n'est certes pas propice à une conversation personnelle. Une fois dans la voiture, il pose les mains sur le volant, indécis.

— Mais vas-y! Il faut encore trouver l'embarcadère.

Il démarre. Lui non plus, il n'aime pas parler de problèmes intimes, mais il peut encore moins envisager de passer la journée avec une femme qui le boude.

— Maintenant, dis-moi ce que tu n'as pas aimé.

— Tu ne le sais pas encore? Eh bien, je te mettrai les points sur les i. Je t'ai dit que je ne voulais pas. C'était évident, c'était visible, et tu n'es ni sourd ni aveugle. Un autre homme aurait compris. Toi, tu as continué. J'ai essayé de te repousser, et tu t'es imposé. Je n'en avais pas envie, je ne voulais pas, tu le savais, et tu l'as fait quand même.

André continue à conduire, sans ralentir, sans accélérer, mais tellement troublé qu'il brûle un feu rouge. On le klaxonne. Il serait plus prudent d'arrêter, mais Louise, les yeux sur un dépliant touristique qu'elle a pris au motel, lui dicte déjà les indications. Il n'en revient pas: comment peut-elle s'occuper du parcours après l'avoir si brutalement insulté? Car il se sent doublement giflé, heurté dans son orgueil de mâle. Et elle a dit: «*Un autre homme aurait compris.*»

— Pourquoi as-tu parlé d'un autre homme? Il y en a un autre, n'est-ce pas? C'est qui?

Elle éclate de rire. C'est vraiment ce qu'il a retenu, ce qui l'a frappé? Pauvre idiot! Comment ne pas en avoir pitié?

— Je rectifie: il se peut, en effet, qu'un autre homme n'aurait pas compris, lui non plus.

— Donc, il y en a quand même un autre! Ce serait plus simple si tu le disais, au lieu de me faire des tricheries.

Louise sourit, comme devant un élève qui ne comprend rien. La tentation lui vient de prétendre que ce rival existe. Là, André la laisserait tomber et elle en serait débarrassée. Mais est-ce vraiment ce qu'elle veut? Ce serait comme ne plus retourner dans une boutique où on a été mal servi, sans que le marchand s'en rende compte d'aucune façon. Et lui en veut-elle au point de souhaiter qu'ils se séparent? Surtout, pas de décision hâtive. Et, encore plus important, ne pas passer à côté de la question.

— André, depuis qu'on se connaît, depuis un an, il n'y a eu et il n'y a que toi. Tu es satisfait?

En prononçant ces mots, Louise sent naître une conclusion évidente: André ne joue vraiment dans son existence qu'un rôle insignifiant. Il meuble le temps, il le fait passer plus agréablement, mais il ne le remplit pas de vie. Si elle avait été plus heureuse, vraiment comblée avec lui, est-ce que les événements du 18 juin l'auraient affectée à ce point?

André, de son côté, se demande s'il peut la croire. Cette nuit, quand il la prenait, elle a dit qu'elle ne voulait pas. Il ne l'a pas crue, ou, plutôt, il a pensé qu'en lui faisant l'amour, elle prendrait goût aux caresses et changerait d'avis. C'est ce qui est arrivé, n'est-ce pas? Elle a fini par jouir, elle aussi. Mais pourquoi, au début, ne voulait-elle pas? À qui rêvait-elle? Ça se comprendrait mieux s'il y avait un autre homme dans sa vie.

Toutefois, il veut bien lui donner le bénéfice du doute. Mais lui aussi, il a une excuse! Il s'en souvient clairement:

— D'accord, Louise, j'ai peut-être un peu insisté.

— Tu as plus qu'insisté: tu m'as prise de force.

— Oh, pas de grands mots, s'il te plaît! N'en faisons pas un drame. Après tout, c'est toi qui m'as réveillé.

— Moi? Moi, je t'ai réveillé?

Elle se rappelle distinctement la main d'André sur ses seins. Comment peut-il prétendre...?

— Parfaitement! Tu rêvais, et ça avait l'air d'un beau rêve. Peut-être avec quelqu'un d'autre que moi, mais je ne pouvais pas le savoir. Tu gémissais, la main sur mon sexe. Quand une femme prend un homme dans sa main et qu'elle le branle, on a de bonnes raisons de croire qu'elle a envie d'aller plus loin.

Louise fouille sa mémoire, incrédule. Mais s'il avait raison? À la fin de son rêve, la femme blonde plongeait la main dans la braguette du garçon ligoté. Aurait-elle fait ce geste elle-même? Ce n'est pas impossible.

Mais cela ne change rien. Avec ou sans circonstances atténuantes, il l'a forcée.

— J'ai cru que tu voulais, c'est tout.

— Je suis prête à accepter cela, André. Mais un début ne justifie pas la suite. Quand une femme dit non, c'est non. Et j'ai dit non. Cette nuit, ce n'était pas un acte d'amour, c'était un viol.

Il pâlit. Comment peut-elle l'accuser...? Comment peut-elle l'imaginer capable d'un tel acte? À quoi ça a servi, toute la tendresse, le respect, la confiance, l'amour dont il a donné tant de preuves?

— Allons voir les îles, maintenant, suggère-t-elle.

— Ah, non! On doit s'expliquer.

— On a tout dit, il n'y a rien à ajouter. Viens, on est arrivés.

Elle lui montre un terrain de stationnement. Il n'insiste pas pour poursuivre la conversation, qui risque trop de tourner à l'affrontement. Il y pense pourtant, lourdement. A-t-elle pesé ses mots quand elle a parlé de viol? Elle n'aurait pas pu l'insulter avec plus de cruauté, de brutalité. Il la trouve aussi profondément injuste. Il y a toujours une part de jeu dans l'amour, des feintes, des coquetteries, surtout chez les femmes, et on ne doit pas faire une histoire d'un baiser volé ou d'une caresse trop insistante.

Ne serait-ce pas plutôt à lui de lui reprocher son comportement? Pourquoi a-t-elle fait semblant de vouloir se refuser? Ils devraient avoir dépassé ces enfantillages, depuis le temps! Il vient peut-être d'exagérer en prétendant qu'elle le caressait, mais, enfin, elle a bien mis la main sur son sexe. Et elle l'a eu, son orgasme, elle aussi! Il n'a pas été le seul à jouir!

André décide que Louise est de mauvaise foi, qu'on ne peut nullement le blâmer de quoi que ce soit. Le mieux, c'est encore de passer l'éponge, oublier, essayer de sauver cette journée. Louise ne le repousse pas quand il lui passe le bras autour des épaules, et il en déduit qu'elle accepte de se réconcilier. Ils atteignent l'embarcadère. Le prochain départ a lieu dans trente-cinq minutes. Les billets en main, ils vont s'asseoir sur le quai. Louise, laconique, feuillette les brochures, regarde les photos, l'itinéraire du bateau. Elle sort une cigarette. André, qui ne fume pas, songe à lui faire une remarque à propos des cigarettes matinales, si ruineuses pour la santé, puis juge plus prudent de n'en rien faire.

Que c'est long, cinq minutes, vingt minutes, une demi-heure de silence! Ça fait cent fois qu'il lit les trois dépliants! Quand il regarde Louise, elle lui sourit, insouciante, sans faire mine de vouloir ouvrir la bouche. Quant à lui, plus il s'enfonce dans le silence, moins il trouve de prétexte pour engager une conversation.

L'embarquement, enfin! Louise a choisi de porter des pantalons verts, moulants, et une ample blouse rouge.

Quelle fille superbe! Elle défait ses cheveux et joue avec le ruban en attendant son tour de traverser la passerelle. André, ému, séduit, se sent infiniment privilégié d'avoir accès à elle. Surtout, ne rien faire qui puisse mettre leur relation en péril. Elle est ce à quoi il tient le plus au monde. Il la rejoint, enthousiaste.

— J'aime les bateaux! s'exclame-t-il.

— Ça m'a l'air plutôt d'un autobus qui va sur l'eau.

Pourquoi a-t-elle dit cela? Elle a raison, bien sûr, le bateau est aménagé avec des bancs et des fenêtres à la façon d'un autobus, mais sa réaction lui fait l'effet d'une douche froide. Malheureux de constater que son ouverture a mal tourné, André se referme, renfrogné.

On démarre. Louise, près de la fenêtre, baisse les paupières, le visage caressé par le soleil. André a envie de lui demander s'il est de trop, mais se retient: inutile d'envenimer la situation, elle risquerait même de dire qu'il peut descendre. Il regarde deux jeunes filles qui bavardent en riant, l'une aussi ravissante que l'autre. André, qui n'a pas touché à une autre femme depuis qu'il fréquente Louise, décide que c'est toujours elle qu'il préfère.

Ils atteignent les premières îles. Le capitaine prend le micro et commence sa tirade habituelle: Cette île, à droite, appartient à tel acteur célèbre, qui y passe un mois par année. Telle autre vient d'être mise en vente, mais voici la généalogie des propriétaires antérieurs. La villa qu'on contourne maintenant a été construite pour tel président de compagnie. Celle-ci appartient a un groupe de rock qui vient y pratiquer ses prochains succès. Les noms défilent, tirés des pages de la revue *Fortune* ou des affiches du monde du spectacle.

André s'extasie devant les maisons. Louise, qui s'attendait à visiter un parc provincial, semble plutôt déçue par ce quartier de riches aquatique. On a quand même fait de beaux efforts de paysagisme pour marier les pavillons à la géographie insulaire. Louise se laisse bercer par le mouvement rythmé de la vedette. Elle éprouve une tendresse particulière à l'endroit des îlots trop petits pour supporter une habitation. Tiens, une grande île, inespérément vide! On y voit même une plage arrondie.

— Ce serait agréable de se construire là-dessus! s'écrie André.

Croit-il vraiment qu'elle souhaiterait vivre avec lui? Sans dire qu'il aurait besoin de décupler son salaire pour aspirer à une résidence secondaire dans les parages! De toute façon, l'île est déjà occupée par un véritable palais dressé à l'autre extrémité.

Le bateau fonce en direction d'une île plus éloignée. À mesure qu'on approche, on distingue un château gothique. Le capitaine rappelle l'histoire de Boldt Castle, sur l'île Heart, construit au début du siècle par un millionnaire de la grande époque qui voulait offrir à sa femme un château du Rhin. Sa femme étant décédée, la construction n'a jamais été achevée.

On accoste: la visite du château fait partie de l'excursion. André et Louise montrent leurs permis de conduire à l'agent d'immigration, car l'île se trouve en territoire américain, et ils se rendent au château. Ils ont vingt minutes pour déambuler dans les salles vides en regardant les murs non plâtrés, les planchers non finis, les escaliers nus. Comme bien d'autres l'ont fait avant lui, André se propose d'écrire son prénom et celui de sa compagne sur un mur. Il a juste eu le temps de tracer un cœur lorsque d'autres touristes envahissent la pièce. Louise ne veut pas attendre. André la suit, déconfit.

Le retour est encore plus silencieux que l'aller: le capitaine juge qu'il a amplement rempli son rôle de guide touristique. Louise songe à ce château qui est un rêve avorté, comme sa vie. Quand elle s'est faite à l'idée qu'elle ne reverrait plus ses assaillants, déjà si vagues dans son souvenir qu'elle ne les reconnaîtrait même pas, elle a parfois rêvé de se venger sur d'autres hommes. Mais comment, et sur qui? Sur André? Le mérite-t-il seulement? Ce n'est qu'un inconscient. Pourtant, il représente en ce moment ce qui lui répugne le plus. Ce dernier a beau jeter sur sa compagne les regards les plus insistants, elle reste impassible, murée dans sa contemplation tranquille de l'eau. Mais à quoi pense-t-elle? Elle le regarde dans les yeux, calme comme un juge au moment du verdict:

— À cette nuit. Je n'ai pas aimé.

Il se tait, désemparé. S'il avait su qu'elle le garderait si longemps sur le cœur, il se serait certainement abstenu. Il se sent comme quelqu'un qui a fâcheusement brisé une soucoupe de son hôte. On peut s'excuser, se reprocher sa maladresse, le dégât reste irréparable.

Ils regagnent la voiture. Où aller? Au motel, où ils ont laissé leurs effets? Ce serait lugubre. Il roule devant lui, au hasard. Comment peut-elle être encore de mauvaise humeur pour une aussi petite chose?

— Je ne suis pas de mauvaise humeur et c'est loin d'être une petite chose.

— Est-ce que ça suffira si je m'excuse dix fois et si je promets de ne plus recommencer et de demander ton autorisation par écrit avant chaque caresse?

— Non, dit-elle, sans relever son ironie exaspérée. Tiens, ça a l'air bon, ce restaurant. On y va?

Elle choisit une table près de la fenêtre. André la regarde fumer. Que cette matinée a été longue! Combien de temps pourra-t-il supporter qu'elle se prolonge? Eh bien, il lui montrera qu'il peut être très patient, et beaucoup plus qu'elle. Elle ne réussira pas à le faire sentir coupable. Elle veut faire une montagne d'une bagatelle? Il lui prouvera qu'il peut faire face à ses coups de tête avec non seulement de la dignité, mais une admirable compréhension.

À la fin du repas, il n'en peut plus. Il a l'impression que tout le monde les regarde, qu'on se moque de lui, en silence: voyez-moi cet idiot-là, si ouvertement dédaigné par sa compagne!

— Louise, si tu veux, on peut rentrer à Ottawa. C'est vrai que j'ai payé le motel pour deux nuits, mais ça ne fait rien.

Il pensait ajouter: «*Tu peux même garder la voiture, je rentrerai en autobus*», mais ne le propose pas, de peur qu'elle le prenne au mot. Il est d'ailleurs suffisant de lui avoir rappelé qu'il défraie les coûts du week-end et qu'elle a mauvaise grâce à le gâcher.

Elle trouve que c'est une bonne idée. André fait la grimace. Il espérait plutôt que Louise change d'attitude, comme lorsqu'on nous met au pied du mur. Il appréhende maintenant le long chemin du retour. Même avec la radio, comment pourra-t-il ignorer la lourde présence de Louise, hostile dans son silence?

— Bon, se résigne-t-il, c'est ce qu'on fera.

Dans la voiture, Louise réfléchit, profondément. Comment voir clair en soi, comment distinguer vraiment ce qu'on veut de ce qu'on ne veut pas? Une chose est indiscutable, elle l'a répété plusieurs fois dans sa tête et à haute voix: *elle n'a pas aimé*, cette nuit. C'était plus qu'un moment déplaisant: ça a ranimé une plaie qui dégage maintenant un poison virulent dont elle sait qu'elle ne pourra se débarrasser. Mais André n'a été qu'un instrument inconscient dans cette affaire.

Il est aussi important, pour elle, de savoir si elle pourra vraiment vivre sans amour, puisque tel semble devoir être son destin. Ce matin, à six heures, son cœur a cessé de battre. Ou plutôt, cela est arrivé il y a deux mois, mais elle vient de s'en rendre compte et ne tient désormais plus à faire semblant que le monde n'a pas changé. Elle vivra dans son désert de glace, qu'elle ne peuplera plus de mirages. Pourquoi ne pas commencer avec André? Il l'a utilisée, elle peut bien lui rendre la pareille pour vérifier si elle sait être à la hauteur de ses décisions.

Ils entrent dans la chambre. André ferme la porte. Elle se retourne et lui met les bras au cou:

— Tu n'es pas si mal que ça, tu sais.

Il la dévisage, incertain. L'expression de Louise n'est guère rassurante. Que trame-t-elle? Pourquoi ce sourire énigmatique?

Elle lui déboutonne la chemise. Ce n'est pas un geste habituel, chez elle. Elle lui dégrafe la ceinture, le regarde droit dans les yeux, et baisse la fermeture éclair. Comme la femme dans son rêve, elle plonge la main dans le slip et sourit: décidément, les hommes oublient tout dès qu'on les excite un peu!

André l'étreint, soulagé. C'est donc fini, sa mauvaise humeur? Surtout, ne même pas en parler. Le nuage a passé, célébrons le soleil. Mais la tentation est trop forte:

— Je savais que tu finirais par céder. C'est si bon, l'amour!

— Triple idiot! murmure-t-elle, non sans indulgence.

Une fois couchés, elle contemple ce corps étendu sur lequel elle peut jouer la musique du plaisir. Elle connaît toutes les notes de ce clavier.

— Nous sommes venus passer une fin de semaine d'amour et nous passerons une fin de semaine d'amour.

Elle signe sa phrase en l'embrassant entre les cuisses. Elle le renifle, le lèche, en apprécie les frissons entre les lèvres. C'est vrai qu'on peut oublier bien des choses dans les caresses. C'est peut-être cela, la magie de la chair.

Non! Louise relève la tête. Elle se sent le cœur froid et ne veut pas laisser croire qu'elle éprouve la moindre passion. Désormais, même dans les caresses, elle se montrera telle qu'elle est vraiment, sans mensonges, sans illusions, sans déguisements sentimentaux.

— Nous ferons l'amour maintenant, et ce soir, et demain matin. J'ai envie de beaucoup d'amour, André. J'ai envie de donner, de prendre et de recevoir. Tu pourras tout te permettre, précise-t-elle, doucement langoureuse. Il ne s'agit plus de toi ni de moi mais de deux corps qui s'aiment autant qu'ils le peuvent.

Cette fois, elle n'a pas besoin de feindre le plaisir. Il lui semble qu'elle est loin, très loin. Elle regarde son corps, et celui de son partenaire, comme s'il s'agissait d'un film dont elle était l'auteur et peut-être l'actrice principale, mais une comédienne professionnelle qui joue son rôle de tout son cœur. Elle savoure chaque caresse dans un état profond de liberté, de légèreté.

André se montre vorace et affectueux. Il croit avoir gagné la partie de sa vie. Il ne sait pas que Louise lui offre un cadeau d'adieu. Le lendemain, en arrivant à Ottawa, elle lui dira qu'elle a décidé de rompre. Il ne la croira pas. Elle sera inébranlable. Il l'appellera, il rappellera, il insistera: elle dira non. Sa décision est déjà définitive.

4

Monique arrive au bureau à huit heures quinze, le corps fatigué et la tête claire. Quelle soirée, et quelle nuit! Après le dîner, elle est allée avec Henri dans une discothèque. Ils ont dansé jusqu'à deux heures du matin. Dans le bruit et la confusion, Henri lui a parlé de ses expériences homosexuelles, quand il était plus jeune. Elle n'avait jamais rien soupçonné de semblable. Dire qu'on fréquente quelqu'un pendant quatre mois dans la plus grande intimité et qu'on le connaît si mal! Elle savait qu'il avait étudié l'art dramatique, qu'il avait entamé une carrière sur les planches pour s'apercevoir au bout de six ans que le métier de comédien s'accommodait mal de ses préférences pour une vie stable et un salaire régulier. Des acteurs plus chevronnés s'appropriaient les rôles dont il rêvait, il désespérait de jamais percer, il avait préféré laisser tomber. Il s'était alors trouvé du talent pour le dessin publicitaire, avait suivi des cours et gagnait maintenant très bien sa vie, à l'emploi d'une firme de relations publiques.

Cette firme avait obtenu un contrat pour une annonce relative aux programmes du ministère. Henri, qui s'occupait déjà davantage de conception que de dessin, avait rencontré M. Lemelin à quelques reprises. Monique ne l'avait pas remarqué. Un soir, il l'avait reconnue au cinéma *Towne*. Ils avaient bavardé avant le film, ils s'étaient assis ensemble pour le voir, ils avaient été prendre un café. Ils s'étaient revus le lendemain et le jour suivant. Une semaine plus tard, Monique vibrait d'amour en pensant à lui.

Henri avait une sensualité exquise, contrôlée, sans barrières. La veille, il a mentionné son homosexualité un peu par hasard, quand elle lui a montré deux jeunes hommes qui dansaient ensemble. Elle a trouvé cet aveu inattendu à la fois intriguant et excitant. Elle voulait connaître les détails. Entre deux danses, de verre en verre, il lui a parlé des amants qu'il a eus pendant trois ans dans le milieu du théâtre. Il les évoquait avec affection, comme on raconte un beau voyage ou qu'on se souvient d'un excellent repas. Quand il a changé de vie en se lançant dans la publicité, il a cessé également de coucher avec des garçons. Depuis huit ans, il n'avait pas touché à un mâle. Le regrettait-il? «Non, pas vraiment. Ça fait partie des choses de jeunesse, qu'on n'a pas besoin de traîner avec soi. Des souvenirs agréables, mais pas des désirs. Le désir, c'est toi.»

Le désir a pris une chute en rentrant chez elle, vers deux heures et demie du matin. Chavirants, la tête bourdonnante d'alcool, ils se sont endormis aussitôt que couchés. Vers cinq heures, soudain réveillée, elle s'est mise à caresser Henri en essayant de l'imaginer avec un garçon. Était-il le donneur, le receveur, ou les deux? Comment ça se passe, dans ce monde? Quelles sont les caresses habituelles des hommes entre eux? En ouvrant les yeux, Henri s'est étiré voluptueusement. Ils ont fait l'amour avec une lenteur infinie. Ensuite, elle a sommeillé jusqu'à sept heures.

Elle rêve encore à lui en allumant le bureau et en se préparant au travail. Elle a toujours éprouvé des réticences, un malaise devant les déviations sexuelles. En songeant maintenant à Henri, elle trouve que cet aspect de son passé ajoute une dimension intéressante et attachante à sa personnalité.

Monique a hâte d'en parler à Louise. Justement, on entend déjà cette dernière, qui arrive toujours en fredonnant dans le couloir. Elle dit bonjour, s'arrête devant le miroir, retouche sa coiffure et recommence à siffloter en ouvrant le classeur. Monique lui envie sa vitalité. Après sa nuit plutôt pauvre en sommeil, elle se sent physiquement abrutie, engourdie.

— C'est le grand jour, aujourd'hui.

Louise hausse les épaules. Comme Lemelin prendra encore quelques mois à se rétablir, on a nommé un directeur intérimaire, Maurice Elliott, qu'on leur a présenté la semaine dernière.

— Il n'a pas l'air facile. Tu te souviens? Il nous a dit bonjour tout sec, sans ajouter un mot gentil. Je pense qu'il sera très exigeant. J'ai parlé à son ancienne secrétaire: il a l'habitude d'arriver tard et de travailler jusqu'à sept heures. Évidemment, ce n'est pas mal, pour le temps supplémentaire.

— Je ne fais pas d'heures supplémentaires, lance Louise, d'un ton sans appel.

— Il ne me fait pas penser à un homme à qui on puisse dire non. Enfin, je nous souhaite bonne chance.

Quand elle a rencontré Elliott, Louise ne l'a pas trouvé sympathique. Elle se méfie de son sourire engageant qui cadre si mal avec son regard froid. De plus, il l'a tutoyée, dans les deux ou trois phrases qu'il a prononcées. Il ressemble à ces jeunes technocrates qui font un complexe de supériorité quand on les nomme directeurs à trente-cinq ans.

— Ce n'est pas si difficile que ça, être directeur, dit-elle, avec un sourire indulgent. On lui apprendra son métier.

— Sa secrétaire m'a dit qu'il prenait son travail très au sérieux. Elle l'a aussi trouvé désagréable sur le plan personnel. Un bloc de glace.

— Parfait. Moi aussi, je serai de givre.

Ces derniers jours, elle a pris un soin particulier à mettre les dossiers en ordre. En accueillant le nouveau directeur, elle a voulu se montrer professionnellement irréprochable. Elle s'est même assurée que ses fournitures de bureau soient neuves.

Louise s'installe et commence à dépouiller la correspondance. Monique voudrait lui raconter ce qu'elle a appris au sujet de son ami, mais hésite sur les façons d'aborder la question.

— J'ai passé une nuit extraordinaire avec Henri, dit-elle enfin.

— Tant mieux, répond Louise, en souriant.

Elle continue à trier les lettres. Elle les mettra presque toutes dans le panier du directeur, mais elle inscrit les initiales de l'agent qui s'occupe de tel ou tel dossier, pour qu'Elliott se familiarise à la fois avec l'ensemble du travail et la distribution des tâches.

— Ça fait du bien, de temps en temps, une soirée spéciale. Est-ce que ça t'arrive souvent que ce soit particulièrement bon?

Louise réfléchit. Elle doit remonter à Daniel pour se rappeler ses étreintes qui parfois lui apportaient des frissons durables. Avec André, c'était très différent. Les premiers mois, il était toujours nerveux, avide, pressé, et finissait trop vite. À la longue, il s'était habitué à elle, il s'était calmé. À mesure qu'il devenait plus sûr de lui, il apprenait à prolonger leurs caresses. Par contre, Louise se sentait de plus en plus frigide, sans doute parce qu'elle ne l'aimait pas. Ses orgasmes se faisaient plus rares et moins intenses. Après le 18 juin, elle n'en avait plus eu. Elle éprouvait toujours du plaisir à faire l'amour, mais attachait plus d'importance à la chaleur humaine, à la tendresse, au contact épidermique, comme si son sexe lui-même ne lui importait plus. De toute façon, il s'agit là pour elle de souvenirs qui s'éloignent chaque jour davantage.

— Je ne suis plus en mesure de le dire. Je n'ai pas fait l'amour depuis un bon bout de temps. Depuis que j'ai rompu avec André.

Décontenancée, Monique glisse une feuille dans sa machine. Elle tape la date, se rend jusqu'à la seconde phrase, et s'arrête.

— Louise, c'est très grave, ce que tu dis là.

— Je t'assure que je me sens très bien.

— Tu te sens très bien, mais ce n'est pas vrai. Je crois plutôt que tu t'es laissée emporter par je ne sais quel coup de tête en quittant André. Il est bien, ce type-là! Si tu n'as pas cherché ailleurs, c'est parce que tu l'aimes. Tu devrais essayer de le revoir. Tout s'arrange quand on veut que ça s'arrange.

Louise se met à rire. À leur retour des Mille-Îles, elle a dit à André que c'était fini, irrémédiablement fini. Il n'a pas fait de scène. Il est parti, blessé, et surtout perplexe. Il ne pouvait pas la croire. Il l'a rappelée cette nuit même, et à deux reprises par la suite. Elle a refusé de le revoir, en lui parlant toujours doucement mais en restant inébranlable.

— André a cessé d'exister pour moi. C'est sans doute un bon gars, mais il n'est plus du tout dans le paysage et je ne l'y remettrai jamais.

— Je comprendrais mieux si tu... si tu le remplaçais.

— Je vis parfaitement bien sans homme. Quand je pense à des hommes, ça me fatigue d'avance. Ce qu'ils donnent, je m'en passe facilement.

Elle se crispe en songeant brusquement à ses agresseurs. Surtout, éviter de généraliser et d'attribuer à tous les hommes leur sordide brutalité. Ces deux-là, elle les écorcherait vifs, elle les passerait allègrement au moulin à viande, elle leur enfoncerait des fers rouges dans la chair. Mais elle ne se sent pas anti-mâles. Monique, soucieuse, se méprend sur la rigidité soudaine de son amie. Louise, trois mois de chasteté? Et prête à continuer? C'est vrai qu'elle a appris des choses pareillement étonnantes à propos d'Henri. Se pourrait-il qu'elle ait des idées fausses sur la plupart des gens qu'elle croit bien connaître?

— Vive la vie sans hommes! s'écrie Louise, amusée par le désarroi de sa collègue.

— Pour toujours?

— Non, bien sûr... Mais pour très longtemps, j'espère.

— Et qu'est-ce que tu feras? Tu te mettras à préférer les femmes?

Louise se lève, marche d'un pas décidé jusqu'au bureau de sa collègue et s'appuie sur le pupitre, le regard malicieux:

— Monique, enfin! C'est une proposition formelle?

— Tu es folle! répond Monique, en riant.

Il est neuf heures. Comme s'ils s'étaient donné le mot, James Black, Marie Lussier et Antoine Dubois arrivent en même temps. Le dernier, Pierre Beauchamp, les rejoint deux minutes plus tard. Louise les regarde, attroupés autour de leurs casiers.

— Je vois que l'arrivée d'un nouveau directeur a une grande influence sur la ponctualité, dit-elle à voix haute, en s'adressant à Monique.

Tous se retournent, un peu embarrassés. Louise leur explique qu'elle n'a distribué que les pièces sans importance, en jugeant qu'Elliott voudrait tout voir les premiers jours. Black commence à protester mais Dubois, le directeur-adjoint, y coupe court en disant à Louise qu'elle a très bien fait. Lussier ajoute qu'en effet, c'est une excellente initiative, *surtout* chez une secrétaire. Black, déconfit, demande quand même à Louise de lui fixer un rendez-vous avec Elliott dès son arrivée: il doit *absolument* le consulter à propos d'un dossier *extrêmement* important.

Quand ils ont tous regagné leurs bureaux respectifs, Monique allume une cigarette, pensive. Elle songe à leur conversation interrompue, à l'étrange confidence de Louise, et à ce qu'elle brûle de lui apprendre.

— Est-ce que ça t'est arrivé, *quand tu vivais normalement*, d'être en amour avec... — elle hésite: un homosexuel? un pédéraste? — avec un homme qui aimait les garçons?

— Non, je ne crois pas. Du moins, je ne m'en suis pas aperçue.

— Est-ce que ça te... est-ce que ça t'*aurait* dérangée?

— D'abord, clarifions une chose: je suis... en vacances. J'aime mes vacances, mais je n'ai pas fait vœu de chasteté. Je pourrais même coucher avec un type aujourd'hui même, mais je n'ai surtout pas envie de faire l'effort de m'en chercher un. Ensuite... Non, je ne crois pas que ça me dérangerait. À moins, ajoute-t-elle en ouvrant grand les yeux, qu'elle fait briller, à moins qu'il ne continue à me faire l'amour comme à un garçon. Ça pourrait devenir inconfortable, à la longue. Mais ça dépend des goûts...

Monique secoue la tête, amusée. Si Louise peut encore faire de ces insinuations inconvenantes, c'est qu'elle est toujours bien vivante.

— Ne le dis à personne, et surtout pas à lui, c'est un secret, mais Henri était homosexuel, dans le temps.

— Vraiment?

Elle ne semble pas y attacher d'importance. Peut-être que ça n'en a pas, en effet.

— Toi, demande-t-elle, est-ce que ça te dérange?

— Je trouve ça excitant, depuis qu'il me l'a dit. Oh, le voilà!

Monique se concentre sur sa machine à écrire, mal à l'aise d'avoir été surprise juste à ce moment en train de bavarder plutôt que de travailler. Louise encore à demi assise sur le bureau de sa collègue, se retourne, avec un vague sourire.

— Bonjour, monsieur Elliott.

— Bonjour. À quelle heure arrive le courrier?

— À neuf heures moins quart, à onze heures, à deux heures et demie et à quatre heures.

— C'est bien. Est-ce qu'il est déjà ouvert?

— Bien sûr. J'ai tout mis sur votre bureau.

— Merci. Cette semaine, je ne veux pas d'appels le matin, à moins que ce soit urgent. Tu jugeras toi-même. J'ai bien des choses à lire, je dois me familiariser avec les dossiers, prendre le pouls du bureau... Je ne veux pas être dérangé. Prends les messages, je rappellerai les gens l'après-midi. J'aimerai aussi te voir un peu plus tard. À dix heures.

— Oui, monsieur. M. Black désire vous voir au sujet d'un dossier *très* important.

— Qu'il attende. Après le déjeuner, peut-être. Si c'est urgent, qu'il voie Dubois.

Il rentre dans son bureau et ferme la porte. Monique lance un grand soupir.

— Je te l'ai dit, ce ne sera pas facile.

— Je ne sais pas... dit Louise, songeuse. Je crois que je pourrai l'apprivoiser.

Elle se sent particulièrement sûre d'elle-même aujourd'hui. Depuis trois mois, depuis sa fin de semaine à Gananoque, elle essaie, avec encore peu de succès, de modifier son comportement, de commencer à vivre davantage en accord avec elle-même. Elle n'aurait pas cru que ce serait si difficile. Son passé lui apparaît comme rempli de mauvaises habitudes, de lâchetés quotidiennes, de multiples acceptations passives. Comment changer tout cela? Elle découvre dix fois par jour à quel point nos attitudes sont dictées par l'image que les autres ont de nous et qu'on cherche à préserver sans même se demander pourquoi.

La facilité avec laquelle elle s'est passée d'André l'encourage. Si elle n'a pas voulu chercher la compagnie d'un autre homme, c'est surtout par besoin de faire le vide, de ne pas se voir poussée à répéter dans une nouvelle liaison des comportements acquis dont elle constate la persistance dans ses relations de bureau. De huit heures et demie à cinq heures, elle joue à la secrétaire plutôt serviable, malgré ses accrochages réguliers avec Black. Elle montre parfois que les agents lui tapent sur les nerfs, mais elle ne réagit pas comme elle le souhaiterait et s'en veut ensuite pendant une heure. Le soir, ça va mieux, parce qu'elle ne voit presque personne, sauf quelques amies. Dans l'ensemble, c'est plutôt insatisfaisant. Sa réussite la plus notoire, c'est d'avoir commencé à faire du sport, spécialement du tennis, avec une copine. Elle a aussi déménagé, pour changer de quartier.

L'arrivée du nouveau directeur lui fournit un prétexte pour se mettre à l'épreuve. Il n'a rien à voir dans cela. Tout simplement, Louise s'est dit qu'à partir de ce jour, elle ne supporterait plus les choses qui l'agacent, comme on se dit qu'on rentrera chez soi après une dernière cigarette ou qu'on sautera dans l'eau froide du lac lorsque l'ombre de cet arbre touchera à ce caillou.

Le téléphone sonne. C'est Black, qui veut savoir si M. Elliott est arrivé. Oui? Parfait, il passe tout de suite. Non, le directeur ne reçoit personne ce matin. Mais lui a-t-elle dit que c'était important? Louise sourit: tout est important pour Black, puisque le croire lui donne l'impression d'être indispensable.

— Je lui ai dit que c'était *très* important. Il a dit qu'il vous verrait *peut-être* cet après-midi. Si c'est urgent, il vous demande d'aller voir Dubois.

— Je... Merci.

Il raccroche. Louise continue à préparer les fiches de présence, comme à toutes les fins du mois. À dix heures, elle cogne à la porte du directeur.

— Entre! Assieds-toi, j'en ai pour une seconde.

Il finit de griffonner quelque chose sur un calepin, l'air sévère, concentré. Ensuite il lève la tête et sourit.

— Il y a longtemps que tu travailles ici?

— Deux ans, *monsieur*.

Il la regarde, impassible. Tout à coup, un éclair d'amusement traverse ses yeux. Presque aussitôt, son visage redevient grave.

— Deux ans. Tu dois connaître la routine. Je vais te dire deux choses. La première: tu ne travailles pas *pour* moi mais *avec* moi. Si tu te mets bien ça dans la tête, on s'entendra à merveille. Deuxièmement: le secrétariat, c'est à toi, c'est ton domaine. Je m'attends à du travail impeccable, c'est tout. De toi, de Monique, de tous les autres. Je suis là pour faire marcher la boîte et pour régler les problèmes, mais je ne veux pas qu'on me fatigue avec des choses qu'on aurait pu arranger sans moi. Tu connais toutes les pratiques administratives: je t'en tiens responsable. On est sur la même longueur d'onde?

Louise le regarde. Osera-t-elle lui dire qu'elle n'aime pas être tutoyée? Elle hésite, puis dit:

— Oui, *Maurice.*

Il sourit, brièvement. C'est un sourire étonnant, à la fois spontané et crispé, comme s'il lui était naturel d'être tendu. Mais peut-être se sent-on comme ça quand on prend charge d'une nouvelle direction.

— Black a encore insisté pour *te* voir.

Elle retient son souffle en attendant sa réaction. Au fond, tutoiement et vouvoiement s'équivalent, du moment que c'est réciproque.

— Je verrai tout le monde cet après-midi, mais je commencerai par Dubois. Il est mon adjoint, après tout. Tiens, tu me les enverras tous à partir de deux heures et demie, une demi-heure chacun. Merci.

Il se plonge dans un document. Louise sort. Elle regarde Monique et lui fait un clin d'œil de victoire. Le cœur léger, elle dresse l'horaire des entrevues de l'après-midi. Un messager lui apporte en livraison spéciale un dossier qu'elle a demandé aux Archives. Elle trouve la pièce qu'elle cherchait et va en tirer une photocopie. À son retour, Antoine Dubois l'attend, impatient.

— Alors, ma lettre sur le rapport annuel?

— Je viens justement de recevoir la pièce que vous vouliez mettre en annexe.

Elle broche les feuilles ensemble et les lui tend.

— Merci beaucoup. C'est très rapide.

— Ça irait encore plus vite si vous écriviez plus lisiblement, monsieur Dubois, dit Louise, avec un calme doucereux.

Il la regarde, indécis. Elle ajoute:

— Bien sûr, Monique connaît votre écriture mieux que moi. Mais même là, si on passait moins de temps à déchiffrer des pattes de mouche et des abréviations, ce serait beaucoup plus facile.

Elle lui montre ses pages manuscrites. Il fronce les sourcils, la regarde, revoit son écriture et s'en va sans un mot.

— Tu as du front tout autour de la tête, aujourd'hui, commente Monique.

— Peut-être qu'il y réfléchira. Il est intelligent, après tout.

Elle se sert un café, un autre pour Monique, et cède à la tentation d'allumer une cigarette. Ces temps-ci, elle en fume six par jour, ce qui lui semble raisonnable. Elle n'envisage pas d'arrêter, elle aime le goût du tabac, mais elle tient également à se sentir les poumons dégagés. Presque en même temps qu'elle a cessé de faire l'amour, elle s'est découvert un intérêt nouveau pour son corps, pour ses sens. Trois fois par semaine, elle fait une demi-heure de gymnastique. Même si elle mange le plus souvent seule, elle se prépare de bons plats et apprend à savourer chaque viande, chaque légume. Elle fait plus attention qu'avant lorsqu'elle écoute de la musique ou qu'elle contemple des tableaux. Depuis qu'elle a accès à un court de tennis et à une piscine, elle est au paradis.

Elle boit son café sans cesser de travailler. À Statistique Canada, il lui arrivait de connaître des périodes mortes où elle pouvait lire ou tricoter. Dès son arrivée au ministère, M. Lemelin le lui a défendu: ça laissait une mauvaise impression aux visiteurs. Elle s'est habituée à remplir son temps, pour s'apercevoir assez vite qu'elle était tombée dans un bureau où le travail ne manquait pas. Elle y a même pris goût. Elle se repose de la dactylographie en allant faire des photocopies, elle alterne les tâches administratives avec le classement et les appels, elle surveille le travail de Monique, discrètement, car celle-ci est plus âgée qu'elle en plus d'être une amie, et cinq heures arrivent sans qu'elle ait vu le temps passer.

Son téléphone sonne. C'est Daniel, son vieil ami, qui l'invite à dîner.

— À Montréal? s'exclame-t-elle, incrédule.

— Mais non, à Ottawa! J'arriverai à cinq heures. On m'a demandé d'assister à une rencontre, demain. J'ai essayé de t'appeler hier soir, mais ça a l'air que tu as déménagé sans laisser d'adresse.

Elle lui donne son nouveau numéro. Il lui propose de se retrouver à l'hôtel où on lui a retenu une chambre.

— Ah, non! s'écrie-t-elle. Si tu viens à Ottawa, tu restes chez moi. J'annulerai ta réservation. Apporte ta raquette, tes souliers de tennis, ton maillot de bain. J'ai hâte de te voir! Je t'attendrai à la gare.

— Ne me dis pas que tu as aussi une voiture!

— Le mot est généreux, mais ça roule. À tantôt. Je t'embrasse.

Maurice Elliott sort de son bureau. Tiens, il a l'air moins décidé que tout à l'heure. Serait-il capable d'hésitation?

— Comment fait-on pour avoir du café, ici?

— Il y a une cafétéria en bas, dit-elle, doucement.

— Je veux bien, Louise, mais...

Il montre la tasse, sur le bureau. Louise suit son regard, sans sourciller. Monique les observe, anxieuse de savoir comment cela va finir.

— Monique et moi, on a un percolateur.

— Excellent. Veux-tu m'apporter une tasse? Merci.

Il se retourne et s'apprête à rentrer dans son bureau. Il s'arrête en entendant son nom.

— Maurice...

— Oui?

— Le café, c'est pour Monique et moi.

Elliott s'arrête, pensif. Il fait demi-tour et regarde Louise dans les yeux.

— Si je comprends bien, tu refuses de faire du café?

— Non, dit Louise, en faisant un effort pour ne pas trembler. Je te demande de ne pas me le demander.

Il la dévisage, impassible. Louise sent son cœur qui bat fort. Elle apportait du café à Lemelin, de mauvaise grâce, en l'obligeant au moins à le demander à chaque fois, pour que ça n'aille pas de soi. Elle a voulu expliquer à Dubois que ça ne faisait pas partie du travail de secrétariat; il a répondu qu'il s'agissait de «tâches connexes», qu'il ne tolérerait pas de tels caprices et qu'aussi longtemps qu'il remplacerait le directeur, il s'attendait à son café le matin et l'après-midi, un point, c'est tout. Elle s'était résignée.

Elliott sourit, soudainement.

— Moi, j'aime le café. Si j'apporte ma tasse, si je la lave, si je contribue à l'achat du café, est-ce que je pourrai m'en servir de temps en temps?

— Je ne sais pas. Il y a aussi la préparation et l'entretien de la cafetière. Qu'en dis-tu, Monique?

Celle-ci a l'impression que son amie exagère, comme si elle voulait voir jusqu'où elle peut aller. Elle s'empresse de dire qu'elle est d'accord pour que le directeur ait librement accès au percolateur, sans se charger du reste. Après tout, elles le remplissent et le lavent de toute façon.

— Vous êtes très bien, toutes les deux, dit Elliott. J'aime ça, du caractère. Je crois qu'on pourra se faire un bureau qui a de l'allure. Est-ce que je dois aussi arroser mes pots?

— Non, répond Louise, soulagée. Je fais ça moi-même.

— Elles ont l'air de plantes dont on prend bien soin. Bon, à midi, j'irai m'acheter une tasse.

Il rentre dans son bureau. Monique, la main sur la bouche, retient une envie de rire.

— Je te l'ai dit, il m'a l'air très bien. Il n'est pas vieux jeu.

— Et tu l'as tutoyé! s'étonne Monique. Moi, je n'oserais pas.

— Il m'a dit «tu», je lui ai dit «monsieur». Il m'a redit «tu», j'ai fait pareil. Tiens, je crois qu'il mérite un petit spécial, aujourd'hui.

Elles ont une demi-douzaine de tasses, ce qui leur permet de les accumuler pour un seul lavage en fin de journée ou d'offrir un café à des visiteurs, quand elles ne peuvent pas faire autrement. Louise en verse une tasse. Avant de l'apporter à Elliott, elle s'arrange devant le miroir. Pierre Beauchamp, le plus jeune des agents, qui venait prendre son courrier, contemple Louise, les yeux brillants.

— Vous avez vraiment une belle robe aujourd'hui. C'est vrai que vous êtes toujours bien habillée.

— Et je fais la moitié de votre salaire, répond Louise, du tac au tac.

Monique pouffe de rire. Beauchamp ne sait pas s'il doit prendre cela comme une blague. Louise distribue les chèques de paie, mais on ne mentionne jamais les salaires. Comme bien des gens, dans l'incertitude, il opte pour dire une sottise:

— Oh! je vois qu'on devient féministe dans le bureau. Mais je croyais que les féministes ne s'attardaient pas à se faire une beauté.

L'air suffisant, convaincu d'avoir été spirituel et pertinent, il s'apprête à repartir, le sourire aux lèvres. Louise le regarde, un frisson de rage au cœur. Monique la sent prête à bondir. Décidément, c'est le jour des confrontations.

Louise le rappelle, suavement. Il se retourne, goguenard. Elle est décidée, aujourd'hui, à avoir le dernier mot.

— Monsieur Beauchamp, la plupart des hommes, dans le monde civilisé, ont appris à prendre soin de leur personne. Ils se peignent, ils se lavent, ils changent de chemise, ils évitent de porter des costumes froissés. Pourquoi ne dit-on jamais qu'ils «se font une beauté»?

La courtoisie est une arme redoutable. Louise ne montre aucune agressivité, bien au contraire. Beauchamp ne sait pas quoi répondre.

— Quant au salaire des secrétaires, ajoute Louise, tranquillement, il me semble qu'il faut être myope pour y voir une cause féministe. Il est temps d'oublier le sexe des gens, dans cette affaire, et de se demander plutôt s'il n'y a pas des injustices dans la rémunération de diverses catégories d'employés. Vous n'avez pas l'impression, dans ce cas-là, qu'il s'agit d'un abus de l'offre et de la demande?

Elle parle avec une telle pondération que Beauchamp ne peut que bafouiller:

— C'est vrai qu'il y a des choses à améliorer, sur le marché du travail...

Il se retire, en se promettant bien de surveiller sa langue la prochaine fois. Monique fait signe à Louise d'approcher.

— Tu n'as pas peur d'exagérer?

— Je n'ai peur de rien, Monique. Ça fait des années qu'ils me fatiguent, les agents, avec leurs airs supérieurs.

— Et tu as entrepris de les mettre au pas? Toute seule?

— J'ai décidé de ne plus accepter qu'on me prenne pour une pièce de machine à écrire.

Elle prend la tasse de café et l'apporte à Elliott. Il semble ravi, mais aussi stupéfait.

— Je te souhaite la bienvenue au bureau, dit-elle.

Louise vide son panier et sort en vitesse. Elle se sent tellement émue par son propre comportement depuis le matin qu'elle a hâte de retrouver le havre familier de son pupitre. Quand elle trie les documents, elle remarque qu'Elliott a mis ses initiales, L.B., sur quelques pièces de correspondance, avec des indications sur la suite à donner. Elle se pince la lèvre, ébahie. Ni Lemelin ni Dubois ne lui ont jamais demandé de préparer le moindre accusé de réception. Lui reconnaît-on enfin d'autres capacités que de remuer du papier? Elle travaille jusqu'à midi, radieuse. C'est l'heure où elle va manger. Monique arrête de taper et bâille si fort que Louise se met à rire.

— Courage! Encore quelques heures, et tu iras te coucher.

— Pourtant, j'aime tellement danser! Ça ne m'a jamais fatiguée. Au contraire, ça m'a toujours stimulée. Quand j'étais plus jeune, je rêvais de faire du ballet... Ah, si j'avais eu juste un peu plus de chance!...

Louise lui lance un regard meurtrier. «*Ça y est*, se dit Monique, *je vais y passer, moi aussi!*»

— Tu me fatigues, avec ton ballet! Ça fait deux ans que tu en parles. Si tu aimais vraiment ça, tu pourrais au moins prendre des cours.

— À trente-sept ans?

— Ça vaut mieux que de commencer à quarante ans. Tu ne peux pas t'attendre à avoir la souplesse d'une jeunette, tu ne feras peut-être pas le grand écart, mais tu sauras au moins ce que tu peux vraiment faire. Inscris-toi à des cours du soir, il y a bien des écoles et des centres qui en donnent. Ou bien, n'en parle plus et rêve à autre chose.

Elle sort, en fredonnant. Quelle belle journée! Un directeur qui a tout l'air d'être un allié, c'est une aubaine! Et elle a montré qu'elle pouvait dire aux gens ce qu'elle pense. Jamais plus elle ne reculera, c'est trop grisant.

C'est une de ces journées où le soleil fait fleurir les gens sur la rue Bank. Louise descend en direction du Mail. Elle aime ces grands immeubles tout en vitre qui se réfléchissent les uns dans les autres en offrant des façades changeantes. Un homme très digne, au coin, distribue des tracts contre les taux d'intérêt. Un couple s'embrasse, étroitement, dans un autre monde. En regardant la foule, Louise sourit en se rappelant qu'elle s'est déjà demandé, à cet endroit-là, combien de violeurs déambulaient paisiblement sur les trottoirs.

Elle est contente d'elle-même. Sa mésaventure l'a profondément affectée, mais, après cinq mois, elle ne se croit pas traumatisée. Elle n'est pas en paix avec la vie, mais elle ne ressasse pas une hargne venimeuse. Quand elle pense à l'incident, elle ne s'attarde plus à haïr ses attaquants, mais elle se rappelle le mépris et l'humiliation qu'ils ont personnifié. Cela, elle le combattra toujours, et de plus en plus, comme elle l'a fait ce matin.

Tiens, si elle prenait un sandwich au *Fat Albert's*? Elle entre. Marie Lussier lui fait signe de s'asseoir avec elle. Louise ne l'aime pas beaucoup, elle aurait préféré manger seule, mais elle ne peut vraiment pas refuser l'invitation. Après avoir passé sa commande au comptoir, elle rejoint la jeune femme.

— J'avais envie de quelque chose de simple, ce midi, explique Lussier, comme si elle devait justifier sa présence dans un snack-bar à bon marché.

— Moi, je viens souvent ici. C'est moins cher.

Marie Lussier reste impassible. Beauchamp lui a raconté son échange avec Louise à propos de son salaire. Il a jugé bon de ne pas lui rapporter toute la discussion, juste assez pour présenter Louise comme quelqu'un qui se plaint d'être mal payé.

— C'est à quatre heures que je vois M. Elliott, n'est-ce pas?

— Oui, dit Louise, découragée d'avance en songeant qu'on lui parlera de choses du bureau.

— Comment le trouvez-vous? Est-ce que ça vous plaira de travailler pour lui? Il m'a l'air plutôt sévère.

— Il sait ce qu'il veut. Ce ne sera pas difficile de travailler *avec* lui.

— Je vous le souhaite. Quand j'étais simple secrétaire, il m'est arrivé de tomber sur des patrons pas commodes du tout. C'est surtout pour cela que j'ai voulu monter plus haut.

Louise dévore son sandwich, imperturbable. Marie Lussier se rend-elle compte de ce qu'elle dit? Est-elle inconsciente, insensible, ou essaie-t-elle de la rabaisser? Ou cherche-t-elle vraiment à l'aider, à lui fournir de bons conseils?

— Vous êtes une fille très intelligente, Louise. Oui, oui, ça se remarque, même dans votre travail. Vous n'avez jamais songé à vous essayer dans l'administration? Ce serait plus intéressant pour vous, avec vos talents. Un meilleur salaire, de vraies responsabilités... Avez le temps, vous pourriez accéder peut-être à un poste intermédiaire.

Son sandwich fini, Louise sort ses cigarettes. Marie refuse, sèchement, avec un commentaire acerbe sur le tabac: «*Mais allez-y, ça ne me dérange pas, ce sont vos poumons.*» Louise aspire la fumée, lentement.

— J'aime mon travail.

— Oh, je vous en prie! On ne peut pas aimer ça. Moi, je ne supportais pas cette routine de chaque jour, ces tâches insignifiantes, et toujours à la remorque du travail des autres. Il faut viser plus haut, dans la vie.

— J'aime mon travail, répète Louise.

Marie Lussier hausse les épaules, méprisante:

— Et passer toute sa vie avec un salaire de crève-la-faim!

— Ça, c'est un autre problème. Le travail lui-même ne me semble ni plus ni moins routinier qu'un autre. J'aime ça, trier le courrier, m'occuper de la papeterie, prendre des lettres mal écrites et en faire quelque chose de présentable, organiser des réunions, des plans de travail, trouver des documents, mettre de l'huile là où ça grince. Enfin, vous l'avez fait, vous savez ce que c'est.

— Je n'ai jamais trouvé ça stimulant. Ça durcit plutôt les méninges.

Louise commence à bouillir. En dénigrant son travail, c'est elle que Marie Lussier cherche à humilier. Soudain, une idée:

— Roger faisait le même travail que vous, madame Lussier, lui rappelle-t-elle. Il trouvait cela abrutissant, ennuyeux à mort, et il est allé ailleurs. Vous, vous aimez ça, ça ne vous dérange pas. Moi, j'aime mon métier. C'est tout.

Marie Lussier la dévisage, froidement. Elle a l'impression qu'on lui tient tête. Pis encore: qu'une secrétaire, une employée de soutien, lui tient tête. Elle vide son café, en cherchant le mot de la fin.

— Décidément, vous serez toujours secrétaire, et rien qu'une secrétaire. C'est dommage, je vous tendais une perche. Mais à chacun selon ses ambitions et ses capacités.

Elle se lève. Louise n'a pas éteint sa cigarette, mais Marie Lussier estime que si elle a fini son repas, l'autre n'a qu'à se presser. Ce sera d'ailleurs mieux pour sa santé. Louise se laisse bousculer, mais se reprend dès qu'elles atteignent le trottoir.

— Je ne crois pas que le travail d'un mécanicien soit moins intéressant que celui d'un pilote, ou qu'un médecin qui ne fait que réparer le corps vaille moins qu'un professeur de gymnastique qui le garde en santé. Mon travail, c'est d'assurer le bon fonctionnement du bureau. Vous n'avez peut-être pas compris ce que c'est qu'être secrétaire, quand vous l'étiez.

Marie Lussier se raidit, offensée. Louise se félicite de ses exemples.

— Eh bien, vous deviendrez comme Monique, à faire des sourires à tout le monde, à vivre une vie plate et à supporter tout ce qui vous arrive. Tant pis! Mais un jour vous regretterez de n'avoir pas suivi mes conseils.

— Madame Lussier! D'abord, Monique est mon amie. Ensuite, vous n'avez pas le droit d'en parler comme ça, de juger de sa vie. Finalement, je vous garantis que vous ne me verrez jamais sourire ni accepter quoi que ce soit quand c'est injuste ou que je n'en ai pas envie.

Elles se rendent au bureau sans échanger un mot de plus. Cette lourdeur ne dérange pas Louise. Elle se sent bien dans sa peau et elle se sent bien contre le monde quand le monde est constitué de gens tels que Marie Lussier. Elle se rappelle une phrase qu'elle a lue quelque part: «*Chacun pour soi et Dieu contre tous.*» Elle n'a jamais cru en Dieu; dans cette phrase, Dieu, c'est le destin, Marie Lussier, Black, les deux hommes qui l'ont attaquée.

Quand elle pense à ses assaillants, ce qui lui arrive souvent, elle leur en veut surtout de lui avoir fait atrocement peur, d'avoir joué avec elle. En apparence, elle s'en est tirée sans trop de mal, mais son cœur a été brutalement secoué. Aujourd'hui, elle a l'impression de commencer à se remettre d'aplomb. Elle reconnaît que ça lui est arrivé à plusieurs reprises, même au lendemain de l'attaque. Il n'en fallait pas beaucoup pour qu'elle retombe dans la grisaille des acceptations. Désormais, elle fera attention, elle ne cédera pas, elle défendra sa dignité, elle fera face.

Après le bureau, à cinq heures, elle va accueillir Daniel à la gare d'autobus. Elle lui saute au cou. Que c'est bon, un ami! Après sa rupture avec André, elle a fait table rase d'un bon nombre de ses connaissances. En déménageant, deux semaines plus tôt, elle a souligné son nouveau départ dans la vie. Daniel fait partie de quelques personnes dont elle continue à apprécier la compagnie.

— Tu as bonne mine. Ça a l'air de te faire du bien, Montréal.

— Toi aussi, tu sembles en forme. Madame fait du sport, maintenant?

— Madame a pris plaisir à sentir bouger ses muscles et à aiguiser ses nerfs, dit Louise, en souriant. J'ai fait du yoga, trois cours, mais ça ne me convenait pas. Je ne cherche pas le calme, la relaxation. J'ai envie de faire du judo, plus tard. Pour l'instant, je me mets en forme.

Ils s'engagent sur le Queensway en direction de l'est, jusqu'à la sortie de Blair. Louise habite un grand immeuble moderne, près du Chemin de Montréal, avec garage souterrain et installations sportives. Ils consultent le babillard, au rez-de-chaussée: ils ont de la chance, un des courts de tennis est libre à partir de six heures.

Daniel reconnaît certains meubles dans l'appartement. L'ensemble de salon est neuf: une causeuse, une table, deux fauteuils. Le stéréo à cassettes n'a pas changé. Sur les murs, un couple nu, enlacé, et une affiche des pyramides d'Égypte dévorées par un soleil rouge. Dans la chambre principale, un matelas sur le tapis, recouvert d'une courtepointe, et des posters. Dans la chambre d'amis, une étagère avec des livres et un pupitre. Louise mentionne qu'elle a un matelas gonflable, pour le décourager de penser qu'elle pourrait lui offrir de partager son lit.

— C'est joli comme tout, chez toi!

— J'avais envie de sobriété. Sur Cathcart, ça semblait plein parce que c'était petit. Ici, j'ai l'impression de respirer plus à fond.

— Et ta vie amoureuse? demande-t-il, sans détours.

— Un beau vide. Oui, très beau. Je te raconterai plus tard.

Daniel ouvre sa valise. Louise s'attarde: quel effet ça lui ferait de le revoir nu? Surtout, de revoir un homme? Elle connaît assez Daniel pour savoir qu'il trouverait cela bien naturel. Puis elle change d'avis et gagne sa chambre.

Cinq minutes plus tard, ils descendent en tenue de tennis. Ils jouent plutôt mal mais ils ont beaucoup de plaisir à frapper la balle, à courir, à combattre le froid aigu de cette fin de novembre. Dans un désir de complicité, ils donnent au jeu l'allure d'une conversation rieuse dans laquelle les phrases s'allongent et s'enrichissent jusqu'à l'inévitable moment où la balle leur échappe. Ils recommencent alors, comme on reprend son souffle.

— C'est beau de te voir comme ça!

— J'en avais assez de m'étioler! Je voulais me sentir forte. J'ai même l'intention d'essayer les haltères.

Daniel en prend note : il avait justement l'intention de lui faire un petit cadeau. Ils s'arrêtent à sept heures, épuisés, grisés d'action, le cœur battant, ravivés par la dépense d'énergie. Louise propose un tour à la piscine pour faire bouger encore d'autres muscles.

— J'en fais chaque jour. Dix longueurs, cinq minutes de sauna, dix longueurs, sauna, jusqu'à être rassasiée. Malheureusement, le sauna n'est pas mixte.

Il nage surtout avec elle, sans s'éloigner, mais parfois il s'arrête pour la regarder faire la brasse ou la planche.

— Tu es vraiment une belle fille, Louise. Superbe ! Encore plus que jadis, et tu étais magnifique.

Elle sourit. Daniel lui semble toujours agréablement musclé, sans excès, à l'aise dans son corps. En contemplant ses cuisses, son ventre, ses reins, des images lui reviennent, chargées de longs souvenirs d'amour. Elle a beau les savourer, elle n'éprouve aucun désir sexuel à son endroit. Ainsi, quand elle nage avec des copines, elle est sensible à leur beauté, elle prend plaisir à leur proximité physique, elle voudrait même parfois les étreindre, comme on peut vouloir caresser une statue, sans la moindre recherche d'un frisson charnel.

Douchés, rhabillés, remis à neuf, ils se rendent au restaurant où elle a retenu une table. Elle lui raconte sa journée au bureau. Elle lui parle de sa rupture avec André et de son indifférence croissante à l'égard des relations amoureuses.

— Ce n'est pas que je sois contre, insiste-t-elle. Tout simplement, je ne veux pas m'embarquer dans une autre histoire «parce que c'est normal», «parce que c'est ce qu'il faut faire». Si jamais j'en éprouve le besoin, ou le désir, je n'hésiterai pas. Pour l'instant, je me sens bien comme ça.

— Moi, non. Depuis que je suis à Montréal, j'ai sorti avec deux filles. Elles ne m'ont pas trouvé à leur goût. J'ai hâte de trouver quelqu'un. Tout seul, je me sens débalancé, maussade, dur, irritable. Je ne retrouverai mon équilibre qu'en faisant l'amour régulièrement.

Elle connaît bien son appétit et le comprend, mais il y a toujours un abîme entre ceux qui ont faim et les autres.

— Je ne regrette pas André. Tu sais, depuis cet été, je n'avais plus de plaisir à coucher avec lui. Et ce n'était pas sa faute, il faisait ça très bien. Alors, c'est comme une corvée de moins.

— C'est intéressant, cela. Depuis l'été?

Elle ne lui a jamais parlé de la tentative de viol et n'a pas l'intention de le faire.

— C'est justement depuis cinq ou six mois — tiens : depuis qu'on a dîné ensemble, rue Dalhousie — que je te trouve un peu... éteinte. Oui, c'est cela. Quelque chose s'éteint en toi, tranquillement. Tu restes très belle, tu deviens même de plus en plus belle, et plus robuste, plus solide, plus épanouie même. Mais quelque chose en toi ne bat plus.

— Cette chose qui bat quand on est amoureuse?

Il fait oui de la tête, en souriant. Elle sourit aussi, avec l'air de quelqu'un qui veut explorer un sujet sans trahir un secret.

— Toi qui me connais si bien, Daniel, comment expliques-tu ça?

— C'est comme une maladie. On oublie de s'occuper d'un muscle, et il s'ankylose. On s'habitue à vivre sans amour, sans frissons, sans désirs. Et on vit bien, mais c'est déjà de la mort.

— Et comment fait-on pour se réveiller d'entre les morts?

— Ça, ça dépend de toi. Généralement, il faut un miracle.

— Alors, ça ne dépend pas de moi, observe-t-elle.

— Ça dépend de toi d'inventer le miracle. Des fois, il suffit de trente secondes de réflexion. D'autres fois, il faut que le monde entier change, c'est-à-dire qu'il faut se transformer soi-même au complet.

— Et si la source d'infection est ailleurs qu'en nous-même?

— Tu dois t'occuper de ton cœur, de ta vie, pas de la laideur qu'il y a autour. Celle-ci ne mérite qu'un hausse-ment d'épaules.

Elle trouve que c'est un peu plus compliqué. De retour chez elle, ils prennent un cognac en parlant de choses et d'autres. Daniel travaille dans un bureau tout en préparant sa maîtrise et a bien des choses à raconter. Vers minuit, il va gonfler le matelas pneumatique. Elle l'aide à mettre les draps, la couverture, l'embrasse et lui souhaite bonne nuit. Dans sa chambre, les yeux au pla-fond, elle pense à son ami. Il ne s'attendait visiblement pas à faire l'amour, autrement il y aurait fait allusion. Leur intimité de cœur relève d'une profonde entente dépour-vue d'arrière-pensées ou d'élans frustrés. Mais elle? Risque-t-elle quoi que ce soit? Un échange charnel ne troublerait pas leur amitié et ne réveillerait pas la passion d'une autre époque. Mais il serait aussi superflu. Pour-quoi y songe-t-elle?

Louise pose la main sur son sexe. Elle se caresse de moins en moins souvent, l'idée ne lui en vient plus, ni le besoin. Pourtant, en ce moment, elle trouve ce geste agréable. Elle ne cherche pas à faire vibrer son corps, mais elle apprécie les vagues langoureuses qu'elle fait naître.

Et Daniel, qui doit être en train de s'endormir... Pour-quoi pas? C'est dans de tels moments qu'on a besoin de ses amis et qu'on doit pouvoir compter sur eux. Elle ne se propose certainement pas de mener une vie chaste. Ce serait sans doute bon d'étreindre un corps, d'en savourer la chaleur, l'odeur, la présence. Surtout, elle saurait si elle est vraiment *éteinte*. Du moins, sur ce plan-là.

Elle rallume la lampe de chevet, réfléchit encore, puis va trouver son ami.

— Daniel... Ça t'intéresse, une convalescente?

Il distingue son corps nu dans l'obscurité. Louise lui tend la main et l'aide à se relever. Ils s'étreignent longuement.

— Viens.

Elle a l'impression de réapprendre la gamme des caresses. «Nous faisons l'amour dans un nuage», se dit-elle. Elle est un instrument de musique engourdi dont on tire des sons assourdis d'une tendresse délicate, exquise. L'instant de la pénétration, d'une infinie douceur, justifie amplement la rencontre des corps, malgré l'absence d'un orgasme qu'elle ne veut pas feindre.

Daniel la serre contre lui, comme on voudrait entraîner quelqu'un dans l'oubli de toutes les choses mauvaises de la terre et qu'il n'y ait plus au monde que cette île bienheureuse en forme de lit d'amour.

— Tu es tellement gentil... murmure-t-elle. Merci.

Elle avait songé à le renvoyer dans sa chambre, tellement elle a repris goût à dormir seule. Elle décide maintenant de le garder à ses côtés. Blottie contre lui, elle comprend qu'elle a remis sur l'échiquier de sa vie une pièce fondamentale, peut-être pas la reine ou le roi, mais au moins une tour.

5

Louise se réveille, ou découvre qu'elle est réveillée. Il n'y a pas de bruits dans les rêves. Du moins, il n'y en avait pas dans le sien. Or, elle a entendu quelque chose.

Elle prête l'oreille. Rien. Pourtant, un bruit anormal l'a tirée de son sommeil, toujours léger. L'un des atouts majeurs de l'immeuble, c'est la parfaite insonorisation des appartements. Les voisins peuvent jouer de la musique pop toute la soirée, elle ne s'en rend même pas compte. Si elle a entendu quelque chose, ce quelque chose se trouve dans l'appartement.

Le cadran lumineux indique une heure du matin. Alphonse n'est pas rentré. Il lui a bien dit de ne pas l'attendre. Il dînerait à Montréal, où il s'est rendu pour affaires, et il rentrerait tard.

De nouveau! C'est un bruit métallique, un grincement, des pièces qui se frottent. Non: des pièces qu'on frotte. Qu'il serait bon d'avoir un homme avec elle! Et Alphonse qui choisit ce soir-là pour s'absenter!

Et puis, non! Pourquoi un homme? Pourquoi compter sur quelqu'un, s'appuyer sur autrui? Quoi que ce soit, qui que ce soit, elle fera face.

Ce bruit, encore. C'est clair: on essaie d'introduire une clé dans la serrure. Ça ne peut pas être Alphonse, il n'hésiterait pas ainsi. Et elle n'a pas mis la chaîne de sécurité, pour qu'il puisse entrer!

Ça y est, c'est la bonne clé, ou une pince-monseigneur, on a déclenché le mécanisme. Se lever, appeler la police? Le téléphone se trouve dans le salon, on lui sauterait dessus avant qu'elle ne commence à composer le numéro de secours. On lui sautera dessus...

— Qui... qui c'est? crie-t-elle.

Silence. Louise se sent livide. La peur, comme cette nuit, il y a bientôt huit mois... Et la porte de la chambre à coucher qui ne ferme pas à clé! Quoi faire? Se glisser sous le lit? Alphonse a insisté pour acheter un lit, il n'aimait pas coucher par terre, sur le matelas sans sommier. Non, inutile d'y penser, elle a crié, on l'a entendue, on la trouverait.

La salle de bains! Elle peut s'y enfermer. Elle se lève, en tremblant, prête à aller se cacher. Mais à quoi bon? Ces portes se défoncent d'un coup d'épaule, elle l'a souvent vu dans des films. Personne n'entendrait rien, sur l'étage. Elle est vraiment prise au piège.

Le bruit a changé. Il s'agit maintenant d'un grincement plus rauque. On est en train d'ouvrir la porte de l'appartement. Louise est sûre qu'il s'agit de ses attaquants, le «fonctionnaire» et l'«ouvrier». Ils l'ont retrouvée, ils vont lui faire payer cher sa dérobade. Ils lui boucheront la gorge avec la taie d'oreiller, ils la brutaliseront, ils lui défonceront le visage à coups de poing...

Elle se débattra, elle se défendra. Ou plutôt non: elle restera de glace, elle ne criera pas, elle s'abstraira de son corps, elle le leur abandonnera, ce ne sera plus elle.

Louise s'assoit sur le bord du lit et place la main sur sa poitrine pour freiner les mouvements désordonnés de son cœur. Ce n'est peut-être qu'un voleur, elle lui donnera tout. Non, elle se fait des illusions, ce ne sera jamais aussi simple. Les voleurs qui se contentent de voler font leurs affaires de jour, quand l'immeuble est vide, ils ne s'introduisent pas de nuit dans l'appartement d'une femme. Ils ont fermé la porte, ils placent la chaîne de sécurité, pour l'empêcher de s'enfuir.

Elle se relève, les jambes flageolantes. Elle prend un kimono, avec difficulté, et avance jusqu'au corridor, toute crispée.

— C'est qui? crie-t-elle, en cachant mal sa panique.

Là, le voici, sa silhouette. Un homme, seul... Mais a-t-elle encore la force de se défendre?

— Bonjour, chérie.

C'est Alphonse. Étourdie, Louise recule, se laisse tomber sur le lit. La tête lui tourne. Elle la tient dans ses mains, en essayant de réapprendre à respirer.

— Je suis épuisé. Ça te dérange, si je prends une douche?

Elle ne répond pas. Étonné, il ouvre la lumière.

— Ferme ça! lance-t-elle, excédée. Ça brûle les yeux.

Il éteint. Incertain, il s'installe auprès d'elle.

— Qu'est-ce qui t'arrive, Louise?

— Tu es rentré... comme un voleur...

— Je ne voulais pas te réveiller, c'est tout. J'ai fait le moins de bruit possible, pour ne pas te déranger. Tu ne devrais pas être aussi nerveuse.

Elle se raidit. C'est elle qu'on blâme, maintenant?

— J'ai demandé qui c'était, et tu n'as pas répondu!

— Je... je n'ai pas entendu, ment-il.

Elle hausse les épaules. Dans le noir, il ne peut pas voir son visage décomposé.

— Ça va, dit-elle, résignée. Va la prendre, ta douche. Et Bonne nuit!

Louise rampe jusqu'à l'oreiller, retire son peignoir et se glisse sous les draps. Des larmes coulent sur ses joues, qu'elle ne prend pas la peine d'essuyer. De temps en temps elle tremble encore, convulsivement.

Alphonse lui a fait peur, cruellement. Ce qu'il a dit est un mensonge : il l'a fait exprès, comme ces deux hommes, la nuit du 18 juin. «*On ne vous veut pas de mal...*» Il a joué avec elle, comme ils ont fait. Peut-être a-t-il vraiment voulu entrer sans la réveiller, mais il est impossible qu'il ne l'ait pas entendue quand elle lui a demandé de s'identifier.

Ils vivent ensemble depuis six semaines. Pourquoi l'a-t-elle invité à rester chez elle, après quinze jours de bons rapports amoureux? Elle a peut-être cru qu'il remplirait un vide, qu'il dissiperait le désespoir empoisonné qui s'installait en elle. Un des premiers jours, elle est rentrée, comme d'habitude, à cinq heures et demie. Il n'y avait personne. Elle a ouvert la garde-robe pour ranger son linge. «*Coucou!*», lui a-t-il dit, en souriant. Elle avait failli tomber, le cœur glacé, en le voyant ainsi, dissimulé entre les vêtements. Après le choc, blême, elle lui a fait promettre de ne plus recommencer.

À trente-cinq ans, Alphonse n'a pas tourné le dos à son enfance. Avec leurs amis, il affiche une attitude sérieuse, adulte, qui n'exclut pas la gaieté et la bonne humeur. Dans l'intimité, il affectionne les enfantillages. Daniel, André, d'autres de ses amants se livraient parfois à des gamineries. Elle trouvait cela rafraîchissant et leur offrait sa complicité. Alphonse en fait une manie.

Elle l'entend fredonner sous la douche. Pourtant, elle lui a donné le bonsoir, il sait qu'elle veut dormir. Être un enfant, c'est aussi être inconscient.

Un de ses jeux favoris, c'est de se glisser sous la couverture en grognant: «*C'est le gros meuchant loup*», sur un ton faussement menaçant. Il lui mordille alors la cuisse, ou colle sa bouche à son sexe comme s'il allait le dévorer. Il croit l'exciter, mais ça la crispe. Des fois, quand il la recouvre, il lui tient les mains ensemble en disant, la voix chantante: «*Je vais te violer...*» Elle lui a souvent demandé d'arrêter, de changer de musique. Il oublie toujours, et recommence.

La plupart du temps, il est un compagnon fort agréable, intelligent, sensible, prévenant. Pourquoi faut-il qu'il cède si facilement au désir de faire une blague, sans jamais se soucier des effets qu'elle produit véritablement?

Alphonse travaille au même ministère qu'elle. Il est chef de section à la direction d'Organisation et Méthodes. Ils se connaissaient de vue. Un jour, il l'a invitée à prendre un verre après le bureau. Elle l'a trouvé sympathique, perspicace, tendre. Ils ont pris l'habitude de déjeuner parfois ensemble, puis d'aller au cinéma ou au théâtre, dont il est friand. Elle l'invitait aussi chez elle pour jouer au tennis ou nager. Ils ont fini par passer une nuit ensemble, puis une autre.

Elle n'a pas trouvé désagréable de mettre fin à une longue période de chasteté que Daniel n'avait interrompue que brièvement. Célibataire, avec un bon salaire, Alphonse continuait à vivre comme un étudiant dans un petit studio. Peu de meubles, des livres dont il se débarrassait à mesure qu'il les lisait, un vieil appareil de télévision, les murs nus, trois costumes. Comme ils s'entendaient très bien, elle a proposé d'elle-même qu'ils essaient de vivre ensemble.

C'était la première fois que Louise partageait un logement depuis qu'elle avait quitté sa famille. L'ajustement n'était guère facile. Tant pis, elle ferait tout pour mener cette tentative à bien. Les compromis tombaient plus souvent de son côté, mais elle ne se décourageait pas. Il était temps, se disait-elle, d'apprendre à vivre normalement avec quelqu'un.

— Bon, me voici, frais et pimpant!

Louise serre les dents. Comment a-t-il pu deviner qu'elle ne dormait pas? Mais sans doute lui est-il égal de la réveiller. Il se sent chez lui, et il a toujours ordonné le monde autour de ses caprices. C'est même un des aspects de sa personnalité que Louise apprécie le plus. Alphonse est un roi. Elle lui envie sa facilité à s'installer au centre de l'univers.

— Alors, ma petite chérie ne m'en veut plus? Elle n'a plus peur du gros méchant ogre?

— Ça va faire, Alphonse. Bonne nuit!

Elle l'embrasse et se retourne, le visage dans le creux du coude. Oublier la demi-heure qu'elle vient de vivre, et dormir...

Comme elle le craignait, elle sent le ventre d'Alphonse contre ses fesses, puis ses mains sur ses seins. Ne pas bouger, ne pas réagir. Respirer profondément, faire semblant d'être plongée dans le sommeil.

— J'ai fait du cent trente à l'heure, murmure-t-il. J'avais tellement hâte de te revoir! J'étais sûr que tu m'attendais.

Ne pas répondre. Pour qui se prend-il? C'est vrai, elle a toujours admiré son talent à s'imposer, à ne tenir compte que de ses désirs à lui, sans se laisser arrêter par quiconque. Elle rêve si souvent de devenir ainsi, un monstre d'assurance, de contrôle, d'égoïsme! Elle a peut-être voulu habiter avec lui pour apprendre à l'imiter, pour recevoir des leçons d'autonomie, de force.

Pourquoi s'est-elle couchée ainsi, en fœtus, vulnérable? Elle allonge les jambes pour le repousser, en feignant encore le sommeil. Il lui ramène les cuisses contre le ventre, dans sa position initiale. Louise ouvre les yeux. Jusqu'où ira-t-il? Alphonse glisse une main entre ses jambes, il y enfonce le bout du doigt. «*Là, il veut savoir si je suis mouillée.*» Satisfait, il se met en position. Comment ose-t-il? Elle se repouse d'un mouvement du bassin et lui fait face.

— Qu'est-ce qui t'arrive? s'écrie-t-il, surpris.

— On n'entre pas sans permission, c'est tout, dit-elle, durement. N'essaie jamais plus.

Il l'attire vers lui, amoureusement. Elle lui présente les coudes.

— Ne fais pas l'enfant, chuchote-t-il, presque amusé. Tu es si chaude, si belle... Tu vois bien que je suis prêt. Toi aussi, d'ailleurs. Et j'ai envie de toi.

— Ça ne t'autorise pas à me prendre de force.

Il se met à rire.

— Quels grands mots! J'ai pensé que cette fois tu avais envie d'être passive, de te laisser faire.

— Je t'ai dit bonne nuit. Tu aurais dû comprendre que je dormais, que je préfère dormir.

— C'est ça: tu dormais, et je voulais te donner un très beau rêve. Mais puisque te voilà réveillée...

Il essaie de la monter. Il y a quelque chose de désarmant dans sa façon de se justifier, de persister. Mais elle ne cédera pas.

— Alphonse, je suis fatiguée. Reste de ton côté, et bonne nuit.

Il s'éloigne, de mauvaise grâce. Elle l'entend maugréer :

— Pourquoi est-ce qu'on vit ensemble, alors?

Louise ne réagit pas. Oui, pourquoi vivent-ils ensemble? Certainement pas pour qu'il puisse la prendre dès qu'il en a envie, qu'elle le veuille ou non! Si elle s'était laissé faire, comme il le souhaitait, en aurait-elle éprouvé du plaisir? Peut-être. Elle aime bien cette position, où elle ne voit pas son partenaire, où elle s'offre à un amant anonyme. Mais là, elle ne s'offrait pas. Et il s'apprêtait à entrer en elle, sans la moindre mauvaise conscience...

Alphonse n'a jamais mauvaise conscience. Il est le roi, tout lui est permis, on ne doit que l'admirer et lui obéir. Maintenant, il se sent comme un enfant à qui on a empêché de jouer du tambour. L'enfant ne sait pas qu'il brisait les tympans de ses parents. Son tambour et lui, ça occupait toute la place. En ce moment, le monde, pour Alphonse, c'est son érection. Il doit sans doute ressasser, pauvre victime, des idées noires sur l'implacable injustice de la vie. Lui, il est toujours innocent.

Et demain il lui fera la tête. Qu'il sera pénible, au petit déjeuner! Le soir aussi. Il n'oubliera sa mauvaise humeur qu'après leur prochaine étreinte. Est-ce bien cela, ce qu'elle veut? Il n'a certainement rien compris à sa nervosité. Il doit se sentir puni, injustement puni. Il a voulu faire une blague, c'est tout. Ne vaudrait-il pas mieux faire la paix, dès maintenant? De toute façon, insensible et capricieux, les sentiments d'autrui ne l'atteignent jamais. Peut-elle le lui reprocher? C'est exactement ce qu'elle a toujours aimé en lui.

Elle se rappelle soudainement André. Une nuit semblable, les mêmes gestes... Non, c'était très différent. André avait ranimé l'image d'un viol et elle s'en était servi pour se débarrasser d'un compagnon devenu encombrant. Après tout, elle n'a jamais été violée. Il s'agissait d'autre chose: la peur, l'humiliation. Le jeu du chat avec la souris, voilà ce qu'Alphonse vient d'évoquer. Elle ne lui en veut pas de la désirer.

— Je veux bien, dit-elle, tout à coup.

Alphonse ne répond pas. Elle le devine, bourru, les yeux au plafond. Elle lui mordille l'oreille. Il s'éloigne, le geste brusque.

— Tu vois bien que tu ne dors pas. Moi non plus. Je ne pourrai pas dormir avant d'avoir fait l'amour, ajoute-t-elle, absolument langoureuse. Viens.

— Je ne veux plus, dit-il, sèchement. Bonne nuit!

Elle lui caresse la poitrine, le ventre. Il ne bouge pas. Louise sourit : elle a renversé la situation, elle mène le jeu, elle lui imposera son scénario. La reine, c'est elle.

— Mais laisse donc! s'écrie-t-il, en repoussant ses mains.

Amusée, Louise se glisse sous les draps. Elle imite sa voix :

— C'est le gros meuchant loup... Il va te croquer les choses...

— Tu n'es pas drôle, tu sais. Je veux dormir.

— Menteur!

Ce n'est pas son membre qu'elle lèche avec amour, c'est un jouet qu'elle s'est trouvé. Alphonse n'existe plus. Il y a là, dans l'ombre, quelqu'un qui lui ressemble et qui ne compte pas. Alphonse est devenue une excroissance marginale de son propre sexe.

Là, elle hésite. Alphonse serait ravi qu'elle le reçoive dans sa bouche. Mais justement, il ne s'agit pas de lui plaire mais de l'utiliser. Son rôle à lui, ce sera d'être le moteur qui fera fonctionner ce membre. Elle se couche sur le dos et l'attire à elle. Sans plus résister, il la recouvre, avec un faux soupir de résignation.

— Maintenant, dit-elle, montre-moi ce que tu sais faire. Allez, pas de paresse! Tu m'as dit que tu ne dormais pas, tout à l'heure. Plus vite, plus vite! Plus creux! C'est ça, tu t'améliores.

Elle continue sur ce ton, pour qu'il sente bien qu'il n'est que l'instrument de son plaisir. Alphonse, obligeant, suit le rythme qu'elle lui dicte. Ensuite, ses mouvements se font plus lents, comme sa respiration.

Louise se raidit. Alphonse y voit le seuil de l'orgasme, alors qu'elle se sent soudainement glacée. Il n'a rien compris! Comme toujours, il tourne les événements pour se donner l'impression de gagner. Froide, impassible, elle sent les frissons de l'homme, les éclats de sa volupté. Elle a été, encore une fois, la poupée de chair, un mannequin gonflable perfectionné. Tant pis, elle prendra sa revanche avec des mots:

— Tu te défends bien, comme étalon.

— Toujours à ton service. J'aime tellement ça, te donner du plaisir!

Comment pourrait-elle l'insulter? Tout ce qu'elle dirait, il le prendrait pour un compliment. Les hommes sont ravis quand on les traite en objets sexuels. Tellement fiers de leur phallus, quand il fonctionne! Convaincu d'avoir réussi une bonne performance, Alphonse est redevenu lui-même, insouciant, imperméable. Il a fait son devoir, le monde peut reposer en paix. Et surtout, respectez le sommeil du monarque!

Louise l'écoute dormir, le cœur gros d'une tendresse attristée. Elle aime cet homme, puisqu'elle a voulu vivre avec lui. *Mais l'aime-t-elle?* Probablement pas. Elle a l'impression de n'aimer personne. Son cœur a cessé de battre, un jour, il y a longtemps. Elle s'est accrochée à Alphonse pour ne pas sombrer. Il a été une bonne bouée de sauvetage: il n'a pas été une plage, une île.

Au bureau, elle a réussi à marquer son territoire, à établir des relations claires avec les gens. Maurice Elliott, le directeur, lui a vraiment donné carte blanche dans la conduite du secrétariat. Mieux encore, contrairement à ses prédécesseurs, il compte sur elle pour une multitude de tâches qu'elle a plaisir à accomplir et qui relèveraient plutôt d'un chef de cabinet ou d'un adjoint administratif. Louise se sent comblée au plan professionnel. Elle n'est pas mieux payée, quoique Elliott ait entrepris en sa faveur les longues démarches menant à une reclassification de son poste, préalable à une promotion éventuelle. L'essentiel, c'est qu'elle a l'impression d'être quelqu'un plutôt qu'un instrument. Elliott n'est pas vraiment facile, il traverse parfois des périodes d'une mauvaise humeur glaciale, il est pointilleux, il s'attend toujours à des résultats impeccables, ses exigences sont parfois déraisonnables. Louise le connaît bien, elle le comprend, elle n'a pas de difficulté à s'entendre avec lui, même lorsque cela requiert un surplus de patience. Il l'a toujours aidée, voire protégée, et elle lui en est profondément reconnaissante.

Les autres? Marie Lussier ne lui adresse presque jamais la parole, sauf pour lui dire parfois bonjour ou pour traiter de questions de bureau. Louise a l'impression que Marie Lussier l'envie, ou qu'elle lui en veut d'avoir réussi à rendre son travail intéressant. Antoine Dubois, sans se départir de son ironie fatigante, semble lui montrer une étrange sympathie, comme s'il voyait en elle une nouvelle catégorie professionnelle plutôt qu'une femme qui le mettrait mal à l'aise ou une secrétaire passive et négligeable. James Black, toujours désagréable, ne l'approche plus qu'avec des gants, sachant trop qu'elle riposterait vertement s'il s'avisait de la brusquer. Elle prend soin de se montrer toujours irréprochable. De temps en temps, elle parvient à le faire sourire. Il rougit alors, bafouille et bat en retraite. Elle croit maintenant qu'il a du potentiel pour devenir un agent acceptable. Pierre Beauchamp prend plaisir à la taquiner sur tout et rien, en particulier en ce qui touche à l'émancipation des femmes et les mille et un aspects de la discrimination sexuelle. Louise ne s'est jamais intéressée à ces questions, même si elle en subissait les conséquences. Beauchamp se montre parfois stupide et parfois perspicace, insupportablement vieux jeu ou étonnamment ouvert. À force de vouloir lui tenir tête, Louise apprend à mettre de l'ordre dans ses idées, à échafauder des arguments, à voir plus clair dans ce qu'elle n'aime pas. Tout compte fait, ils s'entendent bien, et se tutoient aussi.

Monique a quitté le bureau. Elle file toujours un parfait amour avec Henri, elle prend au sérieux ses cours de ballet, comme une forme agréable de culture physique doublée d'un profond sentiment d'épanouissement, elle parle de se marier et d'avoir un bébé, elle plane dans des sphères grisantes, lumineuses, dont on voit la clarté dans ses yeux. Au début de l'année, elle a remporté un concours et a été nommée secrétaire de direction, toujours dans le même ministère. Louise déjeune avec elle au moins deux fois par semaine : c'est toujours une plongée dans un monde heureux, d'une sérénité rafraîchissante.

La nouvelle secrétaire, Geneviève, vient à peine de quitter l'école. Louise la trouve trop gentille, ça l'agace. Elle n'espérait pas accueillir une compagne du calibre de Monique, mais elle s'attendait encore moins à se retrouver avec un stéréotype d'une autre époque. Serviable, parfois servile, accommodante, agréablement méticuleuse au point de faire oublier sa grammaire défectueuse, Geneviève a toujours l'air d'être prête à crier au secours, ce qu'elle souligne en parlant d'une voix de petite fille, fluette et intimidée. Elliott a voulu profiter des circonstances pour revoir les relations fonctionnelles, mais Black a refusé de changer de secrétaire : il y aurait vu une défaite, un aveu d'échec. Les autres agents, y compris

Marie Lussier, sont ravis de travailler avec Geneviève, qui leur donne vraiment l'impression d'être à leur service et ne fait pas de commentaires quand ils lui font taper leur correspondance personnelle. Louise frémit d'horreur quand elle voit chez Geneviève le comportement classique de la secrétaire en quête d'un bon parti. Ça l'attriste, elle essaie parfois de lui insuffler des sentiments d'indépendance, mais sans y insister, tellement sa collègue semble à l'aise dans ses attitudes soumises.

Quand elle y pense, Louise éprouve une solide satisfaction devant sa vie professionnelle. Elle a entrepris de ne plus jamais se laisser bousculer et amoindrir, de refuser tout asservissement, de modifier la nature de son travail de façon à en être toujours fière. Elle n'aspire pas à y puiser une raison de vivre, une source d'orgueil personnel, mais à en extirper tout ce qui peut porter atteinte à sa dignité.

Elle est moins contente de la partie de sa vie qui débute après cinq heures. La peur intense qu'elle a ressentie au moment du retour en catimini d'Alphonse lui montre qu'elle est demeurée infiniment vulnérable. Elle se hait d'avoir succombé si facilement à la panique. Mais peut-être y a-t-il quelque chose de salutaire dans cet incident idiot, qui lui rappelle qu'elle n'est pas encore guérie.

Sa peur lui paraît d'autant plus pénible qu'elle se sent physiquement vigoureuse. Alphonse, excellent sportif, lui fournit maintes occasions de s'occuper de ses muscles. En janvier, elle a pris quelques leçons de judo pour débutants qui se donnaient dans son immeuble. Pourquoi ses nerfs ont-ils flanché tout à l'heure? En imaginant instinctivement qu'elle ferait face à ses agresseurs du 18 juin, elle est redevenue la jeune femme terrorisée dont on s'apprête à abuser. Le temps n'a rien effacé, il est passé en vain, sa blessure ne s'est pas cicatrisée.

Louise essuie avec le coin du drap les larmes d'humiliation qui lui montent aux yeux. Elle n'en veut pas à
Alphonse: son comportement, ce soir, cette nuit, cor-
respond à ses attitudes quotidiennes. Il affectionne les
blagues stupides, il vit au centre du monde, il est l'enfant
souverain dont l'égoïsme aveugle et robuste a séduit
Louise depuis le début de leur liaison. Elle ne sait même
pas si elle lui reproche vraiment d'avoir tenté de la prendre alors qu'elle restait inerte, feignant le sommeil. Le
geste l'a rebutée, la suffisance de son partenaire l'a glacée, mais ce n'était que l'impression de cet auto-centrisme
fondamental qui l'a justement attirée vers lui. De toute
façon, les hommes accordent toujours une importance
déraisonnable à la copulation, peu leur importent les
circonstances. Nous avons fait l'amour, nous avons joui,
donc tout est bien. Louise leur envie la force de cet
instinct qui peut empoisonner une relation amoureuse
sans qu'ils s'en soucient, sans même qu'ils s'en aperçoivent.

Elle n'essaie pas d'approfondir cette généralisation
sans doute excessive. Il s'agit d'Alphonse et d'elle-
même. Il a certainement joué un rôle utile dans sa vie,
comme le maître qui nous apprend à mieux jouer en nous
battant aux échecs. Maintenant qu'elle voit plus clair en
elle-même, elle se rend compte que l'insensibilité foncière
d'Alphonse la choque. Il ne s'agit pas de la force intérieure à laquelle elle aspire, mais d'une profonde inconscience. Ainsi peut-on apprécier un tableau tape-à-l'œil
pour finir par y découvrir une excellente supercherie.

Louise se rappelle le titre d'un bouquin que Daniel a
apporté une fois pour lire dans l'autobus: *Mais aimons-
nous ceux que nous aimons?* On se trouve bien avec
quelqu'un, on jouit de sa compagnie, on fait les gestes de
l'amour, on s'en invente les sentiments, on finit par les
éprouver, mais ce n'est pas vrai, on ne l'aime pas, il ne

nous obsède pas, il ne prend pas grand-place dans notre cœur, il ne bouscule pas notre vie, il ne nous fait pas vivre.

Voici, elle a trouvé! Si elle n'est pas satisfaite de la partie de sa vie qui se déroule en dehors des heures du bureau, c'est que ce n'est pas de la vie mais des actes en équilibre précaire au-dessus du vide. Elle ne trouve en elle aucun instinct, aucun désir. La nuit du 18 juin, le monde a pris une consistance d'ombres glauques et son cœur a arrêté de battre. Elle a beau s'être renforcée dans sa vie professionnelle et dans l'usage de ses muscles, son énergie tourne à vide. En s'endormant, Louise se dit qu'il serait agréable de ne jamais plus se réveiller.

Elle ouvre pourtant l'œil à sept heures moins le quart, juste avant la sonnerie du réveil. Alphonse dort, placide, aussi heureux dans son sommeil que dans la vie. Louise le secoue légèrement, l'embrasse sur la tempe, comme chaque matin, et gagne la salle de bains. Les événements de la veille lui reviennent en mémoire. Pourquoi a-t-elle finalement voulu faire l'amour? Pour ne pas associer le plaisir sexuel, ou son refus, à ce qu'elle reprochait vraiment à Alphonse: il avait voulu lui faire peur, ce qui est une forme de mépris.

Alphonse arrive, dynamique, rieur. Louise a horreur d'être surprise ainsi, crachant dans l'évier, du dentifrice plein la bouche. Excédée, elle le voit entrer dans la baignoire. Normalement, il attend qu'elle y passe la première, mais il s'est levé avec tellement d'énergie! En l'entendant chantonner sous la douche, Louise a la nostalgie du temps où elle procédait à ses ablutions matinales dans le silence, ou en écoutant de la musique douce. Quand il a fini, elle prend sa place. Elle trouve déplaisant de devoir se servir du savon récemment utilisé. Elle écoute le ronronnement du rasoir électrique. Soudain, elle serre les dents: Alphonse a ouvert le robinet du lavabo, ce qui a brutalement accru la quantité d'eau chaude. Elle lui crie de faire attention. Il s'excuse. Elle rajuste la température. Elle est en train de se rincer les cheveux lorsqu'il ferme le robinet, en refroidissant l'eau de la douche. Cette fois, elle ne dit rien. Elle pousse le rideau: Alphonse est en train de se peigner. Évidemment, avec son peigne à elle, toujours sur le rayon, au lieu de prendre le sien.

Louise lui regarde les épaules, le dos, les fesses: du bon muscle, de belles formes. Dans le miroir, elle voit le ventre, jusqu'aux cuisses. Elle fait l'amour avec cet homme-là mais elle n'éprouve vraiment aucun désir à son endroit. Elle a longtemps vécu seule, elle sait que quelques semaines de chasteté relative ne la dérangent jamais. Il lui faut, de temps en temps, la chaleur d'un corps, un échange de caresses, le contact émouvant et réconfortant d'une autre peau, la présence d'un sexe dans le sien. Ça peut être Alphonse, ça pourrait être un autre.

Il se retourne, lui embrasse les seins en disant: «Oh! Qui c'est qui va croquer les petites fraises?» et s'en va s'habiller. Il n'a pas pensé à nettoyer le peigne. Avec un brin de répugnance, Louise enlève les quelques cheveux accrochés entre les dents. Comment a-t-elle pu supporter aussi longtemps de partager *sa* salle de bains?

Elle finit sa toilette. Une odeur de bacon lui parvient. D'habitude, ils déjeunent plus frugalement, mais Alphonse a décidé de faire un «spécial». Il veut sans doute lui faire plaisir, sans s'arrêter à penser que peut-être elle n'a pas le même appétit que lui. Le roi a faim, donc tout le monde a faim. Ça n'aurait pas été trop difficile de lui demander si elle désire des œufs plutôt que des céréales. Vraiment, il fait tout pour lui taper sur les nerfs. Elle ne lui en tient pas rigueur, il est à son naturel, mais elle se rend bien compte qu'elle préférerait qu'il ne soit pas là.

Elle accepte les œufs et le bacon, en regrettant la fraîcheur du granola dans un bol de lait. Pourtant, songe-t-elle, ce n'est certainement pas la première fois que leur incompatibilité lui saute aux yeux. Ce n'est pas l'amour qui flanche, elle n'en a jamais vraiment éprouvé. Tout bonnement, cette nuit, elle a perdu sa curiosité à l'endroit de ce despote égoïste et trop vivant.

— Tu as l'air maussade, ce matin.

Il a dit cela comme on dit que le ciel est couvert, sans que ça ait plus d'importance. Elle fait semblant de manger avec appétit, pour n'avoir rien à expliquer. Ce déjeuner, c'est exactement comme Alphonse. Il a pris place dans sa vie, elle ne l'a pas trouvé désagréable, mais elle n'y tient pas davantage. Serait-elle plus heureuse en s'en passant?

Il parle de deux ou trois choses qu'il doit faire au bureau. Il parle, il parle, comme si ces deux ou trois choses constituaient ce qu'il y a de plus important au monde, puisqu'il devra s'en occuper. Elle l'écoute assembler les mots et les phrases, étonnée. Que de bruit! Oh, ses réveils silencieux!

Alphonse sert le café, tout sourire, rassasié, comblé.

— Je pense encore à cette nuit. C'était un vrai régal! Dans la voiture, je t'imaginais déjà, je voyais tes fesses, tes cuisses écartées, j'en ai bandé pendant deux heures. Ensuite, ça a été comme un rêve qui devient vrai, tout à coup. Un éclair, un miracle! C'est bon, faire l'amour avec toi!

Elle sourit. L'étrangeté de la vie la fascine: la même étreinte, lui qui en jouit vivement, elle qui ne ressent presque rien. Louise ne le lui dira pas, elle ne veut pas le chagriner. D'ailleurs, il n'y comprendrait rien, il se dirait que c'est dommage, mais tant pis, ce sera mieux la prochaine fois.

— Je te trouve morose, ma toute belle. Ce n'est pas une façon de commencer la journée. Tu as des soucis? Viens, je les ferai disparaître.

Elle résiste, il est temps de partir, puis elle se résigne: qu'il soit encore le roi, puisque ça ne durera pas long-temps. Alphonse lui soulève la jupe, glisse la main sous son slip. Passive, incrédule, elle songe à ces doigts qui la fouillent. Croit-il vraiment que ce geste puisse suffire à dissiper quoi que ce soit?

— Tu vois que tu aimes ça...

— Ce n'est pas mauvais.

«*Ce n'est pas non plus une merveille*», ajoute-t-elle pour soi. Pour Alphonse, chaque instant de plaisir rayonne à travers toute la vie, comme une cuillerée de sucre dans une tasse de café. Il est vrai qu'elle a aimé chez lui cette naïveté instinctive, spontanée. Ce matin, elle se rend compte de sa profonde indifférence à la volupté. Elle n'est pas frigide, elle savoure cette caresse, mais ces frissons dans son ventre n'atteignent pas le reste de son corps et ne lui touchent nullement le cœur.

— On pourrait faire ça très vite, murmure-t-il. On a le temps.

Louise le trouve drôle dans son désir. S'il avait été violé, bafoué, humilié, il aurait haussé les épaules et serait passé à autre chose, avec sa superficialité déconcertante. Le premier corps venu efface le passé. Il a l'érection facile et en fait facilement le centre de l'univers. Elle éprouve tout à coup une bouffée de tendresse à son endroit, comme on peut se rendre complice du jeu d'un enfant, assumer un rôle, sans avoir besoin d'y croire. Elle retire son slip et se penche sur la table. Il entre en elle avec une vigueur résolue, à lui couper le souffle. C'est bon, mais elle se sent désincarnée. Cette chose qui se passe entre ses jambes la concerne à peine. C'est comme feuilleter des photos de vacances: on se souvient d'avoir été sur cette plage, c'est agréable, mais c'est bien loin. L'or-gasme vif et bref auquel elle s'abandonne est vécu par son double, pas par elle-même. Son corps est devenu sa propre marionnette. L'histoire ne lui déplaît pas, mais ce n'est qu'une histoire, ce n'est pas de la vie, pas la sienne. On ne sacrifie pas sa vie à une comédie, même quand cette comédie nous amuse et nous réjouit.

Oui, l'image est juste, il s'agit bien d'une comédie. C'est agréable, divertissant: «*J'amène mon corps au cirque, pour le délasser.*» On veut bien aller au spectacle de temps en temps, on veut même participer à certains jeux, sans pourtant y passer toute sa journée. Vivre avec un homme qu'on n'aime pas relève d'une sorte d'alcoolisme, alors que prendre un verre à l'occasion, c'est excellent pour la santé.

— Magnifique!... s'exclame Alphonse, dans son dos.

Les derniers frissons de son partenaire se mêlent doucement aux siens comme les plaintes langoureuses du violon accentuent les accords du piano. Alphonse ne peut pas savoir que Louise vient de le reléguer dans un monde de fantômes.

Elle prend quand même soin de l'embrasser quand il sort de l'ascenseur. Louise utilise le stationnement dans le sous-sol, alors qu'il gare sa voiture à l'extérieur. Même s'ils travaillent au même ministère, ils voyagent presque toujours séparément, Alphonse ayant l'habitude de rester au bureau jusqu'après six heures. Surtout, en gardant sa voiture, Louise a l'impression de conserver une certaine autonomie.

Durant la journée, elle continue à penser à lui et à sa vie à elle. Elle ne veut pas prendre de décision hâtive. Maurice Elliott l'invite à déjeuner. Cela leur arrive peut-être deux fois par mois et ils ne touchent jamais à des questions de bureau. Ils sont devenus très proches l'un de l'autre. Elle lui demande de lui parler de son mariage, de son divorce.

— Jocelyne a rencontré quelqu'un de plus agréable que moi. Ça n'a pas dû être trop difficile. Je continuais à l'aimer, et cela ne me dérangeait pas. À la longue, il y a eu des problèmes d'organisation du temps. C'est moi qui suis devenu, en pratique, davantage son amant que son mari. Elle s'est mise à découcher de plus en plus souvent, puis on a convenu qu'elle serait plus heureuse avec Gilles, qui est quelqu'un de très bien. Ça a été un divorce assez facile, même si ces choses-là sont toujours pénibles.

— As-tu aimé ça, de redevenir célibataire?

— Non. C'est bon de retrouver une compagne, le soir. Je suis plus prudent, maintenant. J'en suis à la troisième femme avec qui je sors, depuis mon divorce. Malheureusement, Lucie me tape trop sur les nerfs, tout en étant adorable deux ou trois fois par semaine. Mais quand je trouverai quelqu'un à mon goût, je t'assure que je l'épouserai. J'ai beaucoup aimé ça, d'être marié.

À cinq heures, Louise va prendre un verre avec Monique. Celle-ci lui apprend qu'elle vient de faire un grand plongeon: depuis une semaine, elle habite chez Henri. C'est extraordinaire! Si ça continue à aller aussi bien, ils s'épouseront cet été.

De retour à l'appartement, Louise prend un long bain en pensant à sa vie. Le monde continue, sans elle. Le 18 juin, elle a cessé de vivre. Elle a créé un personnage pour s'y cacher. À l'intérieur, elle continue à saigner. Ces mois perdus, sa vie qui se perd... Elle doit se faire rembourser ce gâchis! Elle ignore comment, mais quelqu'un doit payer. C'est la seule façon de s'en sortir.

Le cœur léger, elle s'occupe du dîner. Du vendredi au dimanche, c'est au tour d'Alphonse, très bon cuisinier et amateur de repas copieux. Elle débouche une bouteille de vin et installe deux chandeliers.

— On fête quelque chose? s'exclame Alphonse, ravi.

— À la fin du spectacle, quand c'était bon, on célèbre.

Il ne relève pas le commentaire. Louise a parfois de ces phrases sibyllines, auxquelles il n'attache pas d'importance. Il a depuis longtemps décidé que les femmes sont incompréhensibles. Après le steak au poivre et une pointe de tarte, ils se servent un dernier verre.

— Combien de maîtresses as-tu eues, Alphonse? Je parle de celles avec qui ça a duré quelques mois ou davantage.

Il la regarde, surpris.

— Je ne sais pas. Cinq? Six?

— Comment ça finissait? demande-t-elle, les yeux brillants de tendresse.

— Oh! tu sais, on s'en rend compte, quand ça ne marche plus.

Il n'aime pas parler de ces choses-là. Non parce qu'il s'agit de questions personnelles: tout simplement, le passé ne l'intéresse pas, il vaut mieux le laisser dormir. Elle insiste:

— Mais alors? Tu faisais ta valise, ou elle faisait la sienne? Tu ne répondais plus à ses téléphones? Elle ne venait plus à tes rendez-vous? Vous aviez une dispute sanglante pour mettre un point final? Tu menaçais de te suicider? Tu la mettais à la porte? Elle te reprochait de lui avoir fait gaspiller la meilleure année de sa vie? Ça se faisait avec des sourires, des insultes, des pots cassés, une poignée de main?

Alphonse réfléchit. Vraiment, il y a des soirs où Louise se montre tout à fait imprévisible. Jamais elle n'a soulevé ce genre de sujet. Elle le presse:

— C'est comment, d'après toi, la rupture idéale? Après tout, tu as plus d'expérience que moi. Qu'est-ce que tu recommandes à une femme?

Il adore donner des conseils:

— Le mieux, c'est de dire au gars: Je ne suis plus heureuse avec toi. À moins d'être un con, un homme comprend cela.

Louise sourit et vide son verre. Ensuite, elle regarde Alphonse tranquillement, avec douceur, et dit:

— Alphonse, je ne suis plus heureuse avec toi.

6

On peut oublier le couteau qui nous a tranché un nerf ou sectionné un muscle, un tendon, mais le bras reste paralysé. On peut se dire : Ce n'était qu'un couteau, une simple lame, un morceau d'acier. Le bras reste paralysé, même si on se débarrasse du couteau, qu'on le jette au fond de la mer, qu'on le fasse fondre pour le transformer en serre-livres, en vis ou en barbelé.

Lugubre mois de mars, triste anniversaire dans l'indifférence enneigée coupée par la route. Louise ne peut offrir à la blancheur ensoleillée qu'un sourire mélancolique, un cœur morose et un profond besoin de se battre, de ne pas céder.

L'image du couteau et du bras paralysé lui est venue la veille en se promenant dans la région du marché après la tombée de la nuit. Elle n'en fait pas un lieu de pèlerinage mais il lui arrive de déambuler dans le quartier, après un film ou un repas. Les projets de rénovation vont bon train, les rues sont plus illuminées qu'avant, on a ouvert d'autres restaurants, des cafés, des clubs, il ne manque plus de voitures sur les rues Murray et Clarence, les gens circulent jusqu'après minuit sur la rue Parent, une jeune femme seule ne risque plus aussi facilement d'y faire de mauvaise rencontre. Parfois, Louise traverse la cour où elle a failli être violée. Le couteau a disparu, la blessure est demeurée. Le passé est irrémédiable.

Elle fait encore des rêves peuplés d'ombres et de silhouettes menaçantes. Une femme marche dans la nuit. Les rues se confondent à la brume. Un bruit monotone, comme un robinet qui dégoutte. Des pas, ce sont des pas. Une femme marche dans la nuit. Des bras jaillissent des façades et l'agrippent. Une femme marche dans la nuit. Elle avance, elle avance, elle s'enlise dans le piège. Deux hommes rient, invisibles. Une femme marche éternellement dans la nuit qui est sa nuit. Son cœur bat, horriblement. Elle voudrait être un corps allongé sur le trottoir, la jupe relevée, déchirée, et que c'en soit fini. Mais non, elle est condamnée à marcher, entourée d'ombres hostiles.

Louise ne manque pas un film où il est question de viol, elle lit tous les faits divers qui rapportent des assauts sexuels ou des procès pour viol, elle se procure des livres qui traitent du sujet. C'est une façon de prendre le taureau par les cornes, mais la bête s'échappe toujours. Comment exorcise-t-on un fantôme? Elle fait du viol une épée de Damoclès, mais celle-ci devient un source d'angoisse et non de force. Souvent, en se couchant, Louise sent quelques larmes couler sur ses joues. Elle a l'impression de passer à côté de la question. Elle s'occupe encore du couteau, pas de la blessure. Mais quand on se retrouve affaibli après une fièvre brutale, il n'est pas facile de réinventer son énergie. Les ressorts se sont durcis ou amollis, ils ne rebondissent plus.

Le temps ne suffit pas à remettre le mécanisme en ordre. Aujourd'hui, Louise a vingt-neuf ans, dont neuf mois de prostration, de pourrissement intérieur. En apparence, elle est devenue beaucoup plus robuste, son caractère s'est raffermi, elle se sent bien dans ses nerfs et dans ses muscles, mais le poison continue à lui gruger le cœur. Tout ce qu'elle peut dire de sa vie, c'est que sa carrière se déroule fort bien, elle a plusieurs amis très chers, des deux sexes, et elle réussit toujours à tenir le haut du pavé. Elle est seule à connaître la pauvreté absolue de ses journées. Quelques amants, à l'occasion, l'empêchent de sombrer, de succomber à la tentation d'une plus grande solitude. Ils sont la serviette humide qu'on se pose sur les lèvres, faute de mieux, quand on aurait besoin de boire une pleine gourde.

Une voiture la dépasse, à haute vitesse. Parfois, sur l'autoroute, Louise envisage brièvement d'accélérer, de se jeter dans le fossé, de foncer sur la charpente d'un pont. Mais non, elle ne se suicidera pas tant qu'elle ne sera pas en paix avec elle-même. Une partie a commencé à se jouer il y a neuf mois. Elle a perdu la première manche, elle ne connaît pas les règles du jeu, elle a appris à se défendre, à riposter, elle ne sait pas comment porter le coup de la victoire. Son véritable adversaire lui demeure inconnu.

Daniel lui a dit qu'il lui annoncerait une belle nouvelle. Il semblait heureux au téléphone. Il doit s'agir d'une fille. Qu'il est étrange de constater qu'autour de soi la vie continue à distribuer des cadeaux! Monique est enceinte. Elle irradie une joie prenante, une confiance extraordinaire en l'avenir. Henri prend très au sérieux son prochain rôle de père de famille. Ils forment un couple attachant, qu'il est toujours réconfortant de rencontrer. Maurice Elliott, son directeur, s'est amouraché d'une femme mariée. Ils ignorent comment tout cela tournera, mais les débuts de leur liaison sont agréables à voir, une éclosion de sourires parfumés, d'heures de bonheur

arrachées à chaque journée, les chants grisants des premiers oiseaux du matin.

Louise crispe les mains sur le volant. Sera-t-elle laissée pour compte dans ce renouveau de la vie? Deviendra-
t-elle, à soixante ans, une vieille femme à la retraite,
affable en société, les poings fermés dans la solitude de sa
chambre, les yeux brûlés par la contemplation du vide?

Les hommes la trouvent généralement très agréable à
fréquenter, du moins au début. Elle ne semble pas avoir
d'exigences particulières. Ils ne savent pas qu'elle les
quittera aussi facilement qu'elle s'est donnée. Elle est un
rêve qui leur arrive, elle devient un fantôme qui est passé.
Certains hommes essaient parfois de s'accrocher à elle,
de la retenir, comme si elle leur faisait un affront en leur
signifiant que leur temps est fini, que leurs caresses, leur
tendresse, leur personnalité ne suffisent pas à lui inspirer
le désir de demeurer avec eux. Louise essaie de ne blesser personne, c'est tellement inutile, mais elle est déter-
minée à ne jamais prolonger une liaison au delà de ses
besoins, qui sont plutôt modestes.

Elle sourit en pensant à Bruce, son nouvel amant, le
plus vieux aussi. À quarante-sept ans, il est encore émerveillé d'avoir attiré l'attention d'une femme aussi belle,
aussi jeune. Il trouve en lui des trésors d'affection, un
regain de vitalité, de quoi nourrir une passion inattendue.
Les trois premières fois qu'ils ont couché ensemble,
Bruce a été impuissant. Elle a trouvé cela reposant,
même émouvant. Elle lui a dit d'attendre, de ne pas s'en
faire, elle aimait leurs caresses, le contact de sa peau, sa
simple présence. Il s'est laissé apprivoiser, et il y a des
soirées où il fait l'amour comme un jeune homme. Une
des choses que Louise a appris au sujet des hommes,
c'est qu'ils ont souvent une relation plutôt étrange avec
leur membre viril.

À mesure qu'elle s'engageait dans sa nouvelle liaison,
elle s'éloignait de Jean-Pierre, un beau garçon de vingt-

cinq ans, séduisant comme un dieu, le sexe bondissant, chaleureux en amour, intelligent et sincère, avec une excellente carrière en droit fiscal devant lui. Il ne comprenait pas que Louise puisse lui préférer un «vieillard», un «petit commis» à moitié chauve. Il lui a fait des scènes, il a voulu la convaincre que sa relation avec Bruce ne durerait pas, tandis qu'il était prêt à l'épouser.

Louise n'a pas réussi à lui faire comprendre qu'elle ne tenait nullement à des amours durables, qu'elle préférait grignoter, et qu'elle ne songeait aucunement à le comparer à Bruce, chef comptable dans une société d'État. Jean-Pierre l'a traitée de myope, de capricieuse qui finirait par regretter amèrement d'avoir refusé la plus belle chance de sa vie. Elle a répondu que si elle était si bête et si moche, il devait se réjouir de son départ. Louise sait qu'elle quittera Bruce, qu'elle oubliera Jean-Pierre, comme tous les autres. Les hommes sont des journées ensoleillées destinées à finir dans la nuit. Comment pourrait-elle s'y attacher, puisqu'ils ne parviennent pas à marquer son cœur? Louise ne fera jamais semblant. Elle n'aime pas sa vie, elle n'aime pas ces amours qui ne font que glisser sur elle, mais ça vaut encore mieux que de s'étioler. Au moins, elle ne ment jamais, ni aux autres ni à elle-même.

Il y a eu un changement majeur dans sa carrière. Maurice Elliott, son directeur, qui ne réussissait pas à faire reclassifier sa position à un niveau plus élevé, l'encourageait à se présenter à différents concours. Louise se classait invariablement parmi les premières mais refusait les offres d'emploi: abstraction faite du salaire, les autres postes ne lui semblaient pas préférables au sien. La responsable du personnel trouvait son attitude plutôt décourageante.

Un jour, Elliott l'a invitée à déjeuner. Cette fois, il a précisé qu'il s'agissait de parler d'affaires. Il a commencé par lui rappeler que ces dernières semaines, il avait fait les rapports d'appréciation de chacun. Louise les avait dactylographiés. En lisant comment il jugeait Dubois, Lussier, Black et les autres, elle avait constaté à quel point un directeur ne voit pas ses agents du même œil que les secrétaires. Elliott, en évaluant consciencieusement le résultat de leur travail, manifestait une parfaite ignorance des gaucheries, des mésententes, des abus qui caractérisaient les relations entre ses agents et les secrétaires. Elle n'avait pas cru utile de le lui signaler.

— Comment as-tu trouvé le tien? Ça te va?

— J'ai été obligé de rougir en le tapant. Il y a une chose... Tu écris que j'ai «un caractère entier». C'est joli, mais qu'est-ce que ça veut dire au juste?

— Ça veut dire, en des termes élégants, que tu as un sale caractère.

— Un peu comme toi?

Elliott a éclaté de rire.

— Je ne sais pas, mais c'est l'avis de tout le monde. Moi, je ne me rends pas vraiment compte de ces choses-là. Ton travail est impeccable, ça me suffit. Je ne m'occupe pas de l'humeur des gens mais de ce qu'ils en font. Toi, c'est quand même curieux. Tu as l'air souple, conciliante, serviable, comme une machine bien huilée et bien capitonnée. Si on y enfonce le doigt, on trouve tout de suite le métal, qui ne plie pas. On peut danser avec toi, on ne peut pas te bousculer. Sous tes gants, les griffes ne sont pas loin.

Louise a continué à manger, sans réagir. La description semblait exacte.

— J'aime beaucoup travailler avec toi, Louise. Mais dis-moi: est-ce que ça te plairait, un poste où il y aurait plus d'administration, de surveillance du personnel, de gestion générale?

Là, Louise a mis les mains sur la table.

— Je croyais qu'on n'en parlerait plus. Moi, j'aime le secrétariat. Quand je lis tes lettres, les mémoires des autres, quand je fais des procès-verbaux, je trouve ça intéressant, mais c'est comme aller voir un film : je ne m'y sens pas engagée et je ne veux pas l'être. Cela m'est égal, qu'on approuve un projet ou pas. Écoute, Maurice : on ne demande pas à l'éclairagiste de chanter, on ne demande pas au comédien de se charger des projecteurs, on ne s'attend pas que le libraire écrive les livres qu'il vend. J'ai choisi mon métier, ça me convient, je suis heureuse comme ça, et c'est tout.

— C'est cela, un caractère entier! Je peux quand même te faire une proposition?

Elle a allumé une cigarette, résignée.

— Une belle direction, beaucoup plus grande que la nôtre, environ soixante personnes, quatre chefs de section, une vingtaine d'agents, autant de commis, sept ou huit secrétaires, quelques stagiaires, un comptable, et j'en oublie. La secrétaire de direction tient compte, bien sûr, des responsabilités administratives de chacun, mais elle est, disons, le porte-parole du directeur en la matière, une coordinatrice, une adjointe générale. Il y a même une machine à café là-bas.

— Je veux bien voir, pour te faire plaisir. Je ne suis pas une tête de mule. C'est au ministère?

— Oui.

— C'est quoi? Oh, et puis je m'en fous! C'est qui, le directeur?

— Moi, dans trois semaines.

Elle ne s'y attendait pas. Ébahie, elle a vidé son verre, pour le remplir aussitôt.

— J'ai envie de demander qu'on t'offre cette position. Pour toi, c'est un échelon plus haut, mais tu es encore sur la liste d'admissibilité depuis ton dernier concours.

Elle l'a regardé, émue. Il avait même prévu cela! Elle savait que Lemelin s'était rétabli, qu'on songeait à lui confier encore une fois son ancienne direction, mais elle croyait qu'on hésiterait à muter Elliott aussi vite.

— Il n'y aurait que deux problèmes. Le premier est facile à résoudre. On me dira non, que je dois m'accommoder du personnel présent, qu'il n'y a que la haute gestion à pouvoir garder leurs secrétaires quand ils changent de poste. Mais j'insisterai, j'inventerai des tas de bonnes raisons, et on me dira oui.

Elle connaissait la tenacité d'Elliott. De plus, il entretenait d'excellentes relations avec son collègue du Personnel.

— Et le deuxième problème?

Là, Elliott a paru un peu embarrassé.

— C'est un peu plus délicat. Comme ça ne se fait pas souvent, les gens étant ce qu'ils sont, plusieurs personnes penseront que...

Ce fut le tour à Louise de sourire:

— On pensera que le nouveau directeur amène sa maîtresse avec lui.

— En plein dans le mille! Il y aura des petits papotages et tu pourras trouver ça agaçant. Même si je te donnais du «mademoiselle Bujold» gros comme le bras, ça n'empêchera pas les gens de croire que nous avons des relations qui dépassent nos descriptions de tâches et que ta position ne dépend pas de tes capacités professionnelles. J'aimerais beaucoup que tu acceptes, mais je ne tiens surtout pas à nuire à ta réputation ni à te mettre dans une situation difficile. Veux-tu y réfléchir, pendant une semaine?

— Deux secondes suffiront. Bon! c'est fait. Je veux continuer à travailler avec toi, je suis prête à prendre cet emploi si ça peut s'arranger, et j'aimerais aussi que tu gardes ta manie de me passer la main dans les cheveux quand tu en as envie, même si on nous regarde.

Elle n'a pas eu de difficulté à s'habituer à ses nouvelles fonctions. La supervision des autres secrétaires devenait parfois pénible, d'autant plus que ce bureau avait connu un certain laisser-aller. Louise devait se faire à l'idée que plusieurs de ses collègues pouvaient être difficiles, paresseuses, peu compétentes, et qu'il n'était pas facile d'en tirer un travail irréprochable. Beaucoup de procédures laissaient à désirer et bien des directives n'étaient pas suivies. Elliott en avait fait la remarque à un de ses nouveaux adjoints, qui avait répondu: «*Oh, vous savez, les manuels... C'est compliqué, et ça nous met des bâtons dans les roues. J'ai dit à Glenn qu'on ne s'en occuperait pas, et qu'il suffisait de ne pas le crier sur tous les toits. Oh, il a fait la moue, il a la tête dure! J'ai dû lui rappeler que c'était moi, le chef de section, et qu'il n'était qu'un commis. On ne va tout de même pas devenir un ministère dirigé par des commis!*» Louise, qui était présente, avait vu son directeur changer de figure: «*Fernand, je ne vais pas vous demander d'aller vous excuser parce qu'il est sans doute un peu tard pour cela. Mais écoutez-moi bien: j'ai toujours trouvé plus facile de me passer d'un adjoint que d'un bon commis. Quant aux règlements, si une directive ne convient pas à nos opérations, on la fera changer, on obtiendra des exceptions, mais je ne veux plus fonctionner dans ce fouillis.*»

En se rappelant cette anecdote, Louise se rend compte à quel point elle éprouve de l'admiration pour Elliott. Pendant un temps, on lui a accolé le surnom de «général». Ensuite, on a constaté que tout semblait aller mieux dans le bureau. Quant aux craintes d'Elliott au sujet de sa réputation, Louise ne s'en est guère occupé et n'a rien observé de déplaisant. Pourtant, des collègues les voyaient parfois ensemble au restaurant, au cinéma, sur le canal Rideau, où il leur arrivait d'aller patiner. On peut toujours se fier à la tolérance et à l'indulgence des gens. Par ailleurs, dans son rôle de coordinatrice, Louise prenait grand soin de ne jamais empiéter sur les attributions des services administratifs et exerçait ses fonctions avec une finesse humaine remarquable.

Toute à ses pensées, Louise arrive à Montréal sans trop s'en apercevoir. Daniel occupe un appartement sur le boulevard Saint-Joseph. Quelle belle bouffée de chaleur en songeant à lui! À l'exception de ses deux sœurs, de ses parents, il est la personne qu'elle connaît depuis le plus longtemps. Ses amies d'enfance, elle n'a pas continué à les fréquenter. Daniel constitue un point de repère, un phare, un miroir. Elle ne lui dit pas tout, elle ne lui a jamais parlé de la tentative de viol, ni de certains aspects de sa vie intime, mais le peu de secrets qu'elle a pour lui n'entachent vraiment pas la transparence de leurs relations.

Enfin, la voici arrivée. Elle trouve un coin où garer la voiture, s'étire les membres, enfile un grand poncho de laine et se rend jusqu'à l'immeuble, son sac de voyage à la main. Elle sonne, pour avertir Daniel, et monte au deuxième, appartement 22. On ouvre la porte. S'est-elle trompée de numéro? Non, ce doit être la «surprise» dont lui a parlé Daniel.

— Bonjour, Louise. Je suis Jasmine.

C'est une très jeune fille, presque une adolescente. Louise la regarde, intriguée. Quel visage intéressant! Jasmine est mince, même fluette, les cheveux courts, de grands yeux brillants derrière des lunettes rondes.

— Eh bien, bonjour.

En l'embrassant sur les joues, Louise pose les mains sur les épaules de la jeune fille. Elle éprouve une sensation étrange, exquise, comme si elle touchait à une miniature. Daniel arrive aussitôt, avec un grand bouquet de fleurs.

— Bon anniversaire, Louise!

Il vient tout juste de mettre *My Way*, un des airs favoris de Louise. Elle l'embrasse sur la bouche, heureuse. Daniel disparaît ensuite et revient avec une bouteille de champagne. Louise aurait peut-être préféré un café, mais le geste lui fait plaisir. Comment ne pas vouloir se montrer complice quand Daniel et Jasmine dégagent une telle sensation de bonheur? Ils trinquent.

Louise n'a pas le temps de s'interroger sur l'attitude qu'elle devrait prendre à l'endroit de Jasmine, tellement celle-ci se montre chaleureuse et volubile:

— Daniel m'a dit que tu étais sa meilleure amie. Je suis contente que tu sois si belle! J'avais hâte de te rencontrer. Il paraît que vous vous connaissez depuis quatre ans? Je trouve ça admirable. Moi, je ne connais pas grand monde, en dehors de ma famille! On est venus à Montréal il y a deux ans, quand je suis entrée au cégep. Avant, on habitait à La Tuque, mais je suis née à Chibougamau. Mon père est ingénieur forestier. Bien sûr, je me suis fait des amis ici, mais ce n'est pas comme des vieux amis. C'est difficile de tomber sur quelqu'un qu'on aime, avec qui on s'entend. Oui, cela est précieux. Nous deux, je sens qu'on est de la même tribu.

On a l'impression d'être en face d'un oiseau qui voltige de phrase en phrase. Daniel sourit, affectueux.

— Quel âge as-tu? demande Louise.

— Dix-neuf ans, dit Jasmine, comme si elle annonçait la naissance du monde.

Louise la dévisage, attentivement.

— Là, j'ai trouvé!

On la regarde, perplexe.

— Tes yeux, explique Louise. Tu as un regard ÉMERVEILLÉ. Oui, c'est cela. C'est beau à voir.

— Elle est toujours comme ça, précise Daniel.

Jasmine hausse les épaules, d'un geste ravissant. Louise sort son paquet de cigarettes. Elle observe la jeune fille, qui va chercher un cendrier: des hanches étroites, les cuisses fines, moulées dans des jeans collants, d'une sensualité saisissante comme les notes les plus hautes de la gamme.

— Je suis heureuse pour toi, dit-elle à Daniel. Elle est très bien.

Jasmine ne fume pas, ni Daniel, mais ils l'invitent cordialement à faire comme chez elle. Louise allume sa cigarette, en songeant que c'est peut-être une habitude en voie de disparition.

— C'est curieux de voir comment les plaisirs changent. Le tabac commence à déplaire, les psychédéliques ont fait leur temps, on ne trouve plus amusant d'aller se soûler et les gens ont retrouvé leur vieille dent contre l'érotisme.

— La civilisation consiste à établir des freins, suggère Daniel, amusé. Jadis le plus grand plaisir, c'était d'aller faire la guerre. Maintenant, pour s'exciter, on a les films d'action. Ça nous rappelle de bons moments: se battre, vivre dangereusement, sentir ses muscles, ses nerfs, risquer et gagner!

— Est-ce que les hommes ont encore la nostalgie du temps où il était de bon ton de se mettre en bande pour aller violer les filles du village d'à côté? demande Jasmine. Allez, réponds, sans tricher.

Louise pose son verre sur la table avant que sa main ne commence à trembler. Elle aspire la fumée, lentement. Être calme, calme... Il lui faut exorciser ses souvenirs.

— Oui, admet Daniel. Dans la vie réelle, je crois que la majorité des hommes seraient incapables de violer une femme. Comme très peu de gens sont capables de tuer, même si ça laisse plus d'assassins qu'on n'en voudrait. Mais l'idée de violence continue à être excitante. On ne ferait pas de mal à une mouche, mais quand c'est bien mené, on a plaisir à voir le héros, ou l'héroïne, c'est encore plus grisant, tuer son adversaire, à bout portant. L'action est une chose violente, et la violence ranime bien des fantômes. Vivre en société, c'est accepter de canaliser et de juguler l'action.

— C'est une très jolie façon d'esquiver la question, note Jasmine. C'est même peut-être involontaire. Intéressant, cela.

Daniel réfléchit, en souriant. Il aime, chez Jasmine, qu'elle soit souvent plus intelligente que lui, ou plus vive, plus perspicace, et stimulante.

— Je parlais de viol, insiste Jasmine. En Amérique du Nord, les statistiques disent qu'à peu près une femme sur deux mille a été victime de viol. Comme neuf viols sur dix ne sont pas déclarés, ça veut dire qu'une femme sur deux cents a été violée. Tu penses alors à New York, Montréal, Houston, Los Angeles, Toronto, et tu te dis que, dans nos sociétés, à toutes les cinq minutes, une femme est violée quelque part. Est-ce que c'est excitant, la violence?

Louise a beau boire plus qu'elle ne voudrait, sa gorge reste sèche. Et Jasmine n'a pas mentionné les tentatives de viol, qui gonfleraient encore ses chiffres. Daniel, toujours honnête, avoue que, même quand elle fait horreur, la violence, instinctivement, spontanément, demeure une source d'ivresse.

— Allons un peu plus loin, insiste Jasmine. J'ai un ami qui m'a montré la photo d'un graffiti, sur un monument, à Barcelone: «*Mujer raptada, hombre castrado.*»

Pour une femme violée, un homme châtré. Supposons que chaque fois qu'une femme est violée, on châtre un mâle. Est-ce que c'est toujours excitant, alors, les histoires de guerre, de viol et de pillage?

— Ton slogan est exagéré. Il est injuste de répondre à un acte brutal mais réparable par une mesure aussi définitive qu'un couic.

Il fait bouger ses doigts comme un ciseau, et conclut:

— Justement, la civilisation, c'est d'empêcher la violence, quelle qu'elle soit. Et il y en a encore beaucoup, même avec des gants de velours.

Il regarde Louise, qui n'a pas prononcé un mot. Elle sent qu'elle doit dire quelque chose.

— Je ne pense pas qu'un viol soit *facilement réparable*. Et puis, je ne crois pas que nous soyons *civilisés*. Châtrer des hommes, c'est sans doute excessif. Mais, au moins, œil pour œil et dent pour dent.

Daniel n'est pas d'accord:

— À un moment donné, il ne faut plus chercher la justice. Il faut choisir la paix, l'oubli, le pardon, ces choses-là. Arrêter le mouvement. La justice mène trop souvent à la violence et à d'autres injustices. Je crois que je suis un mou, dans ce domaine. Je préfère céder, abandonner, fermer les yeux. Mais c'est vrai que je n'ai jamais été vraiment insulté, vraiment offensé. J'ai subi des petites humiliations, comme tout le monde, mais rien qui m'ait inspiré un désir immense de vengeance. On ne m'a jamais arraché une dent, sauf mon dentiste, et avec mon consentement. Je l'ai même payé pour ça. Alors, je ne cherche la dent ni l'œil de personne.

On rit. Satisfait d'avoir allégé la conversation, Daniel verse une autre tournée de champagne. Louise boit, lentement, avec un sourire étrange.

— Tu vois, dit Jasmine, en s'adressant à Louise, Daniel est un de ces nouveaux mâles qui ont pris parti pour la féminisation du monde. La tendresse, la douceur, la souplesse... Les valeurs masculines se perdent!

— Si j'avais su que les valeurs ont un sexe, proteste Daniel, amusé, j'aurais regardé ça de plus près!

Jasmine va l'embrasser sur la bouche, puis se rassoit. Louise se demande si elle sera jamais capable de retrouver la spontanéité de ces gestes d'affection.

— Je ne crois évidemment pas que la volonté ait un pénis et que la tendresse ait un vagin, précise Jasmine. Quand même, les conquérants, les pillards, les guerriers, les explorateurs, les violeurs aussi, ça a presque toujours été des hommes. Les valeurs masculines, ce n'est pas seulement une façon de parler.

Louise fait remarquer que quand elle se sent agressive, combative, volontaire, maniaque d'efficacité, de travail, de succès, elle ne se sent pas homme, ni moins femme. Jasmine concède le point mais soutient qu'il est normal de parler de valeurs masculines, dans la ligne des images et des grands mythes sur l'homme et sur la femme, la virilité et la féminité.

— C'est toujours agréable quand une femme *se donne*, observe Daniel. Donner, se donner, c'est une valeur féminine, selon nos prismes déformants. Mais aujourd'hui, pour un homme, une femme habituée à *prendre* est plus intéressante et excitante qu'une femme qui ne fait que donner.

Louise a l'impression qu'il y a dans tout cela un message qui lui est destiné, sans que Daniel ni Jasmine ne le sachent. Cette dernière secoue la tête:

— Il ne faut pas mêler le rêve et la réalité. Un homme qui donne, c'est touchant, c'est émouvant, mais le vrai héros, c'est encore l'homme énergique, prédateur.

— Et l'héroïne, insiste Daniel, c'est la femme énergique et solide, pas carnassière, mais sûre d'elle-même.
Les valeurs n'ont pas de sexe, elles s'appliquent à tout le
monde. Tout simplement, on est en train d'adopter une
nouvelle combinaison de valeurs. Femmes ou hommes,
on aime les gens robustes, tendres, audacieux, fermes,
conciliants, compétents, vulnérables, sensibles, intelli-
gents, tout en même temps.

— Ça, c'est ton rêve, beau trésor, dit Jasmine. En
attendant, c'est les femmes qui se font violer, pas les
hommes. Ce sont les femmes qui ont les emplois les
moins intéressants, et surtout les moins bien payés. Ce
sont les femmes qui se font laver le cerveau pour être
soumises, mères de famille et serveuses de restaurant.

Là, Louise sursaute:

— S'occuper de ses enfants, c'est très respectable,
affirme-t-elle. Être serveuse aussi, c'est un beau métier.
Le problème, c'est que les garçons de restaurant sont
mieux payés que les serveuses.

— C'est vrai, reconnaît Jasmine. N'empêche qu'il ne
faut pas voir la vie trop en rose. Même à salaire égal, il y a
des choses bien étranges dans les façons dont les
hommes voient les femmes. Je vous en donnerai des
nouvelles dans quelques années. J'entre dans un monde
de mâles: je me suis inscrite à l'école polytechnique. Je
vous ferai en temps et lieu mon rapport de femme ingénieur. Sur ce, je me sauve.

— Tu ne restes pas à dîner? s'écrie Louise, visiblement déçue.

— Non: c'est *ton* anniversaire. Je vais donner à mon
papa et à ma maman le plaisir de ma compagnie, ajoute-
t-elle, grandiloquente. Ça ne durera plus très longtemps:
je vais bientôt *m'opérer* de ma famille. Je voulais surtout
te rencontrer, tu sais.

Elle enfile son manteau et s'approche de Louise.

— Je t'aime déjà beaucoup. Il ne faut pas s'occuper de ce que je dis: c'est toujours un prétexte. Oh! une chose importante: je suis contente de te laisser avec Daniel.

Elle embrasse Louise sur la bouche, dans un geste d'une exquise douceur. Louise retourne s'asseoir, émue. Elle imagine l'étreinte de Jasmine et de Daniel à la porte. Qu'il est agréable de sentir le bonheur des gens! Connaîtra-t-elle encore de tels moments ou appartiennent-ils à sa jeunesse, irrémédiablement?

Et si c'était sa jeunesse qui avait pris fin le 18 juin? Mais alors, il ne s'est pas agi d'une mort naturelle. Ces deux hommes qui ont tranché le fil vital méritent encore plus de rancœur qu'elle ne le pensait. Comment renouer avec la fraîcheur, la spontanéité, le désir d'aimer, qui circulaient dans ce fil vital? Oublier, pardonner? Ce serait faire semblant. Œil pour œil et dent pour dent? Oui, mais comment? Et est-ce que ça réparerait quoi que ce soit?

Ces mains, sur ses épaules... Elle se retourne, en souriant. Daniel annonce le menu: avocat aux crevettes, avec un petit Chablis; rosbif, pommes gratinées et champignons farcis, agrémentés d'un Châteauneuf-du-Pape; bananes flambées, cognac et amitié.

— Ça vaut le déplacement, dit-elle, gravement, comme on approuverait un bilan financier.

Il a tout préparé, mais doit mettre la viande au four. Louise s'apprête à l'accompagner. En se levant, elle s'aperçoit qu'elle a bu trop de champagne, ou trop vite. Elle écarquille les yeux, songe à demander un café, puis décide plutôt d'aller faire un somme. Daniel l'encourage, en lui promettant *un bon réveil*.

Une heure plus tard, la vie lui revient à travers les mains de Daniel qui lui parcourent le dos. «Continue, c'est trop bon.» Pendant qu'il va chercher une huile, elle retire son soutien-gorge et son slip pour s'offrir plus complètement à ces mains vigoureuses qu'elle connaît et qui la reconnaissent. Elle se tourne pour qu'il puisse compléter le massage. Oui, retrouver la vie, la faim de vivre, la joie d'être...

— Et pour finir, un bon bain chaud!

Comment l'eau, et simplement de l'eau, peut-elle s'avérer aussi bienfaisante? Louise se sent renaître. Tout n'est pas clair, elle n'est pas en paix, elle n'a pas gagné la partie, mais elle a au moins la certitude qu'une partie se jouera, et se jouera bientôt. Elle enfile le peignoir que Daniel lui a laissé et rejoint son ami au salon.

— C'est un kimono de Jasmine, je suppose. On est très bien dedans.

— Oui, dit-il, affectueux, on est très bien *en elle*.

Elle sourit, attendrie. Il fait jouer un disque de Sinatra, qu'elle aime beaucoup, et qui débute par le rythme obsédant de *Strangers in the Night*. Ils dansent, confortablement enlacés. Comment faire pour que de tels gestes redeviennent vivants? Avec Daniel, cette danse se nourrit de la nostalgie de leur liaison. C'est bon, c'est chaud, mais elle voudrait recommencer, revivre cela avec un autre homme, plus *disponible*. Revivre, revivre... Pas répéter, pas imiter, mais vivre.

Louise éprouve une jalouse intime à l'endroit de Jasmine, ou peut-être de Daniel. Si elle avait un cœur en bonne santé, elle pourrait l'ouvrir à l'amour, elle aussi. Mais son cœur n'est plus qu'un abcès, qu'il faut crever d'un coup de bistouri.

— C'était très utile, cette conversation.

— Oh, tu sais, quand on parle de ce genre de choses, il ne faut pas nous prendre au mot. La violence, c'est un sujet très délicat. Il ne faut pas être naïf et tourner le dos au problème, mais on dit une chose, des conséquences en découlent, et on les défend, par instinct de paternité, même si on n'est plus d'accord. Au fond, nous avons à peu près les mêmes idées, mais on s'empêtre dans des nuances et on se retrouve aux antipodes sur des vétilles. C'est qu'on n'est pas d'un bloc. On m'offusque; un jour je passe l'éponge, un autre jour je contre-attaque. Ce qui reste vrai, c'est la confusion.

— Et l'action, pour s'en sortir.

Daniel va vérifier le rosbif. Quand il ouvre le poêle, Louise peut savourer le parfum du rôti jusque dans le salon. Oui, elle n'aura pas de difficulté à retrouver la tendre, la sensuelle beauté de la vie.

Il est temps de se mettre à table. Daniel apporte l'entrée, allume les bougies, retourne changer de disque, puis rejoint Louise. Elle lève son verre à la santé de Jasmine et en profite pour le taquiner sur son audace de séduire une adolescente.

— Cette fille est un cadeau du ciel, explique-t-il. Ça ne se refuse pas. J'espère que tu pourras venir à Montréal le 3 avril. C'est un samedi.

— Oui, je pourrais. Pourquoi?

— Mon bonheur serait plus grand si je t'avais comme témoin de mariage. Ça ferait aussi plaisir à Jasmine que ce soit toi.

Louise éclate de rire. Étourdie, nerveuse, heureuse, elle prend la main de Daniel et l'embrasse fortement.

— Donc, le bonheur est encore possible. Vous êtes lumineux, tous les deux, tu sais. Ça fait longtemps que tu la connais?

— Trois semaines. Mais je savais que c'était *elle*. Nous nous sommes glissés l'un dans l'autre comme les pièces d'un puzzle.

Il se rend dans la cuisine pour s'occuper des pommes de terre et des champignons. Louise fume, en attendant. Elle doit faire face à un puzzle, elle aussi, dans sa vie. Des pièces lui manquent, d'autres proviennent de jeux différents, comment s'en tirera-t-elle? Il n'y a qu'une façon de résoudre un nœud gordien. Mais où enfoncer le couteau? Sur quoi frapper, et comment?

Daniel découpe le rosbif sur la table. Louise regarde vivement la viande, parfaitement rose au centre. Le parfum de la sauce lui dilate les narines. Elle prend une gorgée de vin rouge. Oui, c'est bien cela, réapprendre à vivre. Et se préparer à livrer bataille, pour se débarrasser de ses fantômes.

— Toi, tu es toujours amoureuse de ton directeur?

Louise sait fort bien qu'il n'en croit pas un mot. Il la taquine parfois sur sa loyauté envers Elliott, en dépit d'offres plus alléchantes. Après tout, elle a attendu de pouvoir le suivre avant d'accepter une promotion. Ou voit-il plus clair qu'elle-même dans son cœur? Bien sûr, il lui arrive de rêver de coucher avec Elliott. Cela ne dure jamais plus longtemps qu'un sourire.

— Quand tu parlais de Jasmine, tu as dit que tu savais que c'était *elle*. Moi, je sais que Maurice, eh bien, ce n'est pas *lui*.

— Et ta vie amoureuse, alors?

— Dans l'amour, je suis une somnambule. Tu veux que je te raconte?

Elle lui fait l'inventaire de ses derniers amours. Même s'il lui envie d'instinct le nombre de ses partenaires et sa facilité à séduire, Daniel s'étonne du peu de joie que dégagent les liaisons de son amie. D'homme en homme, quittant l'un pour l'autre sans trop de raisons, Louise ressemble bien à une somnambule, une naufragée qui s'accroche à une épave, puis à une autre, une femme perdue en forêt qui se nourrit d'écorces et de racines faute de trouver mieux.

— Comme tu vois, ma vie amoureuse est moins bonne que ton rosbif.

— Ce qui me frappe, c'est que tu pourrais vivre exactement la même chose, mais que ce soit vivant. Tu es tellement solide, tellement énergique dans le reste de ta vie! Pourquoi être aussi morne quand il s'agit de l'amour? Combien de temps penses-tu durer comme ça?

— Aujourd'hui, je commence ma veillée d'armes. Grâce à Jasmine.

— Explique, demande-t-il, surpris.

Elle secoue la tête.

— C'est encore trop vague. C'est venu comme ça, elle m'a fait penser à quelque chose. J'y pensais peut-être déjà, mais elle est tellement... tellement *neuve*, Jasmine, que ça m'a donné envie de... de mettre fin au somnambulisme. À neuf mois de somnambulisme.

— Neuf mois? C'est si précis que ça?

Non, elle ne lui dira pas tout.

— Plus ou moins. C'est quand je me suis rendue compte de la mocheté de la vie. Tu veux des grands mots? Bon! En tant que femme, et en tant que secrétaire, je me suis sentie méprisée, humiliée, agressée. Des exemples, il y en a à la tonne, c'est des choses de chaque jour. Prenons ceux du bureau. Quand j'entends dire: «*Je ne suis tout de même pas une secrétaire*», «*Ça, c'est du travail de secrétaire*», «*Ma secrétaire, celle qui travaille pour moi*», «*Tape et tais-toi.*» Quand je pense aux conditions de travail, aux conditions de salaire... Oh! je ne suis pas idiote, je ne suis pas paranoïaque, je ne vais jamais dire: C'est un monde d'hommes, fait par les hommes et pour les hommes, où on tient les femmes en esclavage. Les portes sont ouvertes, ou entrouvertes, il y a moyen de se débrouiller. Quand même, l'attitude des hommes laisse à désirer. C'est censé nous faire plaisir, quand on nous dit qu'on a des belles fesses; si on dit à un homme qu'il a un beau cul, ça a l'air étrange. Quand... quand une femme se fait violer, on se dit que c'est dommage, mais au moins ça a dû lui faire plaisir. Misère! Une femme doit se faire casser la figure pour qu'on veuille bien croire qu'elle a été violée, autrement on dira toujours qu'elle était consentante ou provocante. Quand une femme réussit quelque chose, on dit: «Ce n'est pas mal, pour une femme.» La façon dont les hommes nous regardent, des fois... C'est souvent étouffant, tu sais, d'être une femme.

Daniel apporte le dessert, l'air grave. Louise n'attend pas de commentaires: elle sait que Daniel la comprend et qu'il est de son côté. Elle croit même voir en lui, un instant, le regard de cet homme qui a voulu l'aider, dans la voiture, le soir du 18 juin. Elle a souvent pensé à cet inconnu dont l'arrivée fortuite lui a permis d'échapper à ses agresseurs. Ce regard, cette main tendue dont elle n'a pas voulu, par crainte, cette image lui revient encore à l'occasion, comme pour lui rappeler qu'on peut toujours trouver de la bonté autour de soi.

— J'ai fait un rêve, il y a quelques jours, mentionne Daniel. Un rêve bizarre. Je m'étais endormi en pensant à toi et à ton repas d'anniversaire. J'ai joué avec quelques menus. Ensuite, j'ai fait ce rêve. Il n'a rien à voir avec toi, et pourtant il me fait penser à toi, je ne sais pas trop pourquoi. Je te le raconterai tout à l'heure.

Après le dessert, confortablement installés dans le salon avec leurs tasses de café et une bouteille de cognac, ils savourent un de ces instants magiques, silencieux et souriants, où l'amitié remplit tout l'espace du cœur.

— Ton rêve? demande-t-elle, doucement.

— Voici. Je me promenais dans un aéroport. Je savais qu'il s'agissait d'un aéroport, peut-être à cause des longs corridors, des salles spacieuses, ou du sentiment de liberté tranquille qu'on éprouve avant un départ. Il n'y avait pas beaucoup de gens, mais ce n'était quand même pas désert. J'étais avec une femme. Blonde, les yeux bleus, comme toi, mais ce n'était pas toi. Nous marchions sans parler, comme s'il fallait tout simplement passer le temps avant l'heure de l'embarquement. Nous nous sommes arrêtés devant un kiosque à journaux, là où ils ont toujours des livres du genre qu'on achète pour un long voyage. La femme qui m'accompagnait a choisi un livre de poche, plutôt gros, qui devait faire dans les cinq cents pages. J'ai d'abord vu la couverture: elle était jaune, jaune canari. Au centre, on voyait une tête de céramique, orange, qui m'a fait penser à une poupée japonaise, à un masque en porcelaine. La tête était brisée. Oui, c'est bien ça: un visage fendu au milieu du front. J'ai regardé le titre: *The day the earth was split open and slowly stopped turning.*

Louise écoute, les yeux grand ouverts. La terre qui s'est arrêtée de tourner... N'est-ce pas ce qui lui est arrivé?

— Ce titre est étrange, poursuit Daniel: *Le jour où la terre a été fendue en deux et s'est lentement arrêtée de tourner.* D'abord, il est trop long, surtout pour un roman américain. Mais c'était peut-être la traduction d'un titre japonais, je ne me suis pas posé la question. Ensuite, je ne lis pas souvent des livres en anglais. Il est bizarre que j'aie rêvé un bouquin avec un pareil titre, et en anglais. Mais c'est arrivé comme ça. La femme qui était avec moi a pris un exemplaire et s'est rendue à la caisse. Elle a payé le livre, elle est venue me rejoindre. Elle m'a expliqué qu'il s'agissait là d'un grand livre, un best-seller. Et là, je suis encore perplexe: elle m'a dit que ce livre racontait l'histoire de deux hommes qui poursuivent une femme qui les a violés. Plutôt absurde, n'est-ce pas? Mon rêve s'est arrêté là.

Troublée, Louise avale son cognac et s'en verse une deuxième mesure. Les pièces du puzzle...

— Je ne comprends pas ce rêve, avoue Daniel. Je ne comprends pas que je m'en sois souvenu. Il n'a pas d'histoire, rien que des images. Ce genre de rêves, on les oublie dès le réveil. Celui-ci est resté en moi, obsédant. Et il me fait penser à toi. Cela aussi est incompréhensible. J'espère que je ne t'ai pas trop ennuyée.

— Bien au contraire! dit Louise. Les Anciens croyaient aux messagers du destin. J'ai l'impression que c'est une journée extraordinairement fructueuse.

Radieuse, elle allume une cigarette. S'agit-il vraiment d'une journée spéciale, ou a-t-elle des antennes particulièrement sensibles? Jasmine, comme une invitation à revivre, comme la manifestation de l'éternelle possibilité du bonheur. Leur conversation, tout à l'heure, dont elle retient l'idée de revanche, le besoin de trancher le nœud gordien. Du rêve de Daniel, elle garde le titre du livre et l'histoire qu'il a qualifiée d'absurde. L'est-elle vraiment?

— Viens, propose-t-elle, on va jouer du poignet.

Daniel la suit, intrigué. Ils s'installent au coin de la table, chacun de son côté, face à face. L'air décidé, volontaire, Louise pose le coude sur la table, l'avant-bras dressé. Leurs mains se joignent.

— Tu es à l'aise? demande-t-elle. On commence.

Les yeux dans les yeux, les muscles tendus, les biceps gonflés, ils s'affrontent résolument. Louise a le bras solide, un bras de nageuse et de joueuse de tennis. Daniel, qui fait ses quarante *push-ups* quotidiens, s'étonne de la résistance de son adversaire. Ils se regardent, le souffle court.

— Tu résistes bien, dit-il.

— Je veux gagner, murmure-t-elle, entre les dents.

Daniel sent contre son bras la pression croissante de la jeune femme. Il essaie de faire jouer son poids, en la débalançant. Elle se tend davantage. Avec un sourire perfide, en concentrant sa force dans sa main, il entreprend de lui faire plier le poignet. S'il réussit, elle devra céder totalement. Louise comprend la manœuvre et durcit ses mains, les mâchoires serrées. Son bras tremble, mais elle ne lâche pas. Daniel, surpris, fait encore un effort, sans succès.

— J'abandonne. Tu es vraiment très forte.

Il secoue ses doigts fatigués. Elle pousse un long soupir: Daniel a la main plus grande, elle n'aurait pas pu gagner. Deux minutes de plus et elle laissait tomber. Elle se frictionne le bras, la paume. Malgré ses muscles endoloris, elle est contente d'elle-même. Ils retournent au salon.

— Dans ton rêve, la femme avait violé les deux hommes, n'est-ce pas? Comment?

— Aucune idée. Je n'ai pas pensé à demander.

Louise allume une cigarette et se verse du café, encore chaud. Elle remplit les ballons de cognac.

— Dis-moi: comment une femme peut-elle s'y prendre pour violer un homme?

Il fait une moue:

— Il y a le viol statutaire, bien sûr, quand le gars est mineur. Dans ces cas-là, l'adolescent est souvent consentant. Un vrai viol, c'est plutôt rare. Un viol homosexuel, c'est autre chose, mais on parle d'une femme.

— Un peu d'imagination, l'encourage-t-elle. Qu'est-ce que tu me conseilles, si je veux te violer?

Perplexe, Daniel se demande ce qui a pu conduire son amie à aborder un tel sujet. Son rêve? Il n'y avait pas là de quoi susciter autant d'intérêt. Est-ce Jasmine ou Louise qui a parlé de viol en premier? Mais pourquoi ne pas approfondir la question, puisqu'elle y tient? L'humour prend toutefois le dessus:

— Il faudrait que tu sois un peu déshabillée, comme maintenant, suggère-t-il, gravement. Le kimono entrouvert, c'est très bon. Ensuite, tu t'approches, féroce, tu prends mon sexe dans les mains, sans hésiter, tu le cajoles, tu le fais vibrer, tu le glisses lentement dans ta bouche, ou entre tes cuisses...

Elle sourit, amusée:

— Tu appelles ça un viol? Allons, tu peux faire mieux que ça. Je veux un beau scénario, infaillible. Quand un homme viole une femme, il la menace, il la brutalise. Ça doit être dans ce genre.

— Dans le viol, il y a toujours une menace, une coercition, mais pas nécessairement de brutalité physique. Je crois me souvenir que la plupart des viols sont commis par des gens que la victime connaît, des relations, des amis de la famille, des parents. Quand il y a brutalité ou sadisme, le but est généralement de faire mal, physiquement mal. Le viol lui-même passe au second plan.

— Invente-moi un viol, tout bonnement, avec ou sans brutalité.

Daniel se met à rêver. Pourquoi pas? On peut imaginer n'importe quoi.

— Plusieurs femmes pourraient se mettre ensemble...

— Non, ne compliquons pas: une seule.

— Bon. Elle devrait choisir un gringalet...

— Non. Un homme peut avoir l'air maigre tout en étant musclé, ou tout en nerfs. Prenons un type normal.

— Tu ne rends pas la chose facile! proteste-t-il.

— Je ne veux pas trop simplifier. Supposons une femme comme moi et un homme comme toi, que je n'ai pas pu battre au poignet.

Il vide son cognac, en réfléchissant. Elle s'empresse de remplir les verres.

— Premier scénario, propose-t-il. La femme a un revolver et semble prête à s'en servir. Elle force l'homme à se déculotter. Tu vois, on arrive tout de suite au problème : est-ce qu'un homme peut bander sous la menace? Ça me semble difficile. Et, pas d'érection, pas de viol. Je te recommande un adolescent, ça bande à un rien.

— Non : un homme normal.

— S'il y a érection, il y a désir, et s'il y a désir, ce n'est plus un viol. Mais... Oui, j'ai trouvé! J'ai lu quelque chose, une fois, dans le compte rendu d'un film ou d'un roman. La femme porte un pénis artificiel et elle encule l'homme. Ça, c'est un viol en bonne et due forme. Satisfaite?

Louise essaie d'imaginer la scène. Comment empêcher l'homme de se débattre? Le revolver? Pour être plus à l'aise, elle peut l'attacher après l'avoir rondement soûlé, ce qui permet de se passer du revolver.

— Oui, dit-elle, songeuse. L'homme, plié contre une table, les pieds attachés, les mains aussi... Mais ce n'est pas ce qu'il y a de plus normal. Tu es sûr qu'on ne pourrait pas faire bander un homme et le violer... dans son sexe, quoi!

— Ça me rappelle une scène, dans le *Satyricon*... Si l'homme est attaché et sans défense, il est possible et même vraisemblable qu'avec du temps, de la patience et surtout du savoir-faire, on puisse lui provoquer une érection.

Cette image, Louise la connaît. Un rêve lui revient : deux jeunes gens, ficelés, une femme blonde... La femme plongeait la main dans la braguette du garçon... À l'époque, Louise s'était attardée sur la femme, pas sur le geste, mais il s'agissait bien d'un viol.

— Masturber un type, ce n'est pas assez. Un vrai viol, ça doit comporter une union sexuelle. Le forcer au coït. Copuler avec lui contre sa volonté.

— Quand il dort, peut-être? Comme les filles de Loth, dans la Bible? Elles soûlent leur père et couchent avec lui pendant son sommeil.

Louise signale qu'à son réveil, Loth ne sait pas ce qui s'est passé. Le viol est donc raté.

— Oui, reconnaît Daniel, ce ne serait pas suffisant. Mais... Oui, je crois que Barbey d'Aurevilly a écrit une histoire où une jolie fille excite un prisonnier ligoté. Quand il est prêt, une horrible vieille femme vient finir la session. Là, l'homme se sent véritablement violé. Même s'il y a une jouissance physique.

— Avec tous tes exemples je constate qu'il est bien plus facile de violer une femme qu'un homme. Une femme doit vraiment faire travailler ses méninges pour y parvenir.

Daniel fronce les sourcils, incertain. Il ne comprend absolument pas l'intérêt de son amie pour ce sujet.

— Mais pourquoi une femme voudrait-elle violer un homme? Si elle n'est pas hideuse, elle peut toujours se trouver un partenaire d'une sorte ou de l'autre et faire cela plus gentiment.

— Un femme peut vouloir un homme en particulier, qui n'a pas envie de coucher avec elle, remarque-t-elle. Alors, elle le viole.

— Oui, admet-il, ça se tient. Quoi qu'il en soit, toute violence est laide, et tout viol est abominable.

Louise secoue la tête, en souriant, le regard brillant:

— Non, la revanche est bonne. La vengeance est douce au cœur du sauvage. Et nous vivons dans un monde qui est encore sauvage.

— Œil pour œil et dent pour dent? Non, c'est tellement inutile...

Il s'aperçoit qu'ils ont vidé la moitié de la bouteille. Quand il se lève pour changer de disque, il titube, la tête lourde. Louise se redresse, avec un effort.

— Ouf!... Il est temps d'aller faire dodo.

— Oui... Je vais te laisser le lit. Je m'installerai sur le sofa.

— Non, pas question. J'ai envie... de dormir dans tes bras. C'est mon anniversaire, j'ai ce droit-là.

— Et je crois bien qu'on ne fera que dormir. Ce qu'on a pu boire!

Louise éprouve un plaisir singulier à retrouver le corps de Daniel. Ils n'ont pas fait l'amour depuis l'automne dernier. Une fois, elle a tenu à dormir avec lui, sans faire l'amour, pour la joie de sentir sa présence, sa chaleur, son odeur. Ils s'embrassent et s'assoupissent, collés l'un contre l'autre. Louise évoque des images de viol, le viol d'un homme. Un jour, le 18 juin, *la terre s'est arrêtée de tourner*. Son cœur a cessé de battre, insensible, vide. Elle a pu sauver l'amitié de sa débâcle, et le goût des corps. Violer un homme, ça pourrait être une façon de crever l'abcès, de rééquilibrer l'horreur par une autre horreur. *To get even*, dit-on en anglais.

Depuis combien de temps rêvasse-t-elle, immobile? Louise ne sait pas si elle vient de se réveiller ou si elle n'a pas encore dormi. Étonnée, elle sent contre sa cuisse une pression inattendue. Elle écoute la respiration de Daniel, le rythme tranquille de son souffle. Dort-il vraiment? Elle allonge le bras et le prend dans sa main. S'en rend-il compte? Elle le caresse, doucement. Il sourit, sans ouvrir les yeux.

— Je vais te violer, chuchote-t-elle.

— Si tu veux... murmure-t-il, langoureux, abandonné.

Louise le chevauche, s'accroupit, le glisse en elle avec précaution, autant pour lui que pour elle. Ce n'est pas un viol, c'est trop bon, c'est trop doux, mais ça peut en donner une idée. Elle commence ses mouvements. Une femme devrait-elle jouir quand elle viole un homme? Les hommes jouissent bien, à leur façon. Pourtant, Louise songe qu'elle ne devrait pas jouir charnellement: la vengeance, rien que la vengeance. Le plaisir exquis et abstrait de la vengeance.

En ce moment, ce n'est pas un viol mais de l'amour, quand l'amitié prend la forme des caresses. Louise se sent fondre de tendresse. La vie est belle, belle! Et cet orgasme électrique, jusqu'aux orteils...

Elle s'arrête, à bout de souffle, un tremblement de fatigue dans les cuisses. Daniel lui met les mains sur la taille.

— Chacun son tour, dit-il, en souriant.

Ils s'étendent, sans se séparer. Couchée sur le dos, Louise se demande si le viol d'un homme par une femme s'achève lorsque la femme a joui, ou s'il faut attendre que l'homme ait éjaculé. Bien sûr, un violeur ne s'occupe que de lui. Mais une violeuse doit arracher quelque chose à sa victime. Et puis elle cesse brusquement d'y penser. Le cœur ouvert au bonheur, elle frissonne en savourant les longs mouvements de son compagnon. Qu'il doit être merveilleux à voir, avec Jasmine! Un jour, elle aussi, elle aimera de nouveau. Cette crispation soudaine d'un homme en elle, elle en fera un feu d'artifice. Un jour, quand elle aura vidé l'abcès, quand la terre recommencera à tourner.

7

Louise jette un coup d'œil dans le rétroviseur, replace ses cheveux, met ses lunettes et sort de la voiture. À mesure qu'elle approche du bar, son pas se raffermit, ses gestes prennent de l'énergie, son regard se durcit. Elle pousse la porte avec le sourire retenu du joueur qui s'apprête à faire un mouvement décisif aux échecs. L'adversaire succombera-t-il ou flairera-t-il le piège dans cette ouverture vulnérable? Louise hésite toujours entre les portes. Malgré l'habitude et l'expérience, il y a quelque chose de terrifiant dans la pensée qu'elle se retrouvera, à la fin de la soirée, seule avec un inconnu. Elle soupire: laisser tomber, rentrer chez soi. Non: aller jusqu'au bout, essayer, tenter sa chance.

Chaque fois qu'elle entre dans un bar, elle doit choisir. Au comptoir, c'est plus facile. Les hommes qui s'installent à côté d'elle s'éloignent rapidement si le premier contact n'est pas prometteur. Autour d'une table, c'est moins direct. Les hommes qui l'abordent et lui offrent un verre sont à moitié gagnés d'avance, mais il est aussi plus difficile de s'en débarrasser quand ils s'aperçoivent qu'ils ont fait chou blanc. Cette fois, le choix ne se pose pas, le comptoir semble plein. Louise repère une table, consulte le garçon, et s'y rend sans attendre d'être conduite. Ce n'est pas la première fois qu'elle vient dans cet établissement.

À peine installée, elle allume une cigarette et contemple la faune. Ça fait un mois qu'elle fréquente des bars, elle commence à avoir l'habitude. Pas loin de sa table, un homme, seul, totalement absorbé dans la contemplation de son verre. Depuis combien d'années est-il là? Ailleurs, cinq couples à cinq tables. Certains couples finiront par se défaire, elle verra à ce moment si quelqu'un l'intéresse. Deux jeunes femmes font comme elle et regardent autour, en bavardant. À plusieurs tables, des hommes, en groupes de deux ou trois. Patience, le destin lui proposera sans doute quelqu'un.

Ses lunettes la fatiguent, mais elles font partie de son déguisement. Louise a décidé de les porter quand un homme, dans la rue, l'a appelée Suzanne. Croyant qu'il s'adressait à quelqu'un d'autre, elle a continué son chemin. L'homme l'a rattrapé et lui a reproché gentiment ses manières hautaines. C'était presque embarrassant : elle avait passé une belle nuit avec cet homme, quelques jours auparavant. Elle s'est excusée en riant : elle avait la tête ailleurs. Elle prit aussi deux décisions. Au lieu de fournir des prénoms différents qu'elle risquait d'oublier, elle s'appellerait toujours Réjeanne. Ensuite, elle tâcherait de se rendre moins facilement reconnaissable.

Des lunettes constituent un déguisement peu encombrant. Elle refusait de les enlever, même au lit. Les hommes conserveraient l'image d'une femme qui portait des lunettes. Pour les obtenir, il lui fallait une ordonnance. Son optométriste l'assura qu'elle n'en avait pas besoin. Elle se rendit alors chez le premier occuliste et prétendit qu'elle était comédienne et son rôle exigeait des lunettes. Elle choisit une armature ronde, plutôt grande, pour attirer davantage l'attention et laisser un souvenir durable. On aurait alors plus de difficulté à la reconnaître durant la journée, quand elle ne les portait pas.

L'autre partie du déguisement, c'était ses cheveux. Elle essaya d'abord une perruque, qu'elle trouva inconfortable. De plus, dans l'amour, les hommes ont souvent l'habitude de vous caresser les cheveux. De quoi aurait-elle l'air si sa perruque venait à tomber? Elle décida de se faire teindre les cheveux en noir. Ça lui changeait tout le visage, en mettant son teint pâle en évidence et en la forçant à changer de maquillage. Quand elle aurait accompli ce qu'elle avait entrepris de faire, elle redeviendrait blonde, expliquerait à Monique, à Maurice et aux autres que sa fantaisie avait fait son temps, et elle retrouverait même ses boucles de jeunesse. Sa victime ne la reconnaîtrait jamais.

Le garçon de table se souvient d'elle: vodka et jus d'orange?

— Toujours, et jamais autre chose.

— Des fois, les gens changent d'idée...

— Moi, je sais exactement ce que je veux.

Il la regarde, amusé, mais avec une certaine admiration:

— Tu sais quoi, Réjeanne? Tu as l'air d'une chasseresse.

— Souhaite-moi bonne prise.

Il s'éloigne, en dandinant les hanches. Louise le trouve agréable, mais pas comme victime. Tendre et blagueur, il ne la prendrait pas au sérieux.

À vrai dire, comme chasseresse, Louise s'est avérée plutôt incompétente. Elle frappait la cible, elle n'en faisait pas ce qu'elle voulait. Elle s'est lancée dans cette aventure le jour même du mariage de Daniel. Après la cérémonie au Palais de Justice, ils s'étaient tous rendus chez les parents de Jasmine. Il y avait également les proches parents de Daniel et quelques amis de l'un comme de l'autre, deux douzaines de personnes en tout. La fête devait durer tout l'après-midi, avec un buffet varié, du vin et de la musique.

Louise trouvait les invités fort agréables à l'exception du jeune frère de Jasmine, Étienne, qui faisait des farces plates sur la bêtise de se marier et de «perdre sa liberté» alors que le monde est plein de femelles qui ne demandent qu'à se faire culbuter. Louise se demandait comment une personne aussi exquise que Jasmine pouvait être apparentée à ce néanderthal. Étienne, bruyant, chaleureux, réussissait pourtant à distraire, à amuser, à régner sur le petit cercle de jeunes qui se formait autour de lui. Il buvait aussi beaucoup, ce qui expliquait peut-être son comportement.

Comme Louise ne semblait pas réagir à son humour fracassant, il entreprit de la séduire. Sa tactique laissait peut-être à désirer. Il aborda sans ménagement le sujet qui lui tenait à cœur: avait-elle beaucoup d'amants? «Des dizaines.» Il le pensait bien: à son âge, elle avait dû comprendre que l'avenir appartient aux célibataires. Quelle pitié que de se mettre des chaînes à dix-neuf ans, comme sa sœur! Étienne lui demanda quel était l'âge moyen de ses amants. «Le double du tien», répondit-elle, doucement, sachant qu'il était le cadet de Jasmine. «Oh! mais tu dois être en manque! Il ne faut pas se contenter de vieillards! Moi, je tire sept coups dans ma nuit.» Louise pouffa de rire: Étienne lui faisait plutôt penser à un puceau, mais peut-être s'était-il masturbé une fois à profusion. «Tu as beau rire, dit-il, froissé, si je te tenais dans un coin, je te ferais demander grâce!»

Son expression troubla Louise. Il faisait visiblement allusion à ses prouesses sexuelles, vraies ou imaginées, mais elle trouva subitement que son regard lui rappelait quelqu'un. Oui, c'était bien ça: son visage, ses yeux, sa façon de parler... Pareil, exactement pareil au plus jeune de ses assaillants, qu'elle avait appelé «l'ouvrier». Sa conversation avec Daniel lui revint en mémoire, ainsi que son rêve de la femme blonde et du prisonnier ligoté. C'était un garçon comme celui-là, méprisant et antipathique, qu'elle rêvait de violer. Mais comment peut-on violer quelqu'un qui vous propose justement de faire l'amour? Misère! Si on pouvait changer de sexe, juste une heure, une demi-heure...

«Alors?», dit-il, goguenard. Elle le regardait, durement. Pour qui se prenait-il? Il poussa l'impertinence jusqu'à lui toucher la joue: «Tu fais la gourde ou tu veux avoir du plaisir?» Heurtée par la brutalité du garçon, qui contrastait tellement avec son teint frais, son inexpérience évidente, Louise se décida à plonger: «Es-tu capable, en cinq minutes?» Il l'était. Ici? «Tu es folle!» Elle haussa les épaules: il avait bien une chambre, non?

Pris au dépourvu, Étienne jeta un coup d'œil du côté de ses parents. Tout le monde parlait, buvait, mangeait, on ne s'apercevrait pas de leur absence simultanée. Louise, de son côté, se disait qu'elle prenait trop de risques. Pas avec le frère de Jasmine! Ou bien, il faudrait que ça se passe d'une façon telle qu'il n'aurait jamais envie d'en parler.

Discrètement, ils se retrouvèrent dans le couloir, près de l'escalier. Personne. Étienne avait sa chambre à l'étage. Ils s'y rendirent sans faire de bruit. Un lit simple, une bibliothèque, une commode, une table de travail. Sur le mur, un poster: une fille de Hawaï, les seins nus sous une guirlande de fleurs, d'un érotisme acceptable à des parents modérément tolérants.

«Tu verras, chuchota Étienne, je vais te faire danser les fesses.» Mais dans quels livres avait-il appris à parler comme ça? Avec un méchant sourire, Louise retira son slip. Il enleva ses chaussures d'un coup sec et fit tomber son pantalon. Son sexe gonflait déjà son caleçon, qu'il s'apprêtait à ôter.

Louise s'approcha du garçon et lui flanqua une solide paire de gifles. Il pâlit, puis rougit violemment. «Ça, c'est parce que tu es un sale effronté», expliqua-t-elle, à voix basse. Louise, qui n'avait jamais frappé personne de cette façon, en éprouva un sentiment grisant. Se battre, se battre et gagner!

Comme il ne réagissait pas, tout à sa surprise, elle lui donna une autre gifle et le poussa sur le lit. Bouger, ne pas perdre le contrôle de la situation. Elle releva rapidement sa jupe et s'assit sur les cuisses du garçon, agenouillée, en le chevauchant, comme elle avait fait avec Daniel. Elle enfonça la main dans son caleçon, par le côté, et en retira le sexe ramolli. «C'est quoi, ça? Tu es capable, ou non?»

Les adolescents ont l'érection rapide. Vite, il fallait faire vite, ne pas lui laisser le temps. «Laisse-moi enlever mon slip», demanda-t-il, la voix fluette. Louise sourit durement: au contraire, elle voulait qu'il ne soit pas à l'aise. La pression du caleçon à la naissance du membre le blesserait et contribuerait à donner l'impression d'un viol.

Elle prit le sexe dressé du garçon et l'enfonça en elle, en espérant lui faire mal: il émit un râle de plaisir. Elle se demanda si elle n'était pas en train de le dépuceler, mais peut-être réagissait-il tout simplement comme dans les films qu'il avait vus. Étienne, en soupirant de volupté, avança les mains vers les seins de la jeune femme. Elle leva le bras, sans se résoudre pourtant à le gifler une autre fois: «Pas touche!»

Louise soulevait et descendait le bassin, dans un mouvement de piston de plus en plus rapide. Elle n'éprouvait pas grand-chose, aucun plaisir, elle voulait que ce soit brutal. Étienne, les mains sous la nuque, soupirait: «C'est bon, c'est tellement bon!»

Elle arrêta de bouger. Leur accouplement tournait autrement qu'elle le prévoyait, son partenaire ne se sentait pas violé. Mais il était trop tard, il se raidissait, frémissant. Elle eut le réflexe de se relever d'un coup: qu'il finisse au moins en dehors d'elle. Étienne y vit plutôt une pratique contraceptive.

Louise hésita. Attendre deux minutes, lui dire qu'elle était prête à recommencer, l'humilier dans son impuissance, lui «qui tirait sept coups dans sa nuit»? À son âge, il y avait des chances qu'il retrouve rapidement une érection. Elle se rhabilla, trouva la salle de bains, fit un brin de toilette et descendit en même temps que le garçon. La mère de ce dernier les rencontra dans l'escalier, surprise. Louise expliqua qu'Étienne avait voulu lui montrer ses *miniatures*. L'adolescent rougit, les yeux baissés. Louise ne lui parla plus de l'après-midi.

Elle se sentait combative, énergique, encore plus qu'après une bonne partie de tennis. Elle avait trouvé quelque chose d'enivrant en giflant Étienne, en menant le jeu. C'est peut-être cela que les hommes cherchent dans le viol: la domination. Daniel n'avait pas tort quand il évoquait le plaisir de l'action, même violente, la joie de la guerre, de la brutalité. Et ce n'était nullement une «valeur masculine»! Quand elle prenait plaisir à rudoyer Étienne, à se servir de son pénis comme d'un jouet, Louise ne s'était pas sentie moins femme. Le goût de la bagarre n'est pas un domaine réservé à un sexe. L'adrénaline circule sans discrimination.

Mais si elle se sentait satisfaite de cet aspect de sa rencontre avec Étienne, elle ne l'était certainement pas de la suite. Au contraire, c'était un échec. Étienne devait même se dire que son plaisir valait bien quelques gifles.

Louise n'avait pas réussi à lui faire connaître le mépris et l'humiliation. Tout était à recommencer.

Daniel s'était approché: «Alors, tu penses toujours au viol?» Comment dire la vérité devant ce visage tout en sourire? «Il y a bien des façons d'essayer de vivre», dit-elle, énigmatique. «Peu importe la manière que tu as choisie, elle te va bien. Tu es éblouissante.» Jasmine les avait rejoints. «Que vous êtes beaux!» murmura Louise. Certains couples semblent parfois tellement pleins de bonheur qu'on a envie de leur demander d'en laisser pour les autres, avant de s'apercevoir qu'ils en sont une source. «Il est six heures, on va disparaître, annonça Jasmine. Sans le dire à personne. *Mais toi, je t'aime.*» Louise la serra dans ses bras, émue.

Elle ne s'était pas attardée après le départ des nouveaux mariés. Les derniers mots de Jasmine lui remuaient le cœur. Comment pouvait-elle inspirer de l'amour, elle qui se sentait comme une plaie ambulante? Louise regagna sa voiture et se mit à descendre la rue Saint-Denis en quête d'un restaurant. À quoi lui servait-il d'être aimée quand sa tristesse l'empêchait d'y répondre? Il ne fallait pas y penser. D'abord, se débarrasser de ses fantômes. Ensuite, on pourra revivre.

Elle se rappelait Étienne: pas leur accouplement, mais la profonde excitation de le gifler. Il lui fallait continuer, aller plus loin avec un autre. La meilleure façon de se défaire d'un obsession, c'est d'y plonger. Louise y réfléchit en mangeant une pizza chez *Da Giovanni*. Elle alla voir un film au cinéma *Berri*, tout à côté. À neuf heures et demie, elle avait toujours le cœur à la chasse.

Louise ne connaissait pas beaucoup Montréal. Elle se rendit dans l'ouest, déambula rue de la Montagne et aboutit dans un bar. C'était la première fois de sa vie qu'elle entrait dans un tel établissement avec l'intention de lever un inconnu. Comment cela se passerait-il? Elle s'installa à une table, le regard aux aguets. Que faisaient les autres femmes? Certaines arrivaient déjà accompagnées d'une amie ou d'un homme, d'autres reconnaissaient des gens, une esseulée s'assit au comptoir.

Louise hésitait. Oserait-elle aborder un parfait étranger ou attendrait-elle d'être choisie? Un homme lui demanda s'il pouvait lui tenir compagnie. Elle le trouvait déplaisant, avec son air de séducteur autoritaire. Il s'était assis avant qu'elle ait pu répondre. Il paya la consommation et se fit apporter la sienne. Sa conversation était agréable: il maniait les banalités avec compétence, le sourire engageant, les compliments rapides.

Que lui trouvait-elle d'antipathique? Elle essayait de s'imaginer dans ses bras. Pourrait-elle chercher sa langue avec la sienne? Non, jamais. Elle pourrait se laisser caresser, elle pourrait poser les mains sur lui, elle répugnerait à lui lécher la peau. Il avait l'air trop sûr de lui, trop sûr de sa victoire. Louise se cherchait une victime, elle ne tenait pas à l'être.

Il aurait été trop facile de se lever et de lui dire qu'il ne l'intéressait pas. L'homme aurait été froissé, puis se serait essayé avec une autre. Quand il commença à pousser les compliments jusqu'aux propositions, elle les accueillit avec un regard voluptueux. Un plan se dessinait dans sa tête. Elle saupoudra leur conversation d'insinuations érotiques. Elle voulait qu'il soit très excité, qu'il se prépare à des étreintes superbes. Comme il se vantait de ses succès, elle suggéra que ça devait être frustrant, pour un homme, quand une femme l'envoyait paître. L'air suffisant, il affirma que ça ne lui était jamais arrivé. Louise le regarda, intensément, et éteignit sa cigarette d'un geste sec: «On va chez toi, tu es trop tentant.» Une fois dehors, elle l'attira dans l'entrée d'une boutique et l'embrassa de tout son corps. Elle glissa la main entre eux, lui manipula le sexe et le complimenta, pleine d'admiration. Il avait hâte de lui montrer comment il savait s'en servir. Elle refusa de monter dans sa voiture, elle ne voulait pas laisser la sienne au centre-ville, mais elle le rejoindrait tout de suite dans son appartement, rue Milton. Il n'avait qu'à préparer un gin tonic, et le lit.

Louise ne s'y rendit pas. Elle n'en avait d'ailleurs jamais eu l'intention. Chemin d'Ottawa, elle souriait méchamment en l'imaginant seul, désemparé, bafoué. Il devait rugir, aussi humilié que déçu. Le seul regret de Louise, c'était de ne pouvoir le voir.

Aujourd'hui, dans ce bar déjà familier, elle se rappelle ces débuts de sa vie de chasseresse. Le jour du mariage de Daniel, les événements s'étaient enchaînés comme une partie d'échecs. Elle avait plongé et s'était débrouillée. Le bilan contenait autant de points négatifs que positifs. À son crédit, sa facilité à séduire, à mener le jeu, à s'imposer. À son débit, la jouissance finale d'Étienne et son impossibilité de savourer la défaite de l'homme à qui elle avait posé un lapin. Tout compte fait, ces deux aventures insatisfaisantes lui montraient qu'une victoire était possible. Elle décida de continuer.

Étienne l'avait appelée à plusieurs reprises. Jasmine lui avait fourni le numéro, inconsciemment, ou bien il l'avait copié du calepin d'adresses de sa sœur sans en demander la permission. Son insolence avait disparu sous les gifles et l'espoir d'autres plaisirs. Pitoyable, il lui faisait des déclarations d'amour, menaçait de se suicider, lui reprochait son manque de cœur. Louise hésitait à le pousser à bout, par égard pour Jasmine. Finalement, excédée par ses appels, elle lui dit : «Arrête de faire l'idiot. Des petites bites comme la tienne, on les ramasse quand on veut. Je couche avec des hommes, pas avec des bébés. Une fois, c'était amusant, j'ai trouvé cela drôle. Une deuxième fois, je bâillerais d'ennui.» C'était cruel, vulgaire, bien lancé. Il n'avait pas rappelé.

Louise avait commencé à fréquenter des bars. Elle s'y rendait plusieurs fois par semaine et faisait ou ne faisait pas de rencontre. Cela lui était presque égal. Elle allait à la chasse: on préfère rentrer avec la dépouille d'une bête, mais les heures d'affût sont déjà grisantes et justifient la sortie. Elle draguait le plus souvent à Ottawa et à Hull. Le samedi, elle descendait à Montréal, voyait un film ou deux, dînait, et finissait la soirée dans une boîte ou chez un homme.

Elle ne craignait pas d'attraper une maladie. Si c'était le prix à payer, elle le paierait. Elle avait toujours des prophylactiques sur elle. Parfois, quand l'instinct l'y poussait, elle demandait à son partenaire de l'utiliser, en prétendant qu'elle n'était pas *protégée*. Ils y consentaient toujours, avec ou sans réticence.

Ses relations avec ses amants d'occasion ne survivaient pas à la rencontre unique. Louise se montrait froide, sensuelle, et aussi franche que possible. On ne s'attendrit pas sur son gibier. Quand certains lui demandaient «si elle avait aimé ça», elle répondait: «Six sur dix», ou: «On ne va quand même pas en faire un plat», ou: «Je ne crois pas avoir perdu mon temps», ou: «J'ai eu ce que je voulais.» Elle refusait tout rendez-vous ultérieur. Elle cherchait une victime, pas une liaison. Il lui fallait, en une heure ou deux, évaluer les possibilités d'un viol. Les hommes qui lui semblaient trop sympathiques, elle les écartait d'emblée. Celui qu'elle traquait de bar en bar devait être moche, sûr de lui, agressif, macho, lui-même un violeur en puissance. Elle devait trouver ensuite moyen de lui faire l'amour de façon à ce qu'il se sente méprisé, humilié, rabaissé.

Il lui arrivait de tomber sur le bon gibier. Les hommes sont facilement déplaisants quand ils abordent une femme avec des compliments, des minauderies, des insinuations, l'hypocrisie obséquieuse sous laquelle ils dissi-

mulent leur certitude d'une partie gagnée d'avance.
Louise se glissait dans leurs manœuvres, prenait les fils
en main, leur faisait sentir que c'était elle qui les choisissait, et pour ses fins à elle. Mais quand elle les accompagnait, car elle n'invitait jamais personne chez elle, elle
découvrait vite qu'elle manquait de moyens. Elle cherchait encore la bonne occasion, le défaut de la cuirasse,
pour constater assez vite qu'elle n'était plus qu'une
femme avec un homme, dans une chambre, prise dans
l'engrenage des caresses.

Daniel avait bien raison, il n'est pas facile de violer un
homme. Louise ne perdait pas espoir. En moins d'un
mois, elle s'était sentie proche du but à deux reprises. La
première fois, ça s'était passé à Montréal. Quand elle y
pense, elle trouve l'histoire encore excitante et amu-
sante. Elle avait abordé un buveur esseulé. Après une
heure d'agréable bavardage, il lui avoua candidement
qu'il avait attrapé une blennoragie. Il était encore sous
médicaments, mais il serait ravi de la revoir dans quinze
jours. Trouvant l'endroit peu prometteur, elle changea de
bar. Installée au comptoir, elle inspectait les mâles. La
plupart ne supportaient pas son regard examinateur. Elle
se sentait sûre d'elle-même, exigeante. Un homme lui dit
quelques banalités. Elle répondit qu'elle n'avait pas envie
de parler. L'homme, surpris, alla chercher fortune ailleurs. Un autre lui fit signe. Elle secoua la tête. Il s'approcha. Elle répéta, doucement, qu'elle n'avait pas le goût de
bavarder. «Moi non plus, dit-il. Je rêve d'un monde où les
gens passeraient comme des ombres, se rencontreraient
sans parler, s'accoupleraient en silence et se quitteraient
sans un mot.» Louise aima cette image. Mais comment
feraient les gens pour savoir si les autres veulent s'ac-
coupler ou non avec eux? Il suggéra qu'on jouerait cela à
pile ou face. Elle trouva que ce ne serait pas une solution:
ferait-on l'amour quand on aurait gagné ou quand on
aurait perdu? L'autre avoua que ça devenait trop compli-

qué pour ses méninges. Il avait bu toute la soirée et avait du mal à se tenir debout.

Dans son état, il serait facile à conduire à l'abattoir. Il s'appelait Marc, il habitait à Québec et s'était rendu à Montréal pour affaires. Quand il lui proposa de lui montrer les petits cadeaux qu'il avait achetés pour sa femme dans un sex-shop, Louise accepta en souriant : c'était un monde dont elle ignorait tout. Comme il était assommé par l'alcool, Louise jugea prudent de prendre sa voiture. Son hôtel se trouvait à deux pas, mais il trouva moyen de s'endormir dans son siège. Louise se demandait comment tout cela allait tourner. Un homme à moitié ivre n'est pas en état de se défendre, mais peut-on abuser de lui? Qu'il fût sympathique ne le mettait pas à l'abri : elle aurait préféré que sa victime soit une personne déplaisante, mais les hommes qui violent une femme ne s'imposent pas de telles restrictions. La question n'était pas là. Dans l'hôtel, il serait sans doute impuissant. Comment le violer, alors? Tans pis : elle le frapperait, le ferait ramper, elle trouverait bien moyen de l'humilier, de lui faire payer ce qu'elle avait subi.

Ils étaient arrivés. Marc ouvrit l'œil. Confus, il sortit de la voiture, en titubant. Elle lui proposa de le réveiller. Il accepta. Il ne s'attendait pas à une telle paire de gifles! Décontenancé, il se mit à rire, en la félicitant de l'efficacité de ses méthodes. «Je peux t'en faire voir de toutes les couleurs. As-tu peur?» Il dit que non, elle avait trop bon visage. En entrant dans sa chambre, il semblait avoir recouvré ses esprits. Louise songea qu'elle avait peut-être eu tort de le ranimer, mais elle avait eu tellement de plaisir à le malmener! Elle se sentait violente, la guerrière, le meneuse du jeu. Surtout, garder l'initiative. «Alors, tes cadeaux? Amène!» Elle s'assit dans le fauteuil et alluma une cigarette. Il lui passa quelques revues pornographiques. Les illustrations sado-masochistes la fascinaient. C'était la première fois qu'elle en voyait autant. Les victimes n'étaient pas toujours des femmes : elle trouva des hommes enchaînés, agenouillés, implorants devant des dompteuses vêtues de lanières. Marc apporta une poignée de lingerie érotique, des tuniques en dentelle noire, des slips fendus, des soutiens-gorge troués. Louise avait bien envie de les essayer. Jamais elle ne s'achèterait de telles choses, ce serait amusant de profiter de l'occasion. Mais pourquoi faut-il que ce soit toujours la femme qui se rende excitante, pour ceux que ces vêtements excitent? Qu'est-ce qu'il s'était acheté, pour se rendre appétissant? Comme preuve qu'il avait pensé à sa femme, il tira une boîte de son sac à surprises. Il y avait là un assortiment complet de vibrateurs, de surface et de pénétration, des longs, des courts, des minces, des gros, un pénis artificiel et un vagin en caoutchouc.

Louise examinait les instruments, le cœur battant. Enfin, une idée! Marc pâlit, subitement. Ses yeux roulèrent dans leur orbite. Il s'assit sur le lit. «Oh, ma tête! ça t'irait, si on dormait une heure ou deux? Je me sentirai mieux, après.» Sans attendre de réponse, il se laissa tomber, terrassé. Les yeux brillants, Louise retira sa jupe et prit le pénis en caoutchouc dur. Heureusement, le dessin sur la boîte montrait comment assembler les courroies. Elle se retint de pouffer de rire en se contemplant dans le miroir. Ce sexe mâle, qui jaillissait de son bas-ventre... C'était cocasse, mais il fallait aller de l'avant. Un des paquets avait été ficelé et la corde semblait solide. Elle attacha ensemble les poignets de Marc et accrocha l'autre extrémité au pied du lit. Elle tremblait d'émotion. Elle lui ôta le pantalon, puis le caleçon, et lui tira les jambes pour qu'il soit plié contre le matelas. Marc bafouilla quelque chose. «Toi, ne bouge pas!» ordonna-t-elle. Elle le regarda, radieuse. Elle gagnait, elle gagnait! C'est donc à cela que ressemble une femme quand elle présente sa croupe à un homme? C'était excitant mais étrange, incongru.

Surtout, faire vite, quand il était encore assoupi. Elle s'agenouilla. Ne pas hésiter. C'était une occasion unique : un homme, ligoté, à sa merci... Quand un homme viole une femme, il ne se demande pas si elle est prête à le recevoir. Louise empoigna le pénis artificiel et commença à l'enfoncer. Marc cria. «Tais-toi ou ce sera pire!», dit-elle, sèchement. Elle ne réussissait pas à pénétrer en lui. Craignait-elle de lui faire mal ou était-il trop crispé? Il mentionna qu'elle trouverait de la vaseline dans la salle de bains. Louise se rappela une scène dans un film de Bergman : un homme essaie de violer une femme, mais elle est tellement tendue qu'il ne parvient pas à s'y introduire. Elle suivit le conseil de Marc et lubrifia abondamment le pénis, qui n'était pas un instrument de plaisir mais une arme. Elle réussit cette fois à se glisser en lui. Son cœur frémissait à en éclater, c'était enivrant! Mais ce n'était pas ce qu'elle voulait, il lui fallait transformer ce plaisir en vengeance. Elle commença à faire les mouvements des mâles. *«Ça, c'est pour toutes les fois qu'on a abusé des femmes. Ça, c'est pour chaque viol, et chaque blague sur les viols. Ça, c'est pour te montrer ce que c'est de recevoir quelqu'un malgré soi, contre sa volonté. Ça, c'est pour faire payer chaque violence, tous les mépris, toutes les humiliations. Chacun son tour d'être la victime! Tiens, tiens et tiens!»* À chaque poussée, elle éprouvait un plaisir électrique dans le bas-ventre. Ses mains se crispaient sur les reins de Marc. Quelle jouissance délicieuse! Continuer, continuer... Elle avait souhaité dissocier le plaisir de ce viol, mais les hommes qui forcent une femme ne s'interdisent pas d'en jouir. Satisfaite, elle se retira brusquement de lui et se leva, chavirante. C'était fini, elle avait gagné!

Non, pas tout à fait. Marc lui sourit, tourné sur le côté, les poignets dégagés : «C'était merveilleux! Je n'ai jamais bandé aussi fort. Ça été la plus belle éjaculation de ma vie! Mais tu ne sais pas faire des nœuds. La prochaine fois, tu utiliseras cela.» Il alla chercher un autre sac de sa valise et en tira une paire de menottes. Il lui confia qu'il avait toujours eu envie d'essayer cela, mais ne supportait pas l'idée de se faire toucher par un homme. Avec une femme, c'était grisant. Elle avait quand même un vocabulaire plutôt étrange. Louise, démontée, reconnut que ça lui avait fait plaisir à elle aussi, et qu'elle avait parlé comme ça pour se stimuler. Elle voulut conserver les menottes, comme souvenir, et il les lui offrit avec joie.

De retour à Ottawa, elle décida que tout était à recommencer. Comme Étienne, Marc ne s'était nullement senti violé. Elle n'avait réussi qu'à lui procurer le plaisir d'une variation qu'il souhaitait connaître. Son projet de revanche s'avérait plus compliqué que prévu. Non seulement il était difficile de trouver le bon gibier, mais certains hommes avaient des réactions fort inattendues.

Il y avait autre chose. Quand on l'avait attaquée, elle s'était sentie terrorisée. C'était peut-être l'élément manquant. Elle devait trouver moyen de faire peur à sa victime, de jouer au chat et à la souris comme on avait fait avec elle. Dix jours plus tard, une autre occasion s'était présentée. Elle n'avait pas rencontré Malcolm dans un bar mais au parc Strathcona, devant la rivière Rideau, un après-midi d'avril singulièrement ensoleillé. Un homme s'arrêta et la contempla fixement. Cinquante ans, en complet, l'air élégant, il dégageait un charme rassurant. Elle se caressa la cuisse, en continuant à lire, puis le dévisagea, impassible. Il ne broncha pas. Jusqu'où irait-il, si elle le provoquait? Il prit les devants: «J'ai un jardin privé, chez moi. Solarium, avec piscine chauffée. Vous pourriez prendre un bain de soleil confortable, et complet.» On ne pouvait pas être plus direct. Elle lui demanda tranquillement s'il avait l'habitude d'inviter des inconnues à se déshabiller devant lui. «De temps en temps. Il ne m'arrive toutefois pas souvent de rencontrer une femme aussi belle que vous, et qui s'offre aussi *naturellement*.»

Louise ne se cabra pas. Maintenant la curiosité faisait place à l'instinct de la chasse. La partie serait facile, puisque son gibier la prenait pour sa proie. Ce serait aussi l'occasion d'essayer le nouveau jouet qu'elle s'était procuré.

Il fallait dresser le piège sans tarder, continuer à lui faire croire qu'elle était la victime et le frapper alors au dépourvu. Elle lui demanda carrément ce qu'il attendait d'elle. Sa réponse la prit de court: «Te regarder, c'est déjà beaucoup. Ensuite, on verra. À mon âge, on aime encore prendre, mais on tient surtout à donner.» Il parlait lentement, sur un ton monocorde, comme s'il laissait aux mots le soin de porter ses sentiments. Dans la voiture de Malcolm, Louise réfléchit au prochain pas. À quel moment attaquerait-elle? Ils arrivèrent chez lui, une maison remarquable, à Rockliffe. Décidément, il ne manquait pas de moyens. Elle avait songé à faire son geste dans le salon, mais hésita: s'il y avait des domestiques? De toute façon, elle pouvait attendre. Une fois déshabillé, il serait plus vulnérable. Il la conduisit dans un surperbe solarium tropical, bien à l'abri de voisins indiscrets, et lui offrit un verre. Quand il l'apporta, elle commença à ouvrir son sac, puis se ravisa: pourquoi ne pas en profiter? Le plaisir de la chasse se savoure lentement. Elle se résigna à ôter ses lunettes et sauta dans la piscine. Elle se sentait radieuse, fraîche, toute neuve. C'était la première fois de sa vie qu'elle nageait nue. Malcolm l'admirait, sans vouloir l'accompagner. Rassasiée, elle sortit de l'eau, s'épongea, s'étendit au soleil, sur la serviette. Il la contemplait toujours, doucement. Quel personnage étrange! Ça ne l'excitait pas, une femme toute nue? «Bien sûr. Lentement, comme la bonne musique.» N'était-il jamais pressé? «Jamais. Je savoure la vie de l'intérieur. Je laisse la marée monter, je ne fonce pas dans les vagues. Tu es une belle marée.» Elle mentionna que la maison semblait bien grande pour un homme seul. «La bonne vient une fois par semaine. Le jardinier aussi. Je vis avec une femme. C'est une bohème, elle passe l'été en Europe. Elle a vingt-deux ans, elle doit vivre ses expériences.» N'avait-il pas peur qu'elle ne revienne pas? «J'en serais désolé, mais je comprendrais, et je trouverais quelqu'un d'autre. As-tu envie de vivre ici, quelque temps?»

Louise n'en revenait pas. De quel monde sortait cet homme trop tranquille, trop bien dans sa peau? Comment trouverait-elle le défaut dans cette cuirasse de calme et d'acceptation? Est-ce qu'il lui arrivait de vouloir quelque chose fortement? «Oui: toi. Veux-tu venir?» Enfin! Sans se rhabiller, son sac à la main, elle le suivit dans la maison. C'était le bon moment, quand il ne s'attendait nullement à être attaqué. Louise ouvrit son sac et sortit un pistolet. «Là, annonça-t-elle, durement, on a fini de jouer.» Malcolm la regarda, surpris. Il leva légèrement les bras. «Descends tes culottes, commanda-t-elle. Je veux te voir à poil, moi aussi.» Il s'approcha, les yeux sur le pistolet, nullement effrayé, juste étonné. «Viens», dit-il. Louise le suivit dans un deuxième salon. Deux douzaines de revolvers de différents modèles couvraient le mur. «Je les collectionne. Je ne connais pas ton truc, mais ça m'a l'air d'un jouet. Laisse voir.» Elle lui abandonna le pistolet, subjuguée par sa tranquille autorité. Elle expliqua que ça tirait des balles de caoutchouc. «Quelle drôle d'idée! Qu'est-ce que tu pensais faire avec ça? Me voler? Je te donne ce que tu veux, ça m'est égal. Me tuer? Pas avec ça! Et on n'a pas besoin de menacer un homme pour qu'il enlève ses pantalons. Non, je ne te comprends pas. Tu viens quand même, étrange fille?»

Le cœur vidé, Louise l'accompagna. Il n'attachait visiblement plus d'importance à l'épisode. La vie glissait sur lui sans le pénétrer. Elle crut bon d'inventer qu'elle portait ce pistolet en cas de mauvaise rencontre et qu'elle avait cru que ce serait stimulant, un peu d'action, le voir réagir devant l'imprévu. Elle était encore déboussolée par la tournure des événements, mais sa déception se dissipa vite sous les caresses. Aujourd'hui, dans ce bar où elle attend encore sa proie, Louise sourit en évoquant cet amant silencieux, patient dans la volupté, qui ne pensait qu'à lui offrir tout le bonheur d'une rencontre fortuite.

Finirait-elle par le trouver, son gibier, ou se résignerait-elle à sa défaite? Jamais! Elle a pu s'avérer une chasseresse incompétente, mais elle n'abandonnera pas. Chaque rencontre lui a appris quelque chose. Le plus difficile à admettre, c'est qu'elle s'est peut-être trompée. Étienne, Marc, Malcolm n'ont rien compris, ils ont même apprécié leur rencontre avec elle. Aurait-elle fait du viol une idée fixe, en passant à côté de la question et en s'embourbant davantage dans le piège où elle était tombée le 18 juin? Elle se rappelle une histoire: un homme veut se venger de sa femme, qui a couché avec son meilleur ami. Il songe à séduire la femme de son meilleur ami. Mais ce serait une erreur: il ne doit pas punir son meilleur ami, mais sa femme. Sa revanche, ce sera de coucher avec la meilleure amie de sa femme.

Se venge-t-on d'un viol par un autre viol? Et si l'équivalence était ailleurs? Ce qui l'a traumatisée, c'était de se sentir traquée, c'était la brutalité, la peur, l'humiliation. Tôt ou tard, elle réussira. Ce soir peut-être. Elle se sent alerte, prête au combat. Mais combien de fois ne s'est-elle pas dit ces mots: *Ce soir, ce soir...?*

8

Deux hommes regardent Louise avec insistance. Ils parlent sans doute d'elle, comme font parfois les hommes quand une femme particulièrement belle se trouve à proximité. Louise les a remarqués en entrant dans le bar, une demi-heure plus tôt. Elle les dévisage: ils ont peut-être trente-cinq ans, sans traits caractéristiques, rien qui attire l'attention. L'un, qui porte moustache, semble plus alerte, plus énergique que son compagnon, un blond aux yeux pâles, à peine animés d'une légère ironie. Quand le regard de Louise croise celui du moustachu, les deux hommes se lèvent et s'approchent de la jeune femme. Elle répond poliment à leur bonjour, mais ne se montre nullement invitante, comme si on l'arrachait à des pensées plus agréables que ce qu'on pourrait lui proposer. Après deux ou trois phrases gentilles, le moustachu lui demande si elle voudrait se joindre à eux.

— Non, répond-elle, simplement, avec un regard indéchiffrable.

Comme elle aime voir le changement brutal dans l'expression d'un homme dont on refuse les avances! Le

181

moustachu rougit, ses lèvres se crispent, ses doigts se raidissent sur le haut de la chaise. Son compagnon reste calme.

— Je comprends, dit le moustachu. Vous attendez quelqu'un.

— Non, pas du tout, proteste Louise, comme devant une supposition saugrenue. Tout simplement, je n'ai pas envie de changer de table. Merci quand même.

Le blond prend son ami par le bras:

— Laisse faire, Pierre. Mademoiselle, excusez-nous si on vous a importunée. Vous êtes vraiment très belle: une princesse. C'est moi qui ai voulu m'approcher, mais surtout pas pour vous déranger. Passez une bonne soirée, et ne nous en voulez pas.

Louise continue à les regarder, imperturbable. Le blond lui est sympathique; l'autre, indifférent, mais pas désagréable. Sont-ils du gibier en puissance? Pourrait-elle se débarrasser de l'un pour s'attaquer à l'autre?

— Il y a une chose qui n'est pas claire... marmonne le moustachu, pensif.

Louise ouvre grand les yeux, en feignant la surprise. Tombera-t-il dans le piège?

— Je ne veux pas insister, continue Pierre, mais puisque vous n'avez pas envie de changer de table, est-ce qu'on peut partager la vôtre?

— Avec plaisir, dit-elle, comme si elle n'attendait que cela.

Le blond s'assoit, déconcerté par le revirement de la situation, et fait signe au garçon de renouveler les consommations. Pierre sourit, victorieux, sans se rendre compte que, s'il a joué une bonne carte, c'est que Louise la lui a tendue.

— Je m'appelle Pierre.

— Je le savais.

Il sursaute. Décidément, cette femme réagit vite.

— Mon ami, c'est Dominique. Et vous?

Louise tire lentement sur sa cigarette, puis laisse la fumée rejaillir du bout de ses lèvres. Elle a envie de compliquer les choses, de rendre la partie difficile.

— C'est étrange, vous ne trouvez pas? Quand des gens se rencontrent, ils passent tout de suite à la fiche signalétique. Nom, prénom, lieu de naissance, écoles fréquentées, âge, profession, groupe sanguin et organisations dont vous êtes membre.

— D'une certaine façon, tu as raison, reconnaît Pierre, en passant au tutoiement. Mais le but, c'est de se connaître. Savoir d'où on vient, c'est intéressant.

— Moi, dit Louise, catégorique, ça ne m'intéresse pas.

— On vient peut-être du même coin, je ne sais pas, on peut avoir des amis communs...

— Et alors? La grande affaire!

Dominique semble s'amuser. Cette fille lui plaît. Pierre ne lâche pas prise:

— On commence par des choses banales, c'est vrai. Ensuite, on défriche, et on trouve des sujets plus personnels.

Elle hausse les épaules, perplexe:

— Pourquoi cette comédie? Pourquoi s'embarrasser de détails? Allons droit au but!

— Je ne vais tout de même pas te demander... je ne sais pas... quelle est la couleur de ton slip.

— Bleu, répond-elle, sans sourciller.

Elle a bien aimé cet échange. Pierre semble un adversaire possible. Dominique se décide à intervenir:

— Vous faites des histoires pour rien. Il est beaucoup plus simple de dire: Je m'appelle Machin Chouette. Comme ça, quand on pense à quelqu'un, on ne se dit pas: Celui qui se grattait le nez, ou qui avait les sourcils épais, ou une verrue sur le front. Moi, j'aimerais savoir quel nom te donner dans ma tête.

— Princesse, dit-elle.

Après tout, c'est lui qui l'a appelée ainsi. Il sourit:

— Princesse, ça te va bien. Supposons qu'on ne se demande pas nos cartes d'identité ni quels films on aime, ou quelle musique. Qu'est-ce qui reste? Le regard! Oui: si on se regarde vraiment, longtemps, profondément, on peut se découvrir, s'explorer suffisamment pour décider d'aller plus loin ou non.

— Où ça, plus loin? demande Louise.

— Le plus loin possible. Tu fais un geste, je fais un geste, et on continue.

— Moi, dit Pierre, je ne suis pas du genre silencieux. C'est en parlant qu'on s'entend ou qu'on ne s'entend pas. Et puis, y aller à brûle-pourpoint, c'est comme ouvrir la radio au maximum, d'un coup sec, sans prendre le temps de s'habituer au son.

Louise réfléchit. Pourquoi choisir entre les deux? Jusqu'à présent, dans ses semaines de chasse, elle a vécu des expériences intéressantes et souvent agréables sans avoir atteint son but. Jamais de sa vie elle n'a couché avec deux hommes. Si elle gagne, ça doublerait le plaisir de la victoire. Deux hommes l'ont attaquée, elle se serait vengée sur deux hommes. Si elle rate son coup, elle aura peut-être connu une belle aventure charnelle.

— Je m'appelle Princesse, je suis née à Saint-Inconnu en mil neuf cent cinquante, donnons un chiffre rond, et je suis... je suis réceptionniste dans... dans un hôtel, ou plutôt un motel, oui, près de Montréal, un motel où il se passe des choses bizarres.

Elle sourit, satisfaite. Soudain, l'expression soucieuse, comme s'il s'agissait d'une chose importante dont elle doit s'assurer:

— On continue à jouer? demande-t-elle.

— Oui, décide Pierre. Moi, je viens de la planète Mars. Je suis tombé dans ce bar et j'ai vu une femme remarquable. Une princesse. Je me demande ce qu'on peut vivre avec une fille de la Terre.

— Quant à moi, je suis photographe et je te trouve très belle.

Louise le trouve, de son côté, étrangement attendrissant, sans trop savoir pourquoi. Tant mieux, se dit-elle, la partie sera plus serrée.

— Nous travaillons en tandem, explique Pierre. Pour donner libre cours à ma curiosité de Martien, je me suis déguisé en journaliste. Je parle de chats coincés sur des branches, histoire douloureuse entre toutes, et Dominique prend les photos. Tout à l'heure, on parlait de toi et il me racontait comment il aimerait te photographier.

— À poil, je suppose, dit-elle, amusée.

— Bien sûr, confirme Dominique. Les nus, c'est ce qu'il y a de plus beau. Il est bon, parfois, d'ajouter un ruban, une fleur, un fruit. On fait alors des relations géométriques, émotives et chromatiques entre le corps et les objets.

Il la dévisage, fixement. Louise soutient son regard. La conversation tourne bien, elle trouvera bientôt moyen de jeter l'hameçon, ou même le filet.

— Toi, je ferais une série avec des vases. Différentes pièces de poterie, de toutes les formes, pour aller avec tes postures. Beaucoup de gros plans, pour mettre en valeur les lignes, les courbes. Tu as aussi un visage magnifique. Avec et sans lunettes. Oui, je peux imaginer ton visage nu, et il est ravissant.

— Je n'enlève jamais mes lunettes.

— Eh bien, tu les garderas. Avec une lentille, il n'y aura pas de reflet. J'en prendrai aussi sans filtre. Des fois, ça donne des effets intéressants.

— Le gros problème, c'est que je n'aime pas être photographiée.

Elle attend. Comment réagira-t-il? Il sourit:

— Ça arrive. J'ai la tête pleine de photos que je n'ai jamais prises.

Il allume une cigarette. Pierre mentionne que Dominique a des photos superbes de l'Afrique, où il enseignait la photographie dans une école de journalisme, mais qu'il rêve encore aux autres, que la peur de gêner les gens l'a retenu de prendre.

— Maintenant, enchaîne-t-il, passons à ce que tu aimes. Qu'est-ce qui te plaît, dans ton motel où il se passe des choses étranges?

Elle n'hésite pas:

— Les gens qui vont faire l'amour.

— C'est à ça que tu penses, quand tu es à la réception?

— Toujours. Je prends leurs noms, vrais ou faux, je les regarde, j'étudie leurs visages, leur façon de marcher, et j'imagine. C'est amusant de voir un couple et de rêver aux gestes qu'ils peuvent faire dans leur chambre.

Elle donne quelques exemples crus, pour montrer qu'elle n'est pas bégueule. De son côté, Pierre hésite, elle le sent. Osera-t-il? N'osera-t-il pas? Il ose, mais à moitié:

— Est-ce que tu t'imagines dans la peau de la femme ou comme spectatrice?

La balle est dans son camp. Comment la relancer de façon à ce qu'il l'attrape?

— J'aime bien participer quand l'homnme semble avoir un peu d'imagination. Autrement, autant rester spectatrice, on peut au moins rêver à mieux. Avec le temps, on devient blasée. L'amour doit être excitant. Bouleversant.

Dominique fait la moue, sceptique:

— C'est *toujours* bouleversant, quand on aime. Ça n'a rien à voir avec la gymnastique des positions ou la variété des caresses.

Il la regarde maintenant avec une certaine déception, comme si elle était devenue moins attirante. Louise devine qu'il est plus sensible et intelligent que son camarade, mais elle en viendra aussi à bout.

— Ne t'en fais pas, dit Pierre, mon copain est un tendre. Je crois qu'on pourra se comprendre, nous deux. J'aimerais bien ça, te *bouleverser*. Quel serait ton scénario?

Elle les dévisage, l'un et l'autre. Avec un peu de chance, elle arrivera quelque part.

— Ça dépend. Il y a toutes sortes de jeux sexuels. À deux ou à trois?

— Ne vous occupez pas de moi, prévient Dominique. Je ne suis pas *joueur*, je n'ai pas ce talent.

Louise réfléchit. Pierre lui semble vulnérable. Elle a les menottes et le pistolet dans son sac à main. Il se laisserait immobiliser, il serait facilement à sa merci. Dominique est visiblement plus coriace. Mais pourquoi ne pas essayer?

— Je préfère à trois, décide-t-elle. Oui: trois, ou rien.

Pierre se tourne vers son compagnon:

— Un petit effort, Dominique. Ne nous casse pas la veillée. Ça te fera du bien, connaître quelque chose de nouveau.

— C'est à prendre ou à laisser, dit Louise. Moi, je pars dans dix minutes: j'ai horreur des bars. La musique est trop bruyante, je ne m'y éternise pas.

Elle allume une cigarette et boit une gorgée, dans la plus parfaite indifférence. Résigné, Dominique l'invite à proposer quelque chose. Il est temps de plonger. Louise baisse la voix, comme s'ils complotaient:

— J'aime bien jouer avec le feu. Vous êtes deux et je suis seule. J'aimerais un peu de domination, juste assez, sans tomber dans le sado-masochisme. Gentiment, sans se faire mal, sans la moindre éraflure. Tout doit être psychologique, dans les formes. Que ce soit excitant, comme dans un jeu. D'abord, vous devrez rester immobiles. Tiens, je vous attacherai les mains. Là, je vous caresserai doucement, lentement, jusqu'à vous faire connaître le plaisir le plus exquis. Ensuite, ce sera mon tour. Vous m'attacherez sur le lit. Vous aurez tout mon corps à votre disposition, sans restriction. Tout ce qui vous plaira, l'un après l'autre ou ensemble. Je peux jouir beaucoup, quand c'est bon. Alors, est-ce que ça vous tente?

Pierre se passe la langue entre les lèvres, troublé. Cette étrange femme a réveillé des fantômes secrets. Comment laisser filer une telle occasion? Louise lui prend la main et la caresse délicatement, du bout des doigts.

— D'abord, mes rêves. Ensuite, tous les tiens.

— Allons-y tout de suite, murmure-t-il.

Louise a du mal à contenir ses frissons. Si tout pouvait se dérouler comme elle veut...

— Moi, je ne marche pas, déclare Dominique. Tu me plais beaucoup, Princesse, mais ces jeux ne m'intéressent pas. Finissez donc la soirée ensemble. Ce sera beaucoup plus agréable pour vous deux.

Louise se sent comme un joueur à l'instant critique du quitte ou double. Si elle se contentait de Pierre, elle aurait l'impression d'un échec. Un gibier trop facile, une victime consentante, ça mine la joie de la chasse.

— Non! Maintenant, mon rêve c'est vous deux. Je vous ai rencontrés ensemble, vous me plaisez ensemble, et ce sera tous les trois ou rien.

Dominique secoue la tête :

— Je n'ai pas du tout envie de me faire attacher, et ça ne m'amuserait pas non plus de faire l'amour avec une femme prisonnière.

— Mais c'est pour jouer! s'écrie Pierre. Ce serait une expérience superbe! Essaie au moins. Tu y prendras peut-être goût.

Louise saisit la main de Dominique et lui caresse les doigts, et entre les doigts, et la paume. Il frémit, c'est bon signe.

— Tu me tentes, roucoule-t-elle, mielleuse. Tout ton corps, comme un piano... Te faire vibrer avec ma langue, avec mes doigts. Te faire éclater de plaisir. Ensuite, sentir tes mains sur moi, m'abandonner à tes désirs, à tes caprices. Mais je n'insiste pas. Si ça ne te dit rien, on laisse tomber, c'est tout.

— Ne fais pas le difficile, Dominique! Tiens, si tu n'aimes pas, on arrêtera dès que tu le diras. N'est-ce pas, Princesse?

Dominique se sent fléchir. Peut-il vraiment priver son ami d'une occasion pareille? Et cette fille lui plaît vraiment, en dépit de son étrange caprice.

— Je veux bien vous accompagner, et voir.

S'il donne le doigt, on peut lui prendre la main, et le bras. Louise saute sur la brèche:

— Ce n'est pas assez! Un spectateur, ça ne ferait pas sérieux, ça ruinerait toute l'atmosphère. Tu me laisseras te dominer au moins un peu. Je t'attacherai, comme Pierre, mais on commencera lentement. Si tu trouves cela déplaisant, je n'insisterai pas. Mais je suis sûre que tu en demanderas encore.

— D'accord... Ce qu'on ne ferait pas, pour faire plaisir aux gens!

Chaleureuse, elle lui garantit une expérience inoubliable. Ils sortent. Louise marche en tenant ses compagnons par la taille, comme pour les empêcher de s'échapper: ils sont à elle, elle les a pris au piège.

— Je crois que je serai heureuse, ce soir. Heureuse! Vous êtes un cadeau du destin.

Comme Pierre conduit, elle s'assoit à l'arrière avec Dominique. Elle n'est pas encore sûre de lui, mais elle connaît sa faiblesse: la tendresse, le goût de faire plaisir. Elle lui caresse la cuisse.

— C'est gentil à toi d'avoir accepté. Ça me poussera à faire des efforts particuliers pour que tu aimes ça.

Il sourit vaguement, sans répondre. Visiblement, cet aspect de la soirée ne semble pas le passionner.

— Moi aussi, je veux des efforts particuliers! proteste Pierre, en avant.

Louise ne rate pas l'occasion de les tenir en suspens:

— Il y en aura pour les deux. Et ensuite... J'ai hâte de voir ce que vous pourrez inventer pour vous faire plaisir en me faisant plaisir.

Pierre insinue qu'il a bien des choses en tête. Par contre, Dominique rechigne encore:

— Je ne comprends pas pourquoi tu aimes compliquer ces choses. Ça peut être si naturel, l'amour, si simple, et si bon! Tu es une drôle de fille, Princesse.

Elle l'embrasse sur la joue:

— Qui sait? Peut-être qu'après, j'aurai envie d'autres rêves.

Ils s'engagent sur la rue Parent, ils traversent Murray, et Saint-Patrick. Le cœur en émoi, Louise se rappelle ce soir, le 18 juin. L'histoire a débuté dans ce quartier et c'est ici qu'elle y mettra fin. Elle a saigné pendant dix mois, elle a essayé d'oublier, de se résigner, et aujourd'hui elle lavera l'affront à sa dignité en prenant sa revanche. Œil pour œil, dent pour dent. Ne pas se laisser berner par la pitié. Les otages ne sont jamais innocents: ils appartiennent au camp adverse. La foudre frappe sans s'occuper des dégâts. Quand on envoie un criminel en prison, on ne s'attarde pas sur le chagrin de sa femme et de ses enfants. La justice est aveugle, implacable.

Louise respire, profondément, Dominique sourit, indulgent. Il doit penser que la jeune femme songe à ses prochains plaisirs. C'est bien le cas, mais il est loin d'en soupçonner la nature.

Pierre arrête devant une vieille maison en brique, sur la rue Guigues. Son appartement se trouve au deuxième. Quand il ouvre la lumière, Louise pousse un cri d'admiration. L'immense salon ressemble à une cour intérieure, avec toit cathédrale, des plantes à profusion, une chaîne stéréo, de vastes tableaux abstraits sur les murs. Toutes les pièces donnent sur le salon, qui se passe fort bien de fenêtres avec les puits de lumière creusés dans le plafond. Pierre explique que le propriétaire, un excentrique, a arrangé l'étage selon ses goûts, pour y habiter, mais a dû déménager à Toronto pour des raisons de travail. Le loyer est fort raisonnable, sous réserve de ne rien changer au décor.

Pendant que Pierre va préparer un scotch, un gin tonic et une vodka au jus d'orange, Louise se colle contre Dominique dans une étreinte avide, autant pour se donner du courage que pour lui inspirer beaucoup de désir, afin qu'il consente à se laisser attacher. Elle lui réservera les menottes, ce sera plus facile. Quand il l'embrasse, elle lui offre toute sa bouche.

— Je t'aime beaucoup, toi, tu sais, murmure-t-il.

— Assez pour me passer un caprice? Tu vois, quand on fait des rêves, il ne faut pas reculer, autrement ils laissent un mauvais goût. Il faut voguer de rêve en rêve, les accumuler, en faire un bouquet.

— Tout ce que tu veux, Princesse.

— Un jour, ce sera toi et moi, tout seuls. Ce soir, c'est le point de départ.

Dominique lui caresse la joue:

— J'aimerais aller très loin avec toi.

Ils échangent un sourire. Louise doit faire un effort pour ne pas fondre devant la douceur de cet homme. Pierre apporte le plateau avec les verres, un beurrier, des biscuits et des moules fumées. Ils trinquent. Louise se dit qu'il faut faire vite. Plus elle sera rapide, mieux ils se laisseront manœuvrer. Une cigarette, et elle plonge.

— Vous êtes merveilleux, tous les deux! C'est une aubaine, de vous avoir rencontrés. J'ai tout le cœur qui palpite.

Elle prend la main de Dominique et la pose sur son sein. Pierre l'imite. Ils rient en constatant que la poitrine de la jeune femme bat vraiment très fort.

— Et les palpitations vont descendre, descendre... prédit Louise, enjouée.

— Il ne faudrait pas trop attendre, décide Pierre. On commence par ton scénario. À toi de jouer!

Louise se lève et fait tomber ses chaussures. Elle est la chasseresse, la justicière, l'ordonnatrice de sa vengeance. Ces deux hommes sont des substituts de ceux qui l'ont traquée et elle les écrasera avec la force d'un pendule qui retombe. Elle retrousse sa jupe, retire son slip et le lance à Dominique.

— C'est pour te faire patienter. Ça me gêne encore, devant vous deux. Je vais commencer avec Pierre, mais ailleurs. Attends-moi ici, sans bouger.

Elle tend la main à Pierre, qui la conduit dans sa chambre à coucher, vaguement soulagé de n'avoir pas à se déshabiller, dès le début, devant son ami. Louise l'étreint fougueusement, la langue agile, puis lui demande de s'étendre sur le ventre. Après avoir fureté dans le placard, elle lui croise les bras sur le dos et les attache ensemble avec la ceinture d'un peignoir. Elle lui passe ensuite deux ceintures de cuir autour du buste, pour l'immobiliser.

— Ce n'est pas trop inconfortable? Je ne veux pas te faire mal.

— Ça peut aller.

Louise lui retire les souliers, les chaussettes, et lui masse les pieds, machinalement, comme pour gagner du temps. Quelle sera la prochaine étape? Il soupire de plaisir. Elle lui descend le pantalon et le caleçon jusqu'à mi-cuisses et tient ses genoux collés par un double tour de ceinture.

— C'est pour t'empêcher de bouger, murmure-t-elle, langoureuse. Dis-moi que tu es tout à ma disposition.

— Je suis tout à toi.

— Je peux faire de toi ce que je veux? susurre-t-elle.

— Oh, oui!...

Elle fait glisser son doigt dans la jonction des fesses. Pierre frémit. Elle continue, à plusieurs reprises, puis le tourne sur le dos.

— Ça dérange un peu, les bras, sous le poids du corps.

— On va te faire oublier cela...

Elle lui cajole le sexe, qui réagit aussitôt, elle le caresse du bout des doigts, du bout de la langue. Pierre halète, voluptueusement. Il tend les cuisses, avance le ventre.

— Dis-moi si c'est bon.

— Pure jouissance...

— Ce sera encore mieux quand tu auras attendu... Rêve à moi. Essaie de te demander ce que je vais faire de toi pour me faire plaisir.

Louise retourne au salon, où elle s'attend à ce que la partie soit moins facile. Dominique l'accueille avec un sourire presque espiègle.

— Pierre! lance Louise. Est-ce que c'était agréable?

— Délicieux!... crie Pierre, de la chambre. J'en veux davantage!

Louise caresse le visage de Dominique. Elle est absolument séduisante, une superbe princesse aux gestes chatoyants.

— Je n'ai fait que commencer, dit-elle, avec beaucoup de tendresse dans la voix. Pour toi, j'ai quelque chose de spécialement confortable.

Elle sort les menottes de son sac à main. Elle doit faire vite, pour qu'il n'ait pas le temps de se poser trop de questions en découvrant que la soirée ne manquait pas de préméditation.

— Donne-moi tes mains. Devant toi. Tu verras, tu te sentiras très à l'aise.

— Est-ce vraiment nécessaire?

— Oui. Mais tu as le droit de maugréer.

Il secoue la tête, rétif:

— Je n'aime pas!

— Aucun danger: c'est un jouet. Un coup sec, et tu brises la chaîne.

Il tend les poignets, résigné. Elle ferme les menottes, prend la chaîne, et l'invite à se lever. Dominique lui caresse les cheveux pendant qu'elle lui défait le pantalon. Elle serre les dents: surtout, ne pas se laisser attendrir. Quand il est nu à partir de la taille, elle soulève sa jupe et colle son ventre contre le sien. Il faut encore l'apprivoiser, l'amadouer.

— Tu ne m'en veux pas trop?

— Quoi que tu fasses, tu es pardonnée d'avance.

— Alors, couche-toi.

Il s'étend sur le tapis. Louise savoure sa victoire. Il ne lui reste qu'un pas à faire. Pour détourner son attention, elle lui câline le sexe, qui répond facilement. Ensuite, elle lui prend doucement les bras, les ramène derrière sa tête, et accroche les menottes au pied du sofa en se servant de sa ceinture.

— Comme ça, je pourrai te caresser plus à l'aise. Je suis tellement émue que tu me permettes cette fantaisie!

Elle lui lèche encore la cuisse, peut-être plus pour lui être agréable que pour les besoins du scénario. Elle aurait bien voulu de cet homme sensible et indulgent pour amant. Dommage qu'il soit une proie.

— Tu es très beau, tu sais. Tu goûtes bon. Maintenant, je vais chercher Pierre. Mon rêve va commencer.

En se levant, Louise éprouve un vertige exaltant. Elle a gagné! Le jeu est fini, la chasseresse a piégé le gibier, l'heure est venue de se transformer en justicière. Son cœur bat si fort! Elle s'est sentie comme ça en giflant Étienne, en forçant Marc, en braquant son pistolet sur Malcolm. Là, elle a toutes les cartes. Œil pour œil, dent pour dent.

Posément, elle approche du stéréo, cherche parmi les bandes dansantes et choisit un Michael Jackson. Il lui faut une musique entraînante qui peut camoufler des cris éventuels. Satisfaite du volume, elle retourne à la chambre à coucher. Une grande respiration, et elle entre.

Pierre est toujours prêt. Mais, après tout, elle n'a passé que quelques minutes avec Dominique.

— Je t'attendais. Je pensais à tes mains, à ta bouche, à ta langue...

— On va dans le salon, annonce-t-elle, sèchement. Debout!

Elle l'aide à se lever et vérifie ses liens. Par prudence, elle resserre les ceintures de quelques crans, jusqu'à ce qu'il se plaigne, et noue ensemble les extrémités du pantalon.

— Avance!

— C'est difficile, les pieds ensemble.

— Eh bien, tu sauteras!

Louise lui saisit la verge, sans ménagement, et commence à tirer, comme on traîne par le collier un chien récalcitrant.

— Tu me fais mal!

— Je m'en fous, dit-elle, sans arrêter.

Il avance, en sautillant. Elle sourit, un peu amère, en se rappelant une scène semblable dans un de ses vieux rêves: la femme blonde, le garçon ligoté... Comme il a l'air ridicule! Tant mieux: qu'il sache un peu ce que c'est que d'être la victime.

Dominique les voit approcher, bouche bée. Louise fait face à Pierre, lui tient les bras, lève la jambe et la rabat derrière ses genoux. Le soir du 18 juin, c'est ainsi que «le fonctionnaire» l'a fait tomber. Pierre perd l'équilibre. Elle amortit sa chute et le couche sur le dos.

— Là, tu exagères, s'écrie Dominique, en essayant de se libérer les mains.

Louise ouvre son sac à main et sort son pistolet.

— Pas un geste, pas un cri! Ça tire peut-être des balles en caoutchouc, mais c'est assez pour vous crever les yeux, vous défoncer le visage ou vous faire éclater les couilles. Je vous ai dit qu'il n'y aurait pas de blessure, pas d'écorchures, et je tiendrai parole. Si vous collaborez, vous vous en tirerez sans trop de mal. Autrement, il y aura des dégâts. C'est clair?

— Pourquoi? demande Dominique, immensément fatigué.

— Pas un mot! La seule qui peut parler, c'est moi. Je vous garantis qu'il n'y aura pas une goutte de sang. J'aurai d'autres façons de vous faire regretter cette journée. Elle sera inoubliable!

Louise se tourne vers Pierre, blême et silencieux. Il a peur, c'est excellent. Elle se rappelle sa conversation avec Daniel: un homme effrayé ne bande pas. Eh bien, on verra ça!

— Arrête de me tripoter la queue! Tu m'as enlevé tout goût de baiser.

— Répète ça un peu, lance-t-elle, comme un défi. C'est toi qui demandais «des efforts particuliers», non? Tu vas être servi!

— Et moi, je te dis que c'est assez. Je n'ai plus du tout envie de faire l'amour avec toi et je ne veux plus que tu me touches, dit-il, en appuyant sur chaque mot.

Mais il ne peut s'empêcher de garder sa rigidité entre les doigts impitoyablement caressants de la jeune femme.

— Tant mieux, répond Louise. C'est exactement ce que je veux.

Elle a la voix rauque, crispée. Incertaine, elle regarde Dominique, son visage perplexe, attristé, et surtout déçu. Louise sent ses dents claquer. Ce rôle ne lui convient pas, le scénario lui répugne. Mais il ne faut pas céder! Se ressaisir, tout de suite! Elle se tourne vers Pierre.

— Tu me dégoûtes! Ça te faisait papilloter les yeux de penser à ce que tu me ferais, n'est-ce pas? C'est tellement amusant, pour un homme, d'avoir une femme à sa merci! Maintenant, c'est le contraire.

Vite, faire vite, autrement elle perdra courage! Pierre ne peut pas résister, elle pourrait le chevaucher et le violer. Œil pour œil et dent pour dent. Mais elle hésite. Elle serre les doigts et le masturbe violemment, à plusieurs reprises.

— Tu m'écorches! se plaint-il.

— Silence!

Soudain, une idée. Elle l'enfourche et s'empale sur lui. Elle est toute sèche, ça la blesse, mais elle voit à l'expression de Pierre qu'elle lui racle aussi le membre.

Tout à coup, il sourit, comme s'il venait de comprendre.

— Oh, oui! Là, ça devient bon!... dit-il. Mais vas-y doucement, maintenant.

Louise fronce les sourcils. Que se passe-t-il? Bien sûr, Pierre croit le moment venu de goûter enfin à des délices sado-masochistes. Eh bien, elle le détrompera vite:

— Je te dirai une chose, mon ordure. Le type d'herpès que tu es en train d'attraper est inguérissable. Au début, il n'y a aucun signe, on ne peut pas le détecter, mais tu t'en apercevras dans six mois. À la longue, ça rend impuissant.

Il écarquille les yeux, affreusement livide. Louise sourit, sarcastique: ça lui fera bien quelques mois d'angoisse, et peut-être davantage.

— Je me souviendrai toujours de ton visage, murmure-t-il. Tu me le paieras!

— Si tu me regardes davantage, je te crève les yeux!

Elle le sent toujours dur en elle. Elle se relève brusquement: surtout, ne pas lui donner le soulagement
d'une jouissance. Pour lui faire oublier toute idée de
plaisir, elle lui enfonce rageusement les ongles dans la
cuisse. Il crispe les mâchoires, larmoyant, les lèvres
contorsionnées. Mais il n'a pas perdu son érection.

Tout à coup, Louise retire sa main. Elle a l'impression
subite d'y voir clair. Il est inutile de le blesser. La douleur
passe et s'oublie. Ce qu'on ne peut pas s'arracher du
cœur, c'est le souvenir d'avoir été humilié, bafoué dans sa
dignité.

Un bruit! Elle se retourne vers Dominique, et pâlit.

Il s'est levé, il avance vers elle. Comment a-t-il fait?
Évidemment, il a simplement débouclé la ceinture! Au
moins, il a encore ses menottes.

Rapidement, elle saisit le revolver et le tient braqué
sur le visage de Pierre.

— Ne bouge pas! Reste où tu es! crie-t-elle à Dominique. Si tu fais un pas, un seul pas, ton copain reste
aveugle. Et toi, je t'assure que ça fait mal, ces balles-là.

— Laisse faire, Dominique! implore Pierre, effrayé.
Elle est capable de tout!

Dominique réfléchit et recule. Louise lui ordonne de
se recoucher comme il était. Il obéit, sans un mot. Le
revolver à la main, elle soulève le sofa et fait tomber le
pied du meuble entre les bras menottés de Dominique.

— Tu vois, vous ne pouvez pas m'échapper, dit-elle,
en tremblant encore. Vous êtes pris au piège, tous les
deux! C'est comme si vous n'existiez plus: vous dépen-
dez de moi. Ici, je décide de tout. C'est clair?

Elle soupire, soulagée. Il s'en est fallu de peu! Mais
qu'elle a mal à la tête! Elle s'appuie sur le sofa, étourdie.
S'enfoncer dans le noir, et dormir...

Non! Combien de temps ça a duré, le 18 juin? Elle titube en marchant vers Pierre, mais elle n'abandonnera pas.

Que faire, maintenant? Elle le contemple, hargneuse. Il commence à ramollir.

— Alors, on faiblit? On oublie son outil de mâle? Je n'aime pas ça, tu sais. Ça m'irriterait, si tu le laisses aller.

Elle le reprend entre ses doigts. Il se durcit, malgré lui. Les yeux humides, la voix sanglotante, il balbutie:

— Je t'en supplie, arrête ça. Ou bien, va jusqu'au bout. Je n'en peux plus...

Louise le lâche, méprisante. Mais elle n'a pas fini:

— Tu crois encore que c'est amusant, pour une femme, quand on la viole? Je peux en faire ce que je veux, de ta petite viande! Te l'arracher! La jeter aux poubelles, parmi les autres saletés! Tu t'imagines peut-être que c'est excitant, ta pauvre nouille? Misère!

Elle souffre de prononcer ces mots, mais elle en a besoin pour qu'il se sente avili. Avec un ricanement nerveux, elle crache sur le membre rougi.

— Tu t'en souviendras chaque fois que tu essaieras de faire l'amour!

Elle hésite pourtant à arrêter. Elle devrait alors s'attaquer à Dominique, et ce serait tellement plus difficile! Elle regarde le sexe de Pierre, avec dégoût.

— Là, cache-moi ça, c'est trop laid. Et ton ami attend son tour avec impatience. Allez, retourne-toi, couche-toi sur le ventre. Plie les genoux. Oui, redresse-toi un peu, je ne veux pas que tu en profites pour t'exciter sur le plancher.

Qu'il a l'air ridicule, grotesque, ainsi prosterné! Il doit se sentir encore plus humilié en sachant que Dominique le regarde.

— Le point final, ce sera quand je verrai la marque de ta langue sur le tapis.

Pierre obéit, comme on fonce dans l'ignominie. Des larmes lui coulent sur les joues mais il lèche le sol, à plusieurs reprises.

— Bravo! Maintenant, dis: merci, madame.

— Merci, madame, murmure-t-il, épuisé.

Louise se redresse, aussi exténuée, hagarde. Oh, pouvoir disparaître, s'engouffrer dans un monde différent!... Pourquoi a-t-elle cédé à la tentation d'avoir deux victimes? Elle se sent à bout de forces. En se dirigeant vers Dominique, une brusque envie de pleurer la secoue. Ce tourbillon, dans sa nuque... Dominique la suit des yeux, douloureusement perplexe. Elle croise son regard. Il fait penser à une bête qu'on va frapper et qui ne comprend pas pourquoi. Louise a du mal à respirer. Vomir, pouvoir vomir...

Non, décide-t-elle, il faut aller jusqu'au bout. L'exécuteur ne se demande jamais s'il a raison. Elle ne peut pas remettre sa revanche en question. Mais que tout est devenu plus difficile! Elle ne s'agenouille pas: elle se laisse tomber près de Dominique.

— Eh bien, bafouille-t-elle, la voix coupée, au bord des sanglots, qu'est-ce qui t'arrive? On ne bande plus?

— Pourquoi, Princesse? demande-t-il, avec toute la compassion du monde.

— La Princesse... te dit merde...

Louise essaie de tirer quelque chose de cette chair inerte. Elle pense aux fois où elle s'est trouvée avec un homme fatigué, nerveux, temporairement impuissant. Ces moments lui semblaient parfois frustrants mais aussi attendrissants. Ici, la perspective d'un échec l'exaspère. Elle le secoue, le masse, le caresse. Dominique ne réagit pas.

— Alors, où sont les mâles qui attaquent les femmes, la nuit? C'est quoi, cela? Ça ne te sert plus qu'à pisser?

Elle évite son regard, dont la tristesse lui fait mal, comme un reproche insoutenable. En essayant d'animer son sexe, elle se sent de plus en plus sereine, comme chaque fois qu'on se concentre sur un acte simple. Mais il ne lui échappera pas!

Son regard s'éclaircit, soudainement: elle a déjà gagné, il est inutile de continuer. Il suffit d'enfoncer la lame un peu plus:

— Tu ne vois pas que ton copain se moque de toi? Et c'est avec ça que tu voulais me séduire? Misère! Tu n'es pas capable, hein? Je te la laisse, ta loque! Elle ne sert à rien!

Elle lui frappe les organes du revers de la main, comme on donne une chiquenaude à un chien dont on veut se débarrasser. Il crispe les yeux sous le coup. Louise se met à trembler, au bord des larmes, le cœur effondré. Elle réussit enfin à se maîtriser, à se relever. Dominique la regarde, immobile, sans le moindre reproche.

— Pourquoi? Pourquoi? demande-t-il encore.

Louise arrête la musique et contemple les deux hommes, aussi silencieux l'un que l'autre. Elle remet ses chaussures et pose le pied sur le visage de Dominique.

— Lèche! ordonne-t-elle, dure, hostile.

Il hésite mais embrasse la pointe, immensément résigné.

— Maintenant, vous savez ce que c'est, l'humiliation. Quand quelqu'un est plus fort que vous et en abuse. Quand on se sert de vous. Quand on vous méprise. Quand on vous traite en ordures. Je vous laisse la clé des menottes, dit-elle, en la jetant à terre. Je ne vais même pas attendre de vous voir ramper pour les prendre. Je vous ai assez vus!

Son regard tombe sur le chandelier. Pourquoi pas? Elle prend la chandelle neuve, au bout arrondi, effilé, qu'elle trempe dans le beurrier. Elle s'approche ensuite de Pierre, lui soulève les jambes et lui enfonce rageusement la pointe de la bougie.

— Un dernier souvenir! lance-t-elle, la voix enrouée.

Et elle sort, bouleversée, dans un monde devenu vide, meublé d'ombres et de silhouettes exsangues.

9

En se réveillant, un peu avant sept heures, Louise s'étonne de s'être endormie aussi facilement, d'avoir passé une nuit si paisible, si reposante. Après avoir quitté l'appartement de Pierre, elle a traversé la basse-ville. Elle a suivi la promenade Sussex, elle a revu la cour intérieure où elle avait été attaquée, elle a repris la rue Clarence, la rue Parent. Quand elle croisait les derniers noctambules de la région du marché, elle les regardait comme un automate, en se disant qu'on pouvait lui sauter dessus, la frapper, la violer, ça lui était égal.

Elle a retrouvé sa voiture. De retour chez elle, elle s'est aperçue qu'elle avait oublié son slip dans l'appartement. Elle y avait laissé beaucoup plus que cela: une longue obsession, et peut-être un morceau de son cœur. Mais c'était une parcelle cancéreuse, empoisonnée. Elle a pris un long bain, en pensant qu'il serait agréable de se noyer, de disparaître, d'oublier le monde entier. Ensuite, à peine couchée, elle s'est enfoncée dans le sommeil comme on ferme sur soi le couvercle de son cercueil.

Ce matin, Louise se sent en paix. Encore dans son lit, elle se frictionne la poitrine, le ventre, les jambes. Elle est là, vivante, en une pièce. Elle remue les orteils, amusée. Tout s'est tellement bien déroulé! La chasseresse a passé l'épreuve, le rite initiatique. La forêt lui appartient, elle est libre.

Quelle heure était-il, hier soir? Elle ne prévoyait pas passer la soirée dans un bar, mais le film qu'elle comptait voir à neuf heures à la télévision avait été remplacé par un autre qui ne l'intéressait pas. C'est presque drôle, se dit-elle: Pierre et Dominique sauront-ils jamais qu'ils doivent leur mésaventure à un changement dans la programmation d'un poste de télévision? Mais c'est aussi par hasard qu'elle s'était trouvée sur le chemin de ses assaillants, il y a dix mois.

Elle continue à reconstituer l'horaire de la soirée. Elle a flâné un peu avant de se décider, elle a changé de vêtements, elle a dû arriver au bar vers dix heures et demie. Elle a eu le temps de fumer deux cigarettes avant d'être abordée par les deux amis, et ils ont bavardé pendant au moins une heure avant de quitter le bar. En sens inverse, elle se souvient de s'être couchée juste avant deux heures. Le bain, le trajet du centre à son appartement, la traversée de la basse-ville, cela a dû prendre environ une heure. L'incident a donc eu lieu entre minuit et demi et une heure. Louise tend la main, prend sa montre: on est le 28 avril. Voici la date dont elle se souviendra.

Après s'être bien étirée, Louise se résout à se lever. Elle se contemple longuement dans le miroir, se sourit à elle-même et s'affaire à sa toilette matinale. Même si elle se sent bizarrement dénuée d'énergie, d'élan, d'entrain, elle flotte dans un état de confortable autosatisfaction. Ainsi peut-on éprouver un petit plaisir délicieux à s'arracher une croûte et à constater que, si la plaie n'est pas guérie, elle est quand même à moitié cicatrisée.

Sans se trouver un appétit dévorant, Louise décide de se faire un déjeuner plus substantiel que d'ordinaire. Que c'est étonnant, regarder cuire du bacon! Elle aspire le parfum, essaie de s'en régaler. Il lui semble que ce qui se passe se passe dans un monde qui lui est étranger. Si on la privait de ce bacon, elle ne ferait pas un geste pour le ravoir. Par contre, elle le dévorera avec joie. Est-ce ainsi qu'il lui faudra vivre désormais: avec une indifférence active? Agir, mais en tirant ses actes d'un fond immensément contemplatif?

Après avoir brisé les œufs dans le poêlon, elle se dirige vers le grand miroir sur la porte principale. Elle ouvre son peignoir et se contemple encore, de face et de profil. Avec ou sans appétit, elle pourra vivre, danser, faire l'amour, nager, avoir prise sur le monde. Tous ses gestes lui appartiendront. Elle s'est libérée de ses fantômes, elle peut maintenant renaître.

Le cœur léger, elle fait tourner un vieux disque des Beatles. Peut-on se refaire une adolescence? Oublier ce qu'elle a vécu, repartir à zéro? Œil pour œil et dent pour dent, avait-elle dit. Mais quand justice a été faite, se peut-il que l'œil et la dent qu'on a arrachés au monde continuent à nous empoisonner?

Louise savoure consciencieusement chaque bouchée de son déjeuner, comme si elle voulait s'assurer que tout marche rondement, comme si elle n'en était pas persuadée. Elle a pu se débarrasser d'une obsession, mais aucun nouveau rêve ne vient occuper cet espace. Pendant des mois, elle a vécu un cauchemar qui a pris finalement la forme d'un désir fanatique, cette volonté obstinée de vengeance, de revanche. Maintenant, son cœur est vide, et elle n'y peut rien: les désirs nous arrivent, on ne les invente pas.

Ce calme qu'elle découvre en elle lui fait penser à Malcolm. Il y avait un grand vide en cet homme. Il lui a offert un peu de soleil, il lui a même proposé de s'installer chez lui, il ne lui en a guère voulu de l'avoir menacé de son pistolet. Il traversait la vie avec indifférence, et une certaine bonté. Pourquoi ne ferait-elle pas comme lui? Elle n'a pas vraiment le choix. Louise se rappelle cette image dans le rêve de Daniel, dont elle s'est servie pour s'expliquer à elle-même l'importance de l'incident pénible du 18 juin: *le jour où la terre s'est arrêtée de tourner*. Elle a réussi à réparer la panne, mais cela ne suffit pas à remettre le véhicule en marche. Même si le moteur fonctionne, il faudrait au moins avoir envie d'aller quelque part.

Louise s'installe dans la causeuse, sa tasse de café sur le ventre. Les chansons des Beatles lui apportent un réconfort inattendu: *Eleanor Rigby*, une histoire d'une mélancolie tragique, transfigurée par un air de rock singulièrement obsédant; *Yellow submarine*, le chant de la volonté de vivre, d'être heureux, sur un rythme dont la monotonie obstinée vous remue le cœur, comme les vagues de la mer qui n'arrêtent pas de venir et de revenir; enfin, *We can work it out*, l'espoir qu'avec un petit effort et un peu de chance, tout pourra s'arranger.

Encouragée, Louise songe à sa journée. Elle veut tourner la page sur ces derniers mois. La chasseresse a eu son gibier, elle peut déposer les armes. Comment se débarrasse-t-on d'un pistolet? Elle le nettoiera méticuleusement et le cachera dans un sac d'ordures qu'elle déposera en bas, dans la poubelle centrale, plutôt que de l'envoyer dans la chute, ce qui risquerait de crever le sac. Si on trouvait l'arme par accident, au dépotoir, il serait impossible d'en découvrir la provenance. Et puis, qui s'occuperait d'un revolver qui tire des balles en caoutchouc? Les menottes qu'elle a abandonnées ne la préoccupent pas: on n'a jamais pris ses empreintes digitales. Si ses deux victimes portent plainte, la police ne pourra pas remonter jusqu'à elle. Une réceptionniste anonyme, dans un motel, près de Montréal... On chercherait une femme brune, portant lunettes, et cette femme n'existera plus. Malgré la curiosité que pourrait susciter une affaire du genre, la police n'y concentrerait pas beaucoup d'efforts, ne s'agissant ni de vol ni de meurtre.

Quand elle songeait à ce que serait le lendemain de sa victoire, elle imaginait une journée vibrante, le début des réjouissances, la transformation de l'univers en jardin parfumé peuplé d'oiseaux qui chantent. Ce matin n'est pas un matin de péans et d'hymnes glorieux. Louise éprouve un sentiment profond d'apaisement, de sérénité. Pas de l'exaltation: rien qu'un soulagement complet.

Aurait-elle oublié quelque chose? Y aurait-il quelque chose d'inachevé dans sa vengeance? Elle repasse en mémoire les événements de la veille. Elle ne peut que se féliciter. L'avanie infligée à Pierre a certainement été un chef-d'œuvre du genre. Tout s'est déroulé à merveille. Il a eu peur, il a eu mal, il s'est senti vaincu, humilié, avili, il l'a suppliée, il lui en voudra éternellement. Elle a eu raison de changer d'idée à propos du viol: Pierre aurait pu se délecter d'un mélange de douleur et de plaisir. Bonne idée aussi que de s'être brièvement empalée sur lui, en lui faisant croire qu'elle le contaminait et en lui montrant du même coup qu'elle pouvait le violer. Car ç'aurait été un viol, puisqu'il répugnait alors à faire l'amour avec elle. En l'ayant à sa merci et en le déclarant indigne d'être utilisé sexuellement, elle l'a rabaissé encore plus, elle lui a imposé un affront plus cruel. Dominique, c'est différent. Louise est contente d'avoir fait coup double, mais elle regrette qu'il se soit agi de lui. Il avait le regard de cet homme, dans la voiture, le 18 juin, grâce à qui elle a pu échapper à ses agresseurs. «*Pourquoi, Princesse, pourquoi?*» demandait-il. A-t-il réussi à comprendre?

De toute façon, il faut oublier ce détail. Un homme qui a abusé d'une femme ne se laisse pas tourmenter par le souvenir du regard implorant de sa victime. Le juge prononce le verdict et la peine sans céder aux cris pitoyables du condamné qui demande grâce. C'était la guerre, elle a gagné, il faut oublier les larmes et le sang et s'engager dans la reconstruction de la vie.

Déjà neuf heures moins le quart. Louise appelle au bureau. Elle ne peut vraiment pas rentrer aujourd'hui, non, ce n'est pas grave, il suffira de se reposer, Maryse pourra la remplacer sans problème.

Ensuite, le salon de beauté. Josée, sa coiffeuse, doit être en train de prendre son premier café. Louise s'excuse, mais peut-elle avoir un rendez-vous durant la journée? Oui, elle a de la chance, une cliente s'est décommandée. Louise explique qu'elle en a assez d'être brune. Josée connaît bien ses cheveux. Elle ne pourra pas enlever la teinture foncée, il faudra tout décolorer et la reteindre couleur de son blond naturel. Ensuite, ses cheveux repousseront normalement. D'accord, dit Louise, c'est exactement ce qu'elle veut.

Satisfaite, elle fait tourner un disque de David Bowie. Cet après-midi, elle redeviendra Louise Bujold à plein temps. Il faut maintenant éliminer les autres traces. Elle brise les lunettes et les jette à la poubelle. Elle frotte le pistolet avec du détergent, le trempe dans de l'eau de Javel puis l'emballe dans un journal, qu'elle glisse dans le sac d'ordures. Elle jette aussi la robe qu'elle a portée, et que Pierre ou Dominique pourraient reconnaître.

Ceci fait, elle vide son sac à main sur la table. Quel bric-à-brac! Il était grandement temps d'y faire le ménage. Elle trie peigne et brosse, porte-monnaie, carnet d'adresses, étuis de cosmétiques, boîte de prophylactiques, papiers pliés et oubliés depuis des semaines, pièces de monnaie, chéquier, stylos, vieux billets de cinéma, brosse à dent, kleenex, tampon hygiénique, ruban à cheveux, une multitude de menus objets indispensables ou recueillis au hasard des jours.

Une carte de visite la fait pâlir: *DOMINIQUE LALONDE, photographe.* Son adresse, rue Mackay, et son numéro de téléphone. Au verso, un message: «*Princesse, j'ai vraiment envie de beaucoup te connaître.*» Le mot «beaucoup» a été souligné deux fois.

Comment a-t-il pu lui glisser sa carte dans son sac à main? Il a dû profiter du moment où elle s'est rendue avec Pierre dans la chambre à coucher. Il n'a sans doute pas fouillé dans le sac, autrement les menottes et le pistolet l'auraient mis sur ses gardes. Il y a donc peu de chances qu'il ait examiné ses pièces d'identité. Mais pourquoi ce mot? Il ne voulait probablement pas lui demander un rendez-vous en présence de son ami: Pierre aurait fait de même et ça aurait banalisé la proposition. En laissant sa carte comme un message dans une bouteille qu'on jette à la mer, Dominique trouvait moyen de survivre à leur soirée, de faire irruption dans sa vie à un moment ultérieur pour lui rappeler son existence et son intérêt à son endroit.

Les yeux humides, Louise tient la carte dans ses doigts. Elle n'a jamais voulu revoir aucun de ses amants rencontrés dans des bars. Dominique lui a plu différemment. Elle aurait pu accepter un rendez-vous. Pourquoi a-t-il fallu qu'il soit le gibier, la victime? Maintenant, c'est évidemment impossible, il est inconcevable de chercher à reprendre contact avec lui. À quatre heures, en sortant du salon de beauté, la Princesse aura cessé d'exister.

Elle ne se résout pas à jeter la carte. Au moins, elle lui prouve qu'elle n'a pas rêvé, la soirée a eu lieu, elle s'est fait justice. Louise va chercher son album de photos, glisse la carte sous un portrait de Daniel et referme le livre.

10

Après le départ de «la Princesse», Pierre et Dominique sont restés silencieux, sans bouger. Finalement,
Pierre s'est retourné sur le côté, les genoux pliés, en
prenant soin de ne pas briser la bougie ridicule fichée
entre ses fesses. «La maudite», lança-t-il, en essayant de
se redresser. Il réussit à s'agenouiller, mais ne parvenait
pas à se libérer les bras: «La maudite! La salope!» Dominique souleva le sofa, en s'arc-boutant, et dégagea ses
bras. Sans dire un mot, il alla prendre la clé des menottes
et les ouvrit, puis défit les liens de son ami. Il se rhabilla,
toujours en silence, se versa posément un double scotch
et s'installa dans un fauteuil, songeur, une cigarette à la
main.

Après s'être débarrassé de la bougie, avec une grimace où l'humiliation prenait plus de place que l'inconfort
physique, Pierre décida de prendre une douche: «J'ai
peur que cette ordure m'ait vraiment refilé une maladie.
Dieu que ça a fait mal! Elle avait le vagin comme un gant
de crin. Demain, j'irai à la clinique.» Même s'il faisait
attention, le savon lui brûlait le sexe, qui conservait une

sensibilité pénible. Au moins, il ne remarqua aucune lésion. Ce sera plus facile à expliquer lors de l'examen médical. Il dira qu'il a passé la nuit avec une femme de mœurs douteuses, on ne lui demandera rien d'autre.

Dominique, l'air absent, contemplait le slip bleu et les menottes. Pierre se servit un grand cognac et le rejoignit. Dominique glissa le slip dans sa poche. Pierre hocha la tête: «Moi, je garde les menottes. Si je la rattrape, je te jure que je m'en servirai. Je l'accrocherai... là, dit-il, en montrant l'embrasure de la porte. Et je lui donnerai la raclée de sa vie! Et je recommencerai! Jusqu'à ce qu'elle crie et qu'elle pleure des larmes de sang! Ensuite, je l'obligerai à se traîner par terre et à me lécher les semelles! Et je lui écraserai le visage!»

Le regard vaguement amusé de son ami le calma. Pierre, qui ne fumait presque jamais, alluma une cigarette, pour continuer à se rasséréner. Il avala une bonne lampée de cognac, qui le fit frémir. Tout à coup, une idée: s'ils apportaient les menottes à la police? Dominique n'en voyait pas l'utilité. «Quoi? Ce qu'elle a fait, c'est criminel! Cinq ans de prison! Dix ans de prison! Ou l'asile! C'est une malade mentale, j'en suis sûr.» Dominique haussa les épaules: «Je doute fort que ça suffise à l'identifier. La plupart des gens n'ont pas de fiche policière avec empreintes digitales. Si on la retrouve, oui, ça aiderait à démontrer sa culpabilité. Mais où la chercher? D'un autre côté, es-tu vraiment prêt à porter plainte?»

Pierre réfléchit. Pouvait-il envisager de dire à la police qu'il avait été sexuellement maltraité par une femme? On lui rirait au nez. S'il fournissait les détails de la soirée, on lui dirait qu'il avait couru après. On ferait enquête, bien sûr, mais qu'est-ce que ça donnerait? Il était journaliste, il connaissait ses collègues. Une histoire du genre, ça se met en première page. Il ne pourrait plus faire un pas sans entendre des rires dans son dos. Et il devait se marier dans un mois! Oui, il valait mieux se montrer discret. «Mais je te jure que je ferai tout pour la retrouver! Je lui ferai sucer cette chandelle, pleine de sa crotte! Je lui ferai boire ma pisse! Je lui...» Le regard calme de son ami le ramena à la réalité, encore une fois. Il sourit et le félicita d'avoir refusé de bander. Comme ça, elle s'était surtout acharnée sur lui, d'autant plus qu'il y passait en premier. Et heureusement qu'il n'y avait qu'une bougie!

«Tu es sûr que tu as envie de parler de cela?», dit Dominique, en éteignant tranquillement sa cigarette. Pierre soupira. Il était préférable de tout oublier. Ou, plutôt, de mettre les souvenirs de côté jusqu'au moment où il pourrait administrer à la jeune femme la correction de sa vie. «Toi, ça t'a fait mal?», demanda-t-il quand même. Dominique esquissa un sourire amer: «C'était loin d'être agréable. Je pense surtout à ce qu'elle a dit. Elle a parlé de viol, deux ou trois fois. D'humiliation, de mépris... C'est étrange.»

Perplexe, Dominique regardait son verre, qu'il finit par vider, lentement. Pierre éclata de rire: «Tu vas encore essayer de la comprendre! Tu chercherais à justifier l'assassin de ta mère! Oui, elle parlait de viol. Et alors? Une femme violée, qui voulait se venger? Une féministe enragée, décidée à venger toutes les femmes qui se font violer? Je m'en balance, moi! C'était une déréglée mentale. Et dangereuse! Mais je te jure qu'avant de la conduire à l'asile, je lui ferai passer l'envie de recommencer.» Dominique secoua la tête: «Cette fille était plutôt singulière, mais ce n'était pas une déréglée. *C'était une femme qui avait besoin d'aide.*» Pierre sursauta, furieux devant autant de complaisance: «De l'aide psychiatrique, et d'une bonne raclée!» Ce n'était pas l'avis de son ami: quand il évoquait les yeux de cette femme, il pensait qu'elle était surtout en manque d'amitié et de tendresse. «Je m'en souviendrai toujours, de son visage! s'écria Pierre. Et quand je la retrouverai, je ne serai pas mou, oh non! Ce qui restera de son visage, ça prendra du temps à guérir! Ce que je lui mettrai dans le cul, ce sera du barbelé!» Dominique leva les bras, comme s'il n'y pouvait rien. On ne calme pas une crise de colère, on attend qu'elle passe.

Ils convinrent de se retrouver le soir même, après le dîner, et de faire un effort pour retracer la jeune femme. Ils sont là, vers neuf heures, au bar où ils ont abouti la veille, par hasard, plus pour prendre un verre ensemble que pour chercher de la compagnie. Pierre a l'air en forme, décidé, aguerri, comme s'il allait à la chasse. Dominique semble être venu contre son gré, pour faire plaisir à son ami.

Ils reconnaissent facilement le garçon qui les a servis. Pierre juge bon de déguiser sa question indiscrète sous une forme anodine:

— Vous vous souvenez de cette fille avec qui on est sortis?

— Bien sûr! Une fille comme Réjeanne, ça se remarque.

— Vous la connaissez?

— Un peu. Beaucoup de personnalité, n'est-ce pas? J'espère que vous avez passé une belle soirée.

— Inoubliable! On a convenu de se retrouver ce soir. L'avez-vous vue? Non? C'est embêtant. Elle m'a donné son numéro de téléphone, mais c'est idiot, je l'ai noté sur mon paquet de cigarettes, et je l'ai jeté.

— Je ne peux pas vous aider. Je ne connais que son prénom. Elle vient de temps en temps, mais elle habite à Montréal. Enfin, vous n'avez qu'à attendre, puisqu'elle a dit qu'elle viendra ce soir.

— C'est cela, on attendra. Ce sera un scotch et un gin tonic, s'il vous plaît.

Le garcon s'éloigne. Pierre et Dominique échangent un long regard.

— Je crois qu'on peut lui dire adieu. À sa place, je ne remettrais pas les pieds ici.

— Et si tout était faux? Si elle avait inventé cette histoire? Si elle n'habitait pas à Montréal? Après tout, pourquoi viendrait-elle à Ottawa, surtout durant la semaine?

Dominique le dévisage, indulgent:

— Tu peux venir ici chaque soir et faire le guet. Tu peux sillonner toutes les rues de la ville. Moi, je laisse tomber. Je crois que... je ne lui en veux pas.

— Tu veux rire!

— Non. Elle reste *la Princesse*. Très belle, et sans doute malheureuse. J'y ai beaucoup pensé durant la journée. Pauvre fille! Ce qu'on a dû lui faire, pour qu'elle agisse comme ça!

Pierre le regarde, ahuri. Comment peut-on se résigner aussi facilement?

— Moi aussi, j'y ai pensé. Et j'ai surtout pensé aux mille façons de lui mettre mon pied au derrière!

— Tu devrais plutôt te demander ce qu'elle voulait. Quelque chose nous échappe. Des hommes qui attaquent une femme, ça se comprend, il y a des sauvages partout, des frustrés, des violents. Mais une femme? Drôle de mystère.

Pierre se gratte la moustache. Bien sûr, le comportement inexplicable de cette Réjeanne l'intrigue également. Mais, pour lui, c'était une sadique.

— Elle n'en avait pas vraiment l'air. Une sadique aurait fait autre chose, je ne sais pas, des coups de ceinture, une brutalité systématique. Elle, non, ou à peine. Elle semblait bouleversée par ce qu'elle faisait.

— Mais rappelle-toi! s'écrie Pierre. C'est elle-même qui en a parlé, qui l'a proposé. Un petit jeu sado-masochiste, pour s'amuser... La salope!

— Et tu as accepté avec enthousiasme. C'était un piège, pas autre chose. Tu trouvais cela ravissant, comme expérience. Oh, je ne t'en veux pas. J'ai accepté, moi aussi.

Il regarde son ami, absorbé. Il revoit le visage de «la Princesse». Non, ce n'était pas une vraie sadique.

— Peut-être qu'elle essayait ça pour la première fois, suggère Pierre, et elle s'est laissée emporter... Le sadisme, ça marche avec les masochistes. Si on avait joué le jeu... Mais non! Et puis, je m'en fous. Il me suffit de savoir qu'elle a agi en sadique. Et je ferai tout pour le lui faire payer!

Dominique secoue la tête:

— Elle avait un regard qui souffrait. C'est de cela que je me souviens, et dont je me souviendrai toujours. Et si je la retrouve, ce sera... pour la serrer contre moi, tout doucement. Je te le répète: elle reste la Princesse.

— Eh bien, je te l'enverrai, monsieur le guérisseur. Quand j'en aurai fini avec elle. Et je t'assure qu'elle aura drôlement besoin d'être consolée, après le traitement que je lui donnerai!

11

Louise dactylographie son rapport d'appréciation avec la gêne qu'on peut éprouver à lire son panégyrique. Comment peut-elle projeter une aussi belle image, alors qu'elle se sent le cœur en morceaux, des lambeaux rapiécés au gros fil? Le temps a beau passer sur elle, il ne réussit pas à polir ses aspérités secrètes. Elliott aurait plutôt dû écrire: «*Elle est un pantin bien articulé qui fonctionne avec une raisonnable efficacité, mais qui pourrait tomber en miettes à n'importe quel moment. Ne vous fiez pas aux apparences: tout en elle reste d'une fragilité dangereuse. Ses capacités professionnelles sont un masque, le fruit de l'habitude, des automatismes précaires. Si elle n'a pas encore flanché, c'est que rien n'est plus coriace que la vie. Louise Bujold est une femme en chute libre. La seule façon d'expliquer qu'elle ne se soit pas encore écrasée, c'est qu'elle tombe dans le vide, un vide sans fond.*»

Mais les rapports bureaucratiques ne sont pas propices à l'expression de la vérité. Son directeur juge sa secrétaire, son adjointe, pas une femme. En continuant à taper le formulaire, Louise se prend à souhaiter d'être vraiment la personne solide dont Elliott a fait le portrait. Qu'il serait agréable de devenir cette image d'elle-même! Mais notre réalité nous hante toujours. L'agent double ne peut pas oublier qu'il n'est pas le confident du ministre mais un espion, Iseult ne peut pas oublier qu'elle n'est pas seulement l'amante de Tristan mais l'épouse du roi, le héros qui trahit en secret n'est pas dupe de sa réputation. On peut tromper tout le monde, on n'échappe pas à son propre regard.

Elliott, en passant, reconnaît le formulaire, sur papier vert. Comme il lui demande si elle n'en est pas trop mécontente, elle sourit mais dit:

— Ce n'est pas moi.

— Je sais.

Elle sourcille, étonnée. Il se penche sur elle:

— Mais c'est *aussi* toi. Tu es double, ou triple, ou multiple. On me pose des questions sur tes compétences, tes aptitudes, ta personnalité au sein du bureau. Ça donne ce que tu as en mains. Je connais une autre Louise, mais on ne m'a pas interrogé à son sujet. Il y a même plusieurs Louise...

Il lui passe la main dans les cheveux. Elle accepte ce geste affectueux, puis le regarde en secouant la tête:

— Il n'y a qu'une Louise, Maurice. Et ça, c'est une image dans un miroir déformant.

Elle allait ajouter: «*Une image qui m'est étrangère*», mais elle se ravise. Ne serait-elle pas devenue étrangère à elle-même? Qui est-elle? Qu'est-elle?

— Avec ton rapport, je me sens comme une comédienne à qui on attribue les qualités du personnage qu'elle interprète.

— C'est exactement ça! Le travail, c'est aussi de la comédie. Je joue à être directeur. Est-ce que je tiens bien mon rôle? Est-ce que je rends les traits caractéristiques d'un directeur, ses aptitudes, ses compétences? Maurice Elliott, ça n'intéresse personne, ça ne regarde personne. Ce qui compte, c'est si je suis un directeur mauvais, passable, moyen ou bon. Je te défie bien de me prouver que tu es, dans ton rôle, autre chose qu'une secrétaire de calibre exceptionnel.

Louise prend un air résigné:

— Je ne m'obstinerai pas avec toi.

— Tu devras quand même essayer. Les directives m'obligent à discuter chaque rapport d'appréciation avec l'intéressé. Viens me voir quand tu auras fini.

Louise a reçu de tels rapports chaque année, généralement avec le plaisir de constater qu'on pensait du bien de son travail, de sa personnalité. Aujourd'hui, elle éprouve un sentiment cuisant de dissociation. Ce rapport est un mensonge! En réalité, elle est un être fragile, gauche, maladroit. Toute sa vie le démontre.

Vers dix heures et demie, après une dernière révision du texte, elle se décide à aller voir son directeur. Elle vérifie son agenda: il est disponible pendant une heure. Elle prépare deux tasses de café, retouche son maquillage et entre dans le bureau d'Elliott. Il l'accueille en souriant.

— Tu te souviens du temps où tu refusais de servir le café? J'aimais ton attitude. Personne n'a le droit de te demander de le faire. Mais tu as toujours proposé de préparer du café pour certains visiteurs. Tu prends à cœur l'hospitalité de la direction. Je crois, cependant, que tu aurais préféré que j'écrive: «*C'est une sauvage, une louve solitaire.*»

Elle éclate de rire, nerveusement.

— Tu es d'une intelligence effrayante, remarque-t-elle. Oui, j'ai bronché en lisant ce que tu dis de «mon bel esprit d'équipe».

— Mais tu reconnais que j'ai raison. De plus, tu as toujours eu une influence bienfaisante sur ton directeur.

— Moi? s'écrie-t-elle.

Il lui présente le regard le plus malicieux du monde:

— Toi. Je me suis civilisé à ton contact. Rappelle-toi. J'ai toujours été un homme de systèmes, de procédures et de résultats. Je le suis encore, mais en moins monstrueux. J'ai appris que l'essentiel, c'est aussi les êtres humains qui font fonctionner la machine et en subissent les effets. Tu as une influence semblable sur tes collègues. Tout ce que je dis de tes qualités de leadership, de motivation, d'inspiration et d'exemple, ça sort de là.

— Mais ce n'est pas moi! proteste-t-elle.

— Mais c'est *aussi* toi. On ne dit pas tout, dans un rapport. Ce que je dis est pourtant vrai, même si ce n'est pas l'aspect de toi que tu chéris le plus. Tu as une idée tragique de toi-même, je ne sais pas pourquoi. C'est peut-être ton vrai toi, ton toi intérieur, ton toi secret. Cela, on ne me demande pas d'en parler. Ton toi extérieur, c'est une excellente compagne de travail, avec des talents remarquables pour la surveillance et la direction du personnel autant que l'organisation du travail.

— Je te vois venir.

Régulièrement, elle doit lui rappeler qu'elle aime son métier, qu'elle ne tient nullement à se tourner du côté de la gestion, même si les tâches administratives lui plaisent. Il a beau lui faire miroiter un nouveau domaine de satisfaction ou un meilleur salaire, elle tient à sa profession, tout en souhaitant qu'elle soit mieux considérée et rémunérée.

— J'y reviendrai toujours, ma toute belle. Moi, je vis dans le monde réel. Dans le monde réel, tu serais plus heureuse en quittant le secrétariat.

— J'aime servir, dit-elle.

— Tu aimes surtout travailler avec moi. Parce que tu as pu arranger ton travail en l'ajustant à mes façons de faire. La vérité, c'est que ce que tu fais le plus, ce n'est presque plus du secrétariat. La secrétaire, c'est Maryse. Toi, tu as beau t'appeler secrétaire de direction, tu es plutôt une assistante exécutive. Un jour, menace-t-il, amusé, on étudiera ta description de tâches et on te forcera à accepter une reclassification.

— Et alors, répond-elle, on continuera à s'embourber. Avec ce système, on limite les secrétaires à des tâches passives et on donne le reste à des «administrateurs». Moi, je veux que les secrétaires puissent s'occuper de toute la marche d'un bureau, parce qu'elles connaissent ça et elles comprennent les problèmes. Et je veux que, sans cesser d'être secrétaire, on puisse avoir un travail de plus en plus important. Et toucher cinquante mille dollars par année!

— Rêveuse, va! Comment ça se fait que tu ne donnes pas dans le syndicalisme?

— Je suis une louve solitaire. Je ne me mêle pas aux gens. Le moins possible.

Il n'y a pas de défi dans sa voix. Monique, sa vieille amie, et Daniel, sans le lui reprocher, s'étonnent souvent de son peu d'empressement à rencontrer du monde. Louise va au cinéma, au concert, elle a des partenaires de tennis, de danse, de dîners au restaurant, mais elle a cessé de chercher à approfondir ses relations ou élargir la gamme de ses amis. La solitude est une habitude dangereuse, qui devient vite pernicieusement confortable, mais c'est une excellente position de défense.

— Tu auras bientôt trente ans, signale Elliott. Certaines femmes en font un âge clé, un moment de décision. Ce qui est sûr, c'est que le monde ne changera pas beaucoup. Pour les dix prochaines années, tu veux rester secrétaire et vieille fille?

— Tu es bien vieux garçon et pas trop malheureux.

— C'est vrai. Mais je préférerais me remarier, si je réussis à trouver une personne à mon goût, *quelqu'un comme toi*, et à lui plaire.

— Je te souhaite bonne chance.

Louise lui adresse un vaste sourire. Elle couche avec Maurice peut-être une fois par mois. Elle en a pris l'initiative elle-même. Ils avaient été voir une pièce de théâtre au Centre national des Arts, outrageusement déformée par le metteur en scène. Maurice, qui l'avait invitée, regrettait vivement de lui avoir fait perdre sa soirée. Elle répondit qu'ils pouvaient encore la sauver.

Elle trouva agréable de faire l'amour avec lui. Cela ajoutait une dimension chaleureuse à leurs relations, déjà très proches. Cependant, elle avait pris soin de ne pas transformer ces rencontres en liaison amoureuse. Maurice s'était ajusté à ce rythme, en se faisant à l'idée que la profonde tendresse que Louise éprouvait à son endroit ne s'épanouirait pas en des rapports plus passionnés. À l'occasion, comme en ce moment, il entrouvrait la porte, qu'elle refusait toujours de pousser davantage.

— Incompréhensible Louise... On dirait que tu te retiens. Ce ne serait pas trop difficile, d'essayer de voir si on a d'autres atomes crochus.

— C'est très bien comme c'est maintenant. Je t'évite un problème de conscience. Nos relations restent juste à la frontière du conflit d'intérêts, blague-t-elle.

— Conflit d'intérêts mon œil! Même si on était mariés et si tu travaillais avec moi, je dirais si tu fais des gaffes, des coquilles et des bourdes. Mais tu es irréprochable. Dans ton travail. Ta vie, je ne sais pas. J'ai des difficultés à comprendre.

Elle lui parle très librement de sa vie privée, des hommes qu'elle rencontre. Ce qui étonne toujours Maurice, c'est de constater à quel point il joue un rôle central et durable dans la vie sexuelle de Louise, avec une soirée d'amour par mois.

— Tu veux encore parler de la *pauvreté* de ma vie amoureuse? dit-elle, tout sourire.

— Oui. Je me sens désemparé devant ta facilité à passer des semaines sans voir un homme. Et tout à coup, tu acceptes les avances d'un inconnu. Mais généralement pour une seule fois, avec quelques exceptions.

Louise le dévisage, fixement:

— Je suis à prendre. Mais seulement en passant. Des fois, s'il y tient, je suis d'accord pour quelques heures d'amour avec un homme qui m'a déjà aimée, que j'ai déjà aimé. Ce sont des exceptions. Toi, je t'aime d'une façon un peu plus permanente, peut-être parce que nous nous voyons chaque jour, ce qui permet d'entretenir... un niveau d'affection, et de désir.

Comment en exiger davantage? Pour lui, Louise est une fleur qui ne s'ouvre qu'une fois par mois. Elliott s'accommode toujours avec la réalité. Il essaie parfois de pousser un peu, sans jamais insister.

Le mot de la jeune femme le trouble: «*Je suis à prendre.*» Il l'a toujours trouvée déconcertante dans l'amour. Active et dynamique au travail, elle affiche une étrange passivité au lit. Elle est pourtant caressante, elle fournit la collaboration nécessaire à l'échange sensuel, sans en manifester l'appétit. Le regard un peu perdu, le sourire toujours un peu blessé, elle semble dire: «*Tu veux que je lève les genoux? Voici. Tu veux que je me retourne? Voici. Tu veux que je te lèche? Voici. Tu aimerais que je jouisse? Voici. Dis-moi ce que tu veux, je te le donnerai. Je veux servir, je veux que tu te serves de moi. C'est comme tu veux, tout à fait comme tu veux, je suis à ton entière disposition.»* Cette passivité, loin de nuire à la qualité de ses rapports charnels, fait de Louise une amante exquise, d'une facilité réconfortante. Son absence de passion lui permet d'être un refuge de calme et de plaisirs raffinés. *«Je suis à prendre»*, c'est-à-dire: *«Prends-moi, si tu veux, comme tu veux»*, mais jamais: *«Je veux que tu me prennes.»*

— Il y a quelque chose d'oriental en toi. Enfin, du temps que l'Orient existait, s'il a jamais existé ailleurs que dans nos rêves. Tu es pliante sans être soumise. Une porcelaine dure et fragile à la fois. Tu résistes à toutes les températures, tu passerais à travers les siècles, mais il faut quand même te prendre avec douceur, avec précaution, souvent avec des gants. Mais cela, ajoute-t-il, ça ne fait pas partie du rapport.

— Restons-en au rapport, alors. Tu me fais passer pour une personne vibrante, enthousiaste, pleine d'idées, d'initiatives et d'imagination. Un peu plus et tu dirais que j'ai de l'ambition. Ce n'est pas moi!

— Je n'avance rien sans exemples. Tu as pris à cœur la réorganisation du bureau, tu suggères régulièrement des modifications pertinentes aux procédures, tu as pris les devants dans la modernisation des équipements, tu as mis sur pied l'unité de traitement de texte. L'image qui s'en dégage, c'est aussi toi.

— *«Un pilier de la direction»*! Tu n'exagères pas un peu? Tu devrais avoir honte.

— Pourquoi ne veux-tu pas admettre, au contraire, que tu es brillante, un beau monstre d'efficacité et de compétence?

Elliott se rappelle la première fois qu'ils ont couché ensemble. Il en rêvait, mais c'est elle qui l'a proposé. Elle a fait l'amour si doucement qu'il a cru, un instant, la voir au bord des larmes. Contrairement aux autres fois, elle n'a pas eu d'orgasme visible, ou plutôt sa jouissance s'est étendue sur une longue période, comme de l'eau sur une surface plane. Après l'amour, elle est restée plongée dans une étrange langueur, souriante, infiniment rassasiée, avec une nuance de stupeur. C'est peut-être à ce moment-là qu'il en est devenu tendrement amoureux.

Il n'a jamais su qu'en s'offrant à lui, Louise réapprenait à faire l'amour. Après sa soirée avec Pierre et Dominique, elle avait cessé de voir des hommes. Elle avait vécu en ermite, refusant toute invitation de peur de se trouver par hasard en présence d'une de ses victimes. Redevenue blonde, sans lunettes, elle ne craignait pas d'être reconnue, mais plutôt de céder elle-même à quelque geste imprévisible qui aurait été un aveu. Elle ne regrettait aucunement ce qu'elle avait fait. En abusant des deux hommes, elle s'était vraiment débarrassée de son obsession, elle y voyait toujours une victoire. Son acte avait effacé le souvenir du 18 juin, comme un parfum très fort peut dissiper une mauvaise odeur. Elle découvrait aussi que la vengeance peut être une chose bien vide, qu'il y a des brisures sans réparation possible. On peut nous rembourser un pot cassé, ça ne le remet pas à neuf.

Daniel et Jasmine étaient venus lui rendre visite. Elle les avait reçus chez elle pendant plusieurs jours. Leur bonheur lui faisait du bien. Ils allaient au restaurant, à la piscine, ils jouaient au tennis, ils allèrent même danser ensemble, un trio tendrement uni dans la cohue. Elle crut qu'elle pourrait recommencer à vivre. Le dernier soir, elle avait demandé à Jasmine si elle pouvait lui «emprunter» Daniel. Jasmine avait eu la gentillesse d'accepter, en proposant même de s'aimer à trois. Louise n'avait pas osé. Elle s'était retirée avec Daniel, avait retrouvé son corps, son corps d'homme, avec émotion, et l'avait longuement caressé, méticuleusement, avec prudence. Elle n'avait pu se résoudre à faire l'amour, à l'accueillir en elle. Daniel, toujours infiniment compréhensif, avait substitué un monde de tendresse à leur accouplement inachevé.

Louise avait laissé passer deux mois avant de se décider, presque sur un coup de tête, à tenter une nouvelle expérience. Ce fut sa soirée avec Maurice. Elle avait retrouvé avec soulagement la douceur exquise de la chaleur humaine. Peu à peu, elle avait ranimé en elle l'aptitude au plaisir, sinon le désir. Elle semblait dire : «*Vous voyez, je ne suis pas infectée ni empoisonnée, je suis une femme qu'on peut aimer, malgré ses blessures, malgré ce passé dont vous ignorerez tout, sauf la trace dans mon cœur.*»

Avec le temps, une grande sérénité s'était *emparée* d'elle, imprégnée de tristesse et d'acceptation. Elle aurait peut-être voulu, comme venait de l'insinuer Maurice, devenir un être plus nettement tragique. Le cauchemar dont elle s'était libérée avait fait place à un demi-rêve. Elle vivait dans des limbes dont elle ne sortait que déguisée en secrétaire de direction ou en amante de passage.

Le rapport d'appréciation que Maurice a établi décrit son déguisement. En l'acceptant, elle aurait l'impression de se résigner éternellement à une mascarade.

— Dans ton premier rapport, tu as été plus honnête. Tu as dit que j'avais un sale caractère.

— Tu as toujours un «caractère entier»! Bien des hommes pourraient en témoigner. Tous ceux que tu as plaqués, sans appel, sans explication, et définitivement.

Il exagère en disant : «bien des hommes», mais ce qu'il dit est juste. Louise lui parle parfois de quelques amants d'un instant, ou qui auraient pu l'être. Une fois, dans un restaurant, un homme avec qui elle avait couché deux fois venait de lui mentionner qu'une de ses amies avait été violée : «Elle a eu de la chance, ça n'a pas été grave, elle portait un stérilet.» Louise l'avait regardé, s'était levée, et avait quitté le restaurant sans se retourner. Il avait cessé d'exister. Une autre fois, un amant d'un soir l'avait rappelée et lui avait dit, pour ponctuer ses déclarations passionnées: «Et j'aime aussi ta façon d'être, ta conversation. Tu es tellement bien, tellement cultivée, pour une secrétaire!» Elle avait raccroché. Un autre, qui lui plaisait, et à qui elle avait plu, l'avait convaincue de passer leur première nuit et toute la fin de semaine dans un hôtel des Laurentides. Dans la voiture, il avait dit: «J'ai dû raconter à ma femme que je partais pour affaires. Elle m'a fait une de ces scènes! Mais je compte sur toi pour compenser ce désagrément.» Elle l'avait obligé à s'arrêter et était rentrée chez elle en taxi. Il suffisait d'un moment d'insensibilité, de bêtise ou de manque de cœur pour que ces hommes disparaissent dans le néant. Ils avaient beau essayer de se justifier, de s'excuser, ils ne trouvaient plus en elle qu'une porte hermétiquement fermée. Louise est plutôt fière de son «mauvais» caractère. Elle montre le rapport:

— Alors, dis-le, que je suis asociale, dure, implacable.

— Malheureusement, ça encore, c'est en dehors du bureau. Ici, tout le monde te respecte et *t'aime*. Non, vraiment, Louise, j'aurais aimé te trouver des lacunes, ne fût-ce que par souci de crédibilité. J'ai même été voir le directeur général, qui devra contresigner ce rapport. Je lui ai posé le problème. Une cote excellente, c'est difficile à justifier. Tu sais ce qu'il m'a dit? *«Tu n'as pas le choix, elle est parfaite.»* Et ne me fais pas ce regard de biche aux abois! Accepte donc tes médailles dans un esprit de sacrifice, pour te punir d'être aussi bien.

Pourquoi pas? Ce ne serait qu'un mensonge de plus, imperceptible et inconséquent. Louise songe soudainement à Daniel. Et si les événements atroces qu'elle a traversés, comme victime et comme exécutrice, plutôt que de la traumatiser et de la changer, lui avaient surtout révélé sa nature profonde? Ne trouvait-elle pas, dans sa liaison avec Daniel, les mêmes maladresses, les mêmes incertitudes, les mêmes mauvaises décisions? Elle est devenue plus solide, son caractère s'est raffermi, mais cela vient avec l'âge: dans son for intérieur, elle est toujours la même. Qui? Elle l'ignore. Douce et dure, indulgente et sévère, efficace et malhabile, gaie et triste, frigide et passionnée, paresseuse et énergique. Croit-elle en quelque chose? Aspire-t-elle à quoi que ce soit? Marasme, confusion, vérités contradictoires. C'était la même chose quand elle aimait Daniel, il y a cinq ans. Et avant. Toujours. Le portrait que Maurice a fait d'elle est faux, indubitablement. Il y manque trop de choses. Mais pourquoi ne pas l'accepter, puisque de toute façon elle ignore elle-même ce qu'elle est vraiment?

— Je vois bien que je n'ai pas le choix, murmure-t-elle.

— Des fois, il est trop tard, on doit vivre avec ses bonnes actions.

Louise sourit, amèrement. Elle sait que même sa sérénité est fausse, un masque, un trompe-l'œil, peut-être une planche qui l'empêche de couler, mais ne la conduit nulle part. Les jours clés de sa vie, le 18 juin, le 28 avril, lui ont permis de mieux se connaître, mais ils lui ont surtout révélé la laideur profonde du monde. Parfois elle a envie de hurler dans son désert à l'horreur de vivre. Ce hurlement, silencieusement intérieur, fait reculer la démence, mais la souligne plus qu'il ne l'efface. Il n'y a pas et il n'y aura pas de porte de sortie.

Maurice se penche sur le rapport, y appose sa griffe, et le fait signer par la jeune femme. Ceci fait, il met de côté les relations professionnelles en la prenant par les épaules:

— Ce que j'aimerais bien savoir un jour, c'est pourquoi tu n'es jamais en paix. Ni avec la vie, ni avec toi-même.

Sans répondre, Louise se lève et l'embrasse légèrement sur les lèvres.

— Je suis en coexistence pacifique, dit-elle enfin.
C'est déjà beaucoup.

12

Dominique Lalonde compare les deux agrandissements que Lucie et Josiane viennent de poser sur le babillard. L'un montre un enfant de huit ans, le visage en recul, le bras légèrement levé, comme s'il avait été terrifié par la caméra. Le deuxième représente une jeune fille, une adolescente, les traits figés, les yeux grands ouverts, absolument désemparée, comme si toute l'horreur du monde allait fondre sur elle sans qu'elle puisse faire un geste pour se défendre. Il a pris la première photo dans un hôpital. Il s'agit d'un enfant battu. L'enfant a été rendu à ses parents, après une sévère mise en garde doublée d'une amende.

— On ne dira pas que les parents ont cédé les droits de publication pour cent dollars, commente Josiane. Ils ont même dit: «*Au moins, comme ça, il sert à quelque chose.*»

Josiane, spécialiste en psychologie sociale, aborde l'horreur avec une froideur clinique. Dominique ne lui reproche pas d'avoir des nerfs de chirurgien. Il sait à quel point ce détachement est loin de l'indifférence et ressemble plutôt à son geste sec et professionnel quand il se trouve sur la scène d'un accident, devant des corps ensanglantés, des visages qui souffrent, et qu'il appuie sur le bouton de sa caméra.

La seconde photo a été prise en studio, avec un modèle. Elle servira à illustrer un article sur le viol en groupe. Dominique a réussi à capter l'instant où une jeune fille, attaquée par une demi-douzaine d'hommes, comprend que la partie est perdue, l'univers s'abattra sur elle, hideux, sans que sa soumission ou sa révolte y puissent changer quoi que ce soit.

— Ça m'a pris une quinzaine de poses pour réussir cette expression. Même pour une comédienne, ce n'est pas facile.

— Ce que je trouve admirable, dit Lucie, c'est qu'il n'y a pas de différence entre les photos de documents, de collections, les instantanées, prises sur le vif, et celles que tu fais avec des modèles.

Elle montre une autre photo, tirée d'archives policières, qui servira au même article : une femme, étendue sur le ventre, la jupe déchirée, la main crispée, le bout des doigts enfoncés dans la terre.

— Ils l'ont trouvée comme ça, à l'aube, quelques heures après le viol, immobile, hébétée. Ça lui a pris six mois de traitement avant de recommencer à vivre plus ou moins normalement, rappelle Josiane. Elle fait encore des cauchemars, à l'occasion.

Lucie étale d'autres photos, toujours en grand format. Dominique a fait agrandir celles qui ont survécu à deux premières sélections. Celles-ci montrent des chômeurs dans un bureau d'emploi, un amputé qui contemple son moignon, des vieillards dans un hospice, une femme, le cou brisé, dans une voiture accidentée, une scène d'enterrement, un gueux, impassible, résigné, un billet de loterie à la main, un enfant qui pleure dans les bras d'un pompier. Dominique a pris lui-même la moitié des clichés. Lucie a contribué à la recherche, en contactant diverses organisations, y compris des agences de presse. Elle a pu obtenir des photos de réfugiés vietnamiens, de torturés sud-américains, de blessés de guerre et d'attentats terroristes, de suppliciés arabes aux mains coupées, des scènes d'excision, des fusillés, des mendiants, des lépreux africains.

Ce livre, dont Josiane a rédigé le texte, doit s'intituler : *Les victimes*. Le projet a pris naissance quelques mois plus tôt, un peu par hasard. Dominique avait entamé une liaison avec Lucie, étudiante en sociologie. Il aimait beaucoup la jeune fille, dont l'humeur variable le déconcertait parfois : il ne savait jamais si elle lui arriverait vive et alerte, énergique, pleine de projets, ou absorbée dans quelque abîme de douceur et de mélancolie.

Un soir, elle l'avait appelé, énervée, excitée, pour décommander un rendez-vous. Le lendemain, elle lui confia qu'elle venait de passer une nuit extraordinaire avec Josiane, une de ses professeurs. C'était, pour les deux, leur première expérience lesbienne. Lucie semblait tellement émerveillée que Dominique l'encouragea dans cet amour inattendu. Pendant quelques semaines, Lucie se partagea entre les deux, puis finit par se consacrer pleinement à sa nouvelle passion.

Dominique voulut rencontrer celle qui avait pu séduire aussi absolument sa jeune amie. Il avait déjà un préjugé favorable à son endroit, à cause du bonheur intense qui imprégnait Lucie. Josiane lui parut remarquable en tout point. Lors d'un premier dîner à trois, Josiane raconta qu'elle venait d'obtenir une bourse de recherche pour écrire un livre sur les effets de différentes formes de violence. «*La violence, c'est une réalité quotidienne. Tout ce qui, subitement, brusquement et brutalement, trouble la paix, la stabilité, le déroulement normal des choses. Chacun, à un moment donné, se trouve coincé, piégé, blessé dans sa fierté, dans sa dignité. Les sources de la violence sont de toute sorte: on nous frappe, on nous met à la porte, un professeur abuse de son autorité, une femme est violée, on apprend qu'on a un cancer, on reçoit une balle perdue, c'est la débâcle économique, une tornade, un attentat de fanatiques. Il y a même des joies violentes. La violence peut être naturelle ou venir des gens. On peut aussi en être la cause. Ce qui m'inté- resse, c'est la victime, celle à qui la violence arrive.»* Dominique, qui pensait souvent à la violence dont il avait lui-même été victime au printemps dernier, s'était rappelé le regard toujours obsédant de «la Princesse». Il avait parlé des cas où une victime peut devenir le tortionnaire d'une autre. «*C'est intéressant, cela,* avait dit Josiane. *La violence qui devient vengeance, la victime qui cherche d'autres victimes, le cercle vicieux de la misère et de bien des luttes sociales. Tu as raison: la connaissance du motif de la violence peut modifier la réaction de la vic- time.*» Ils avaient parlé du sujet pendant quelques heures. Lucie avait eu l'idée d'en faire un livre illustré à l'intention d'un public général et non seulement un mémoire dans une revue savante. Elle songeait surtout, instinctivement, à réunir dans un projet commun son ancien amant et sa nouvelle maîtresse. Josiane s'était enthousiasmée pour cette possibilité d'élargir l'influence de sa recherche. Dominique, tout en pressentant la difficulté d'assembler la documentation photographique, s'était lancé tout entier dans ce projet. C'était pour lui, en partie, une façon d'essayer de comprendre ce qui lui était arrivé, et la femme étrange dont il avait été la victime.

— On a tellement de bonnes photos, remarque Lucie, qu'on pourrait en faire une exposition.

— Peut-être... dit Dominique. Cependant, en les dis- sociant de l'étude de Josiane, ces photos ne servent plus à expliquer ce que ressentent les victimes. Elles donnent plutôt une idée quelque peu lugubre et sinistre du destin, comme ces films tellement intéressants des années soixante, la série des *Mondo Cane,* «monde chien», un inventaire de l'horreur. Ça frappe, ça impressionne, mais ça n'aide pas à comprendre.

Lucie s'est toujours montrée rétive devant cette attitude.

— Comprendre! Si je tombe en chômage, ça me fait une belle jambe de savoir que j'ai perdu ma job parce que le patron a mal géré sa boîte, ou qu'un autre pays a cessé d'acheter nos bébelles, ou que le gouvernement a fait une autre bourde! Si on me viole, je ne vais pas essayer de comprendre le gars qui m'attaque, s'il a été sevré trop tôt, s'il a été élevé comme un maître et seigneur ou s'il a eu une enfance malheureuse, s'il a des chromosomes déréglés ou si sa femme ne veut plus de lui dans son lit. Pour moi, l'intérêt du bouquin, c'est de montrer que la violence est laide et qu'elle est rarement inévitable. On pourrait vivre beaucoup plus en paix que maintenant, de façon beaucoup plus civilisée. Tu es *trop* compréhensif, Dominique.

— Tellement, renchérit ce dernier, avec un excès d'indulgence, que je comprends que tu ne veuilles pas essayer de comprendre.

Ils éclatent de rire. Josiane les observe, intriguée. Ils ont gardé de leur liaison des complicités dont les nuances lui échappent parfois. Elle ne s'attendait pas à recevoir, sur la plan charnel, l'attention exclusive de la jeune fille. L'ayant reçue et acceptée, elle s'étonne de constater que Lucie continue à vouer à Dominique une amitié presque amoureuse.

— Comprendre, dit-elle, comme si elle voulait les mettre d'accord, ce n'est pas approuver, ni accepter. Pour moi, il s'agit de montrer comment les choses se passent, et pourquoi. Être victime, ça affaiblit, ça déshumanise. Quand on est victime d'un hold-up, d'une inondation, d'un agresseur ou d'une maladie, ou même du «mauvais sort», de la «malchance», on perd en partie le contrôle de sa vie. Et c'est grave, quand beaucoup de gens, dans une société, ont perdu le sentiment de contrôler leur vie.

— C'est justement ça, s'écrie Dominique. Si on m'attaque, mais si je réussis à comprendre pourquoi on m'attaque, je ne me sens pas entièrement victime. Je suis plutôt comme quelqu'un qui a perdu une partie d'échecs. Je ne me sens pas humilié, ni avili, ni blessé dans ma dignité.

— Je veux bien, reconnaît Lucie. Mais je crois que tu as perdu quelque part, dans le temps, la faculté de t'enrager. Tu es vraiment un monstre de compréhension. Je t'aime, tu me comprends. J'aime Josiane, tu me comprends encore. Je tiens toujours à toi, tu continues à me comprendre. Si je t'envoyais promener, tu me comprendrais aussi. Tu ne peux pas être une vraie victime, quoi qu'on te fasse. Mais c'est parce que tu es tout à fait anormal.

Elle s'approche de lui et l'embrasse sur la bouche, puis retourne se blottir près de Josiane. Celle-ci pousse un soupir amusé: la vivacité de certains gestes de Lucie les rend tout à fait désarmants.

— De toute façon, dit-elle, notre livre est un exposé de situations qui font des gens des victimes, et pas un traité sur les manières d'y faire face. On se met au travail?

Il s'agit de s'assurer que chacun des trente-deux chapitres soit illustré d'une photo ou deux, selon le cas, que la photo choisie soit à la fois saisissante et corresponde à la situation décrite, et d'identifier les photos surnuméraires et celles qu'il reste à prendre ou à trouver. Comme ils connaissent le texte de Josiane par cœur, ainsi que la douzaine de scénarisations rédigées par Lucie, ils peuvent souvent discuter longtemps des raisons de préférer une photo à l'autre. Ces discussions ajoutent au plaisir de réaliser ce projet, auquel ils pensent consacrer encore plusieurs mois.

Ils finissent par s'entendre sur les dix premières photos, dont il faudra encore négocier, dans quelques cas, les droits d'utilisation. Le téléphone sonne. Dominique ne s'en occupe pas. Le téléphone continue à sonner.

— Ça doit être une de tes copines, suggère Lucie, amusée. Elle sait que tu es là, mais elle sait aussi qu'il faut souvent te forcer à prendre l'appareil. On a oublié le téléphone comme source quotidienne de violence. Neuf, dix, onze...

Dominique se résigne à répondre.

— Allô? Dominique? Je te dérange?

C'est Pierre. Ils ne se voient plus souvent depuis que ce dernier s'est marié et a abandonné le journalisme, mais ils demeurent bon copains.

— Mais non, Pierre! J'adore ça, compter les coups de téléphone. Ça m'aide à passer le temps quand je m'ennuie. À part ça, oui, je suis en plein travail.

— Je te dirai une seule chose: je l'ai retrouvée!

— J'ignorais que tu avais perdu quoi que ce soit.

— Idiot! C'est *la Princesse*! Je l'ai vue!

Dominique appuie l'écouteur contre son oreille. Pierre parle fort, on pourrait l'entendre, et Dominique ne voudrait surtout pas avoir à expliquer de quoi il s'agit.

— Je croyais qu'on avait convenu de laisser tomber. Vraiment, je préfère ne plus m'en occuper. Si c'est elle, dis-lui bonjour de ma part, c'est tout.

— Ah, non! proteste Pierre. Je dois te rencontrer. Est-ce que je peux passer?

Dominique hésite. Lucie partira vers cinq heures et demie pour se rendre à un cours. Josiane ne s'attardera pas. Il aurait préféré continuer à travailler en paix, mais on ne peut pas refuser de voir un ami qui veut vous parler de quelque chose qui lui tient à cœur. Bon, qu'il vienne vers six heures.

La Princesse! Peu de choses lui plairaient davantage que de la revoir. Elle est demeurée son obsession secrète. Par contre, il a renoncé depuis longtemps à l'espoir de la retrouver. Dans les mois qui ont suivi leur soirée, Pierre a souvent cru la reconnaître. Tantôt c'était la préposée au comptoir d'un cinéma, tantôt une serveuse de restaurant, tantôt une femme rencontrée dans un party. Celle-ci, en l'occurrence, venait juste de rentrer d'un séjour de deux ans au Brésil. Dominique avait même accompagné son ami à Montréal, où Pierre avait trouvé dans la gérante d'une galerie d'art quelque ressemblance avec la Princesse. À chaque fois, Pierre a dû convenir qu'il s'agissait de quelqu'un d'autre. Finalement, après que le garçon du bar leur eut dit qu'il n'avait jamais plus revu la femme qu'il appelait Réjeanne, ils avaient décidé de cesser de se rendre ridicules en s'acharnant à suivre la moindre piste.

Quoique persuadé qu'il ne peut pas s'agir de la Princesse, Dominique envisage aussi le contraire, systématiquement. Il se souvient du mot qu'il a griffonné sur sa carte de visite: «*J'ai vraiment envie de beaucoup te connaître.*» Ce sentiment n'a pas changé. Il sourit en pensant à son projet sur les victimes. La violence qu'on lui a faite ne lui a pas donné l'impression d'en être une. La victime qui le hante, c'est plutôt la Princesse. Quand il songe au regard de cette femme, à la tension douloureuse de son visage, il se sent comme un homme qui a été attaqué par une bête blessée. Il n'en veut pas à la bête, il s'interroge surtout sur ce qui a pu la blesser. «*Pourquoi?*», demandait-il. Il cherche encore à le savoir.

Mais Pierre? Qu'est-ce qui peut le pousser, six mois après son mariage, à tenter de ressusciter cette histoire? Dominique peut comprendre la persistance d'une rancune: Pierre s'est senti profondément humilié, offensé, bafoué, meurtri dans son amour-propre. S'il avait retrouvé la Princesse peu de temps après leur rencontre, il l'aurait sans doute frappée avec rage, avec férocité. Mais aujourd'hui? Il n'a sans doute pas raconté son expérience à sa femme. S'il se vengeait maintenant, cela ferait un certain scandale, car il devrait le faire en public: la Princesse n'accepterait jamais de le suivre dans un endroit isolé. Oserait-il expliquer les raisons d'un tel geste? Sa brutalité ne rehausserait pas la qualité de ses relations maritales. De plus, il a délaissé le journalisme pour prendre charge de la revue d'un ministère. Un geste violent sur une femme ne le rendrait pas plus estimable aux yeux de ses confrères.

Incapable de pousser plus loin ses réflexions, Dominique se concentre sur son travail. Quelle est la meilleure façon de montrer la désolation qui suit une tempête? L'image du village à demi détruit? Un couple devant leur maison démolie? Un enfant avec un jouet, devant son terrain de jeu renversé?

Le bruit de la sonnette annonce brutalement l'arrivée de Pierre.

— Je l'ai retrouvée!

— Tant mieux, tant mieux. Tu prends un gin?

— Au diable le gin! Attends que je te raconte.

Il trépigne comme un adolescent. Dominique, imperturbable, lui tourne le dos et va chercher les verres. Pierre, qui le connaît, se résigne au calme qu'il lui impose.

— À ta dixième Princesse!

À l'unique Princesse, et à ce qui l'attend! répond Pierre.

Après une gorgée qu'il boit encore plus lentement que d'habitude, Dominique dévisage son ami avec l'air de lui passer un caprice et rien de plus.

— Maintenant, Pierre, dis-toi une chose : la Princesse n'existe pas. Elle n'a jamais existé. Cette vieille histoire aurait dû être enterrée depuis longtemps dans les cavernes les plus inaccessibles de ton imagination. Mais raconte-moi ton dernier rêve à son sujet.

— Je l'ai retrouvée, je sais que c'est elle, je connais son nom, je sais où elle travaille, elle ne m'échappera pas.

Pierre, les yeux luisant de satisfaction, commence son histoire. La semaine précédente, il s'était rendu à une réunion interministérielle portant sur les possibilités d'accroître la coopération entre les différentes revues et publications gouvernementales. Ces rencontres se tenaient à tour de rôle dans les ministères et agences concernés, avec la participation des chefs des services d'information ou des responsables des revues. La dernière avait été présidée par Maurice Elliott.

— Maurice Elliott... Je le connais, dit Dominique, c'est un client. Un bon photographe amateur. Je lui fais des agrandissements, à l'occasion. Oui, il m'a dit qu'il était directeur de l'information quelque part.

Pierre l'avait rencontré à plusieurs reprises au cours des réunions précédentes. En tant qu'hôte de la réunion, Elliott assurait les services de secrétariat, dont la rédaction du procès-verbal. Alors que d'autres confiaient cette tâche à un adjoint, Elliott avait demandé à sa secrétaire de prendre les notes.

— Je vois : une secrétaire brune, aux grandes lunettes rondes, et prénommée Réjeanne. Elle t'a vu, elle t'a reconnu, elle s'est évanouie de frayeur.

Sans se laisser troubler par l'ironie sceptique de son ami, Pierre, le sourire victorieux, secoue la tête :

— Pas vraiment. C'est une fille très belle, sans lunettes, et blonde. Oui, de superbes cheveux pâles, un peu frisés.

— Et huit mois après l'avoir vue pendant une couple d'heures, tu en as conclu qu'il ne s'agissait là que d'une petite métamorphose. Félicitations! C'est une enquête impeccable, dont les résultats convaincraient le juge le plus exigeant.

Pierre semble s'amuser des sarcasmes de son ami, comme on peut prendre plaisir à voir son adversaire s'enfoncer dans un piège.

— La Princesse est blonde, affirme-t-il.

— Je conviens qu'elle a pu se teindre les cheveux. Elle peut aussi porter des verres de contact. Mais je doute, dans ce cas, que tu aies pu la reconnaître.

— Je la regardais de temps en temps, durant la réunion. Pas trop: je suis jeune marié, j'ai cessé de courailler. Mais c'est une fille impressionnante.

— Alors, c'est elle qui t'a reconnu? Même si tu as aussi changé de visage, depuis que tu te rases la moustache? Elle a blêmi, elle s'est mise à bafouiller, elle a prétexté une nausée pour se retirer? Oui, je vois, c'est une preuve irréfutable, un aveu de culpabilité. Je bois à ta victoire!

Malgré son incrédulité, Dominique se sent déçu. Il aurait peut-être aimé trouver un filon d'espoir, une mince possibilité de retracer cette femme.

— Elle ne s'occupait pas plus de moi que des autres participants. Elle écoutait, elle prenait des notes, en sténo. Une secrétaire compétente, efficace, toute à son travail.

— Dans ce cas, mon vieux, je ne t'apprends rien en te signalant que ton obsession, que je croyais disparue, te fait encore perdre la tête.

Pierre, le regard malicieux, l'écoute sans broncher, puis tire sa carte:

— La réunion a pris fin vers midi. Je suis resté avec Elliott pour discuter d'un petit détail qui ne concernait pas les autres. Je ne pensais plus à la secrétaire. En sortant du bureau d'Elliott, je l'ai aperçue. Elle s'apprêtait à aller déjeuner. Elle avait déjà son manteau. Quand je suis passé devant elle, elle mettait son chapeau, un bonnet de fourrure brun foncé. Là, tous ses cheveux blonds avaient disparus. J'ai vu son visage coiffé de brun, et je l'ai reconnue aussitôt. C'est elle, Dominique! Je te jure que c'est elle! Les mêmes traits, les mêmes yeux...

Il affiche une conviction tellement contagieuse que Dominique veut bien lui donner le bénéfice du doute.

— Je l'ai regardée dans les yeux. Elle est restée imperturbable. Elle m'a même dit au revoir, en partant.

— Tu lui as couru après?

— Non. Je me disais surtout que je connaissais cette femme, sans pouvoir la replacer. De retour dans mon bureau, j'y pensais encore, comme quand tu ne peux pas te débarrasser d'un air qui te trotte dans la tête. C'est alors, à force d'y penser, que je me suis rendu compte qu'il s'agissait bel et bien de la Princesse et de personne d'autre.

Incrédule, Dominique laisse passer un éclat de rire. Les fils de l'histoire sont encore plus ténus qu'il pensait.

— Décidément, mon vieux, ton cas ferait plaisir à un psychiatre. La transformation de la réalité sous l'éclairage d'une idée fixe!

Pierre n'avait pas écarté cette possibilité. La question était sérieuse, il fallait être prudent. Il avait commencé par appeler Elliott. Ce dernier avait présenté sa secrétaire au début de la réunion, mais Pierre n'avait pas retenu le nom. Il prétendit qu'il avait trouvé un stylo dans sa poche: «Je crois que je l'ai piqué hier matin, et je crois que c'est ta secrétaire qui l'a oublié sur la table. Elle s'appelle bien Réjeanne?» Maurice lui apprit qu'elle s'appelait Louise. Pierre feignit l'étonnement et précisa qu'il s'agissait d'un stylo assez cher, avec des initiales gravées: R.L.G. «Eh bien, ça ne ressemble pas du tout à Louise Bujold. Attends quand même un instant.» Elliott avait sonné sa secrétaire. Ils étaient maintenant tous les trois en communication sur la même ligne. «Non, dit Louise, je n'ai pas perdu de stylo. Si c'est un stylo de valeur, son propriétaire aurait appelé. Il y a un Gauthier et un Goldberg, mais avec d'autres initiales. Ils ont pu avoir hérité d'un stylo de famille. C'est fort douteux, mais je vais leur donner un coup de fil.»

— Alors, supposa Dominique, tu as tout de suite reconnu sa voix.

— Pas du tout. La Princesse avait la voix plus rauque, peut-être parce qu'elle avait trop fumé, et surtout plus énergique, plus dynamique. Louise a une voix posée, tranquille, très agréable.

— Ce qui t'a confirmé qu'il s'agissait bel et bien de la Princesse.

— Exactement.

Dominique secoue la tête, découragé et surtout perplexe. Comment Pierre peut-il se montrer aussi catégorique? Il ferait mieux de rentrer chez lui, de retrouver sa femme et de partir avec elle en vacances pour se reposer et oublier ses fantaisies.

— Je ne peux pas, déclare Pierre, gravement. C'est elle. Je sais que c'est elle. Et maintenant, j'ai besoin de toi.

Il contemple son verre, absorbé dans ses réflexions. Dominique a l'impression de se trouver en face d'un enfant. La seule façon de le libérer d'un caprice, c'est de s'en rendre le complice.

— Supposons que c'est elle. Et alors?

Pierre, les yeux brillants, fait rouler une bonne gorgée d'alcool contre ses gencives. Son visage se durcit:

— Il y a six mois, je l'aurais tuée. Aujourd'hui, je me contenterai de lui flanquer une sacrée paire de gifles. Ensuite, je voudrais que cette salope vive dans la crainte que je la dénonce. Oui, cela suffira. Elle en mourra de honte, et à feu lent. Je lui dirai aussi qu'un jour, un soir, quand je la trouverai seule dans un coin tranquille, je ne la raterai pas. Comme ça, elle n'osera plus faire un pas en dehors de chez elle. Elle aura peur de chaque ombre, du moindre bruit...

Dominique respire, soulagé: son ami ne semble pas préméditer une réaction trop violente.

— Supposons maintenant que ce n'est pas elle. Tu la trouves, tu lui donnes ta paire de gifles. Qu'est-ce qui arrive? C'est toi qui auras l'air bête. Surtout qu'elle aura de bonnes raisons de te poursuivre en justice. Et là, tes explications n'impressionneront pas un juge, même si tu te décidais à raconter toute l'histoire.

— Je te l'ai dit, je tiens à être prudent. Avant tout, je dois m'assurer que c'est elle. Je veux que tu viennes la voir. Avec moi. Demain.

Dominique s'imagine mal une telle scène. Arriver avec Pierre dans le bureau d'une secrétaire, la dévisager comme un animal étrange... Non, vraiment, c'est trop ridicule.

— Je t'ai accompagné plusieurs fois, et toujours en vain. Pourquoi ne laisses-tu pas tomber, tout simplement?

— Parce que tu es photographe. Tu as la mémoire des physionomies. Plus que moi, en tout cas.

— Peut-être, mais...

— Au bar, ce soir-là, tu as parlé d'une série de photos, sans lunettes. Tu as dû l'imaginer sans lunettes. Tu reconnaîtrais la forme de son visage, ses traits, ses expressions... Ce serait une preuve péremptoire. J'insiste, Dominique.

— C'est tellement inutile...

— Mais moi, je suis convaincu que c'est elle. Tout mon instinct me le dit. Mais je suis un homme raisonnable et je reconnais la faiblesse de mes indices. Si je me trompe, si je frappe une innocente, je m'en voudrai toujours. J'ai vraiment besoin de toi. Ce sera la dernière fois, je te le jure. Et puis, si tu me dis que ce n'est pas elle, je te croirai, et ce sera fini.

— Et j'aurais perdu mon temps, alors que j'ai bien du travail.

— C'est une femme tellement belle que ça justifiera ton déplacement.

Dominique se laisse convaincre, moins par curiosité que pour rendre service à un ami. Pierre a toujours mis un tel acharnement dans des cas semblables, que la seule façon de s'en débarrasser est d'acquiescer à ses prières. De plus, Pierre a déjà insinué que Dominique réagissait plutôt tièdement parce que «Réjeanne» s'était surtout attaquée à Pierre, tandis que Dominique ne s'en était pas trop mal tiré. Même si la suggestion lui semblait injuste, Dominique y voyait une raison d'appuyer pleinement les efforts de son ami.

Le lendemain, vers neuf heures du matin, ils se rendent à l'immeuble où se trouve le bureau d'Elliott. Dominique a le sentiment de jouer au bon Samaritain. Cette piste lui semble encore moins prometteuse que celles qu'il a suivies jadis, et le plus souvent à contrecœur, avec Pierre. Mais il a peut-être consenti facilement à accompagner ce dernier parce qu'il doute justement de l'utilité de leur démarche. S'il avait sérieusement cru qu'il se trouverait face à face avec la Princesse, il aurait certainement hésité, comme on peut décider, à la dernière minute, de ne pas déranger la personne à qui on allait demander une faveur, même en sachant qu'elle nous l'accorderait. Il a parfois rêvé qu'il retrouvait la Princesse, par hasard, dans un restaurant ou dans une gare; il se cachait alors, il se contentait de la regarder pour essayer de la comprendre et de percer, par la seule étude de son visage, les raisons qui avaient pu la pousser à poser son geste brutal. Il sait qu'il se dissimulait pour éviter à la Princesse l'embarras de se voir découverte.

Pierre le tire de sa rêverie en le poussant dans l'ascenseur.

— Ce qu'on ne ferait pas par amitié! murmure Dominique. J'espère qu'après ça, tu oublieras cette histoire.

— Jamais! J'essaierai quand même de ne pas te déranger trop souvent. Mais je crois que cette fois, c'est la bonne. Si tu es d'accord, tu me fais signe.

Il remue les doigts, nerveusement, comme s'il préparait sa gifle. Pourvu qu'elle soit là! Dominique rechigne encore:

— Le Bouddha compatissant a dû dire quelque chose, à un moment donné, sur la façon de briser le cycle de la violence, en comprenant que la revanche aussi est une illusion.

— Mais moi, je suis un réaliste, riposte Pierre. Dans la vie, il ne faut pas se laisser faire. Quand on nous frappe, on cogne deux fois plus dur. Elle, je lui arracherai ses sales cheveux, je lui démancherai les poignets, lentement...

En l'entendant, Dominique songe déjà à faire marche arrière, mais Pierre l'entraîne dans le couloir qui mène au bureau d'Elliott. Il sort alors une enveloppe de sa poche et s'arrête devant la première personne qu'il rencontre.

— Excusez-moi, je dois remettre cela en mains propres à la secrétaire de M. Elliott.

— Maryse ou Louise?

— Louise Bujold.

On lui indique un bureau dont la porte est ouverte. Depuis qu'elle a reconnu Pierre, Louise s'attend à la chute de la guillotine. Le prétexte du stylo l'a déjà mise en garde. En le voyant entrer en compagnie de Dominique, elle sait que la partie est perdue et qu'elle a bien des choses à expliquer. La seule carte qu'elle peut encore jouer, c'est l'ignorance. Ils pourront la frapper, elle ne se défendra pas, mais elle niera tout de façon assez convaincante pour les faire fondre de doute et de remords.

— Bonjour, dit-elle, avec le sourire professionnel de la secrétaire accueillante. Vous venez voir M. Elliott?

— Pas nécessairement.

Pierre a pris un ton presque menaçant. Comme Louise n'a pas bronché, il sourit et ajoute:

— Je vous présente un ami, Dominique Lalonde.

Ce dernier regarde Louise droit dans les yeux. Elle soutient l'examen avec toute la froideur dont elle est capable.

— Il est photographe, *comme vous savez*, précise Pierre.

Louise sourit vaguement, leur serre la main et les invite à s'asseoir. Son cœur bat fort, mais elle ne trahit rien. Elle se sent toujours analysée par le regard scrutateur de Dominique. Impassible, elle se tourne vers Pierre.

— C'est à propos du stylo?

— Non.

Sur ce mot tranchant, Pierre l'examine attentivement, pour la provoquer à force d'insolence. Comme elle ne réagit pas, il bat en retraite:

— Je m'étais trompé. J'ai retrouvé le propriétaire. Il était très content de le ravoir.

— Tant mieux. Vous avez reçu le procès-verbal?

— Oui, c'est très bien. Et très rapide! Je vous félicite.

Louise affiche un demi-sourire invitant, avec tout le calme du monde. Elle a l'air d'attendre simplement qu'il se décide à lui dire l'objet de sa visite. Bientôt, le silence deviendra embarrassant.

Pierre se lève alors et s'approche. Ça y est, se dit-elle, il va la frapper. Non, il lui tend son enveloppe.

— C'est le dernier exemplaire de notre revue. Il vient tout juste de paraître. Je passais par ici et j'ai pensé l'apporter à Maurice, à cause de ce dont on a parlé l'autre jour.

— Je le lui remettrai à son retour.

Elle ouvre le pli et feuillette la revue. Pierre en profite pour interroger son ami, des yeux. Dominique secoue la tête. Sans laisser paraître sa déception, Pierre dévisage la jeune femme, une dernière fois.

— Cela m'a fait plaisir de vous revoir. Demandez donc à Maurice de m'appeler quand il aura lu l'article sur la publicité officielle.

— Je n'y manquerai pas.

Dominique, le regard intense, prend la main de la jeune femme et la serre un peu plus qu'il faudrait, mais discrètement.

— Ça m'a fait également plaisir, madame... Bujold, n'est-ce pas?

— Louise Bujold, oui. Au revoir, messieurs.

— *Au revoir*, j'espère bien, dit Dominique.

Louise attend qu'ils soient sortis puis retombe dans son fauteuil, chancelante. A-t-elle gagné? Les a-t-elle éloignés à jamais?

Près de l'ascenseur, Pierre prend son ami par le bras :

— Alors? C'est non?

Il a l'air penaud d'un finaliste, donné comme favori, qui a raté le prix. Dominique fait une moue, comme s'il s'était rendu à l'évidence malgré lui.

— La forme générale du visage, ça va. Par contre, ses fossettes sont plus prononcées, ses yeux sont moins gris, son nez n'a aucune marque de lunettes et elle ne porte même pas de verres de contact, son profil nasal est plus retroussé, la courbe de son front est différente, le menton est moins creux, plus arrondi... Vraiment, je ne vois pas comment tu as pu la prendre pour la Princesse.

— Pourtant, son regard, et, comme tu dis, la forme générale du visage...

— Les types de morphologie faciale sont assez limités. J'ai essayé de l'imaginer brune, comme si je la photographiais avec un filtre. Je reconnais qu'ainsi, avec des lunettes rondes, elle pourrait faire penser à Réjeanne. Mais seulement à cause des cheveux et des lunettes, et parce qu'on voudrait y voir une ressemblance. Cette ressemblance ne résisterait pas à l'examen des traits. Son profil, ses joues, sa mâchoire, c'est absolument différent. De plus, la Princesse savait comment je m'appelle. Elle, elle n'a même pas sourcillé quand tu as prononcé mon nom. Si c'était elle, elle n'aurait jamais pu nous recevoir aussi calmement.

Pierre ne se sent pas le courage de discuter. Il a toujours fait confiance aux experts. Au fond, ce verdict le soulage davantage qu'il ne le déçoit. Heureusement qu'il a amené son ami, ça lui aura évité un sérieux impair. Il s'excuse quand même de lui avoir fait perdre son temps.

— Au contraire! s'écrie Dominique. Tu as eu tout à fait raison. Je te remercie de m'avoir fait rencontrer cette personne. Elle est vraiment belle... Encore plus que la Princesse. Un visage tout à fait à mon goût. Je crois que j'essaierai de la revoir.

13

Maurice Elliott se débarrasse de son manteau de castor et se rend aussitôt chez Louise. Peut-il emprunter deux tasses, pour une visiteuse de marque? Louise s'étonne: elle n'a vu personne entrer avec Maurice et il n'y a rien à son agenda. Il regagne son bureau, le plateau dans les mains. Trente secondes plus tard, il appelle Louise, à l'intercom. Elle va le voir. Surprise, elle constate qu'il est vraiment seul avec ses deux cafés.

— C'est toi, l'invitée, explique-t-il. Assieds-toi, assieds-toi. Sais-tu ce que j'ai envie de te demander?

Elle n'a ni le temps ni même envie d'essayer de deviner.

— La première chose, c'est pourquoi tu es tellement mélancolique depuis quelques jours.

Pourquoi le nierait-elle? Il perçoit chacun de ses mouvements d'âme.

— Des fantômes du passé, qui sont revenus. C'est tout.

Maurice hoche la tête, soucieux. Il a souvent eu l'impression que le passé de Louise recélait un incident grave, obsédant, comme un grand chagrin d'amour, un avortement pénible, un enfant mis en adoption, une importante brouille de famille. Une fois, elle lui a avoué que oui, elle avait vécu une expérience de genre traumatisant, mais elle n'en parlerait jamais.

— Je n'ai pas besoin de savoir de quoi il s'agit, mais quand une femme comme toi commence à se désagréger, et que ça paraît, je crois bien que c'est sérieux. Chez toi, c'est arrivé du jour au lendemain. Jeudi dernier.

— Tu es drôlement observateur.

— Je ferais beaucoup de choses pour te voir sourire. Pas comme ça: un vrai sourire, venu des profondeurs.

La gorge serrée, Louise a du mal à soutenir son regard, qui lui rappelle celui de Dominique, quelques jours plus tôt, et celui d'un inconnu dans une voiture, voici tellement longtemps: «*Avez-vous besoin d'aide, mademoiselle?*»

— Moi aussi, j'aimerais sourire, avoue-t-elle, avec quelque nostalgie.

— Je peux faire quelque chose?

— Non.

C'est un non d'une sérénité absolue. Maurice secoue la tête, doucement, en imitant son ton:

— Est-ce que le courrier du matin est arrivé? *Non.* Est-ce qu'il a arrêté de pleuvoir? *Non.* Est-ce que votre cancer est guérissable? *Non.* Est-ce que nous éviterons une guerre nucléaire? *Non.*

Louise rit, légèrement. La tranquillité des uns peut souvent énerver les autres, mais elle est incapable de se départir de son calme, qui traduit une relation intime avec le monde, un accablement paisible, un état de connivence avec n'importe quelle réalité à laquelle il suffit de dire, simplement, selon le cas, oui ou non.

— J'ai pensé qu'un peu de repos te ferait du bien. Non, ne me dis pas que tu te sens très reposée. Ce que je te propose, c'est deux semaines de vacances, à Cuba ou ailleurs, le mois prochain, ensemble. Est-ce que ça te ferait plaisir?

Comme elle s'apprête à répondre, il l'interrompt:

— Un instant! Il faut éviter les questions qui appellent un oui ou un non. Je recommence: que dirais-tu de deux semaines au soleil, avec moi?

Elle boit une gorgée de café, puis allume une cigarette. Elle lui présente alors un visage sereinement affectueux:

— Je trouverais cela prématuré. Tu es une des personnes que j'aime le mieux au monde, Maurice. Mais même là, une soirée, une fin de semaine, c'est le maximum que je peux supporter. Ou plutôt: une journée, deux journées, c'est très agréable; davantage, ce serait quelque chose à *supporter*. Ce n'est pas à cause de toi: tu es irréprochable, sans lourdeur. Je suis heureuse quand nous sommes ensemble. Mais c'est comme le soleil après l'hiver: quelques heures, c'est merveilleux; trop longtemps, on se brûle la peau. C'est très gentil à toi de le proposer.

Il la traite d'anachorète, en souriant et sans lui en vouloir. Plus il explore et découvre Louise, plus elle lui semble un mystère. Il aimerait le percer, mais il sait qu'il doit se contenter d'aspirer à une improbable révélation, en se contentant de ce qu'elle veut bien montrer. De temps en temps, il lance des appâts, des invitations, sans jamais insister, par courtoisie.

— Passons au troisième point à l'ordre du jour: le départ de Marion. J'ai pensé que ça mériterait un petit vin et fromage.

— Pauvre Maurice! Il y a des journées comme ça: trois idées, trois échecs. Antoine avait six ans de service chez nous: personne n'a proposé de lui faire une fête. Quand Heather est partie, on lui a donné une carte et une boîte de chocolats. C'était bien. J'aime Marion, on l'apprécie beaucoup, mais ce n'est pas parce qu'elle est chef de section qu'on va faire un spécial.

Heather avait été la secrétaire de Marion pendant deux ans. Antoine, un vieux messager, avait quitté la direction le jour de sa retraite. Maurice se sent un peu mal à l'aise. Il avait cru que, dans le cas de Marion, Louise se serait montrée plus réceptive, car elles se sont toujours bien entendues.

— J'ai pensé que ç'aurait été agréable pour tout le monde.

— Je suis contre. C'est toujours les secrétaires qui préparent la bouffe et qui sont prises avec la vaisselle. Pourquoi ne va-t-on pas au restaurant, si tu y tiens?

— Cinquante-sept personnes? Ou trente-deux, en ne prenant que cette moitié de la direction?

Il affiche un air tellement pitoyable! Louise l'embrasse légèrement sur la bouche. Mais elle ne fléchit pas. Et si on limitait le repas à la section de Marion?

— Non. J'ai toujours lutté contre ce cloisonnement, l'esprit de clocher...

— Demande aux agents de s'en occuper. S'ils tiennent vraiment à faire plaisir à leur collègue...

Maurice soupire: elle sait bien que ça ne marchera pas.

— Tu es épouvantable, mais j'aime bien ton attitude, et tes principes. Quand même, j'ai envie de faire quelque chose. Marion est du genre grégaire, elle appréciera beaucoup. Si j'invite tout le monde chez moi, tu me donneras un coup de main?

Elle accepte avec plaisir. Le reste de la journée se déroule sans temps mort. Louise aime bien cette période, à trois mois de la fin de l'exercice budgétaire. On fait les bilans, on ajuste les prévisions, on finit ce qui doit être fini, on a l'impression de préparer un couronnement. Ensuite, ce sera le recommencement des choses, le renouvellement du bail.

Un peu après cinq heures, elle ferme son classeur, met son manteau de fourrure et fonce dans le froid humide de décembre. Elle marche d'un pas vif jusqu'à l'endroit où elle gare sa voiture, à trois coins de rue du bureau. À l'entrée du terrain de stationnement, elle entend son nom. Elle se retourne, et se sent le cœur plus glacé que le front.

Dominique, en souriant, ouvre son manteau. Elle frémit : il a un revolver, il va la tuer. Mais non, il en tire un paquet qui a la forme d'un bouquet, défait le haut et le lui tend. Louise se penche, intriguée. Il s'agit de trois roses rouges.

— Pour combattre l'hiver, dit-il.

Elle hésite. Pourquoi ce présent ? Mais comment refuser des fleurs ?

— Merci, monsieur Lalonde.

— C'est un plaisir. Soyez prudente en conduisant, c'est très glissant. Bonsoir.

Il s'éloigne, sans plus. Troublée, Louise gagne sa voiture. Il avait raison, la chaussée est dangereuse, après quelques heures de dégel suivies d'une chute de température. Les roses, sur le siège d'à côté, ajoutent à sa nervosité. Qu'est-ce que cela veut dire ? Qu'est-ce qu'il lui veut ? Elle l'a bien reconnu, elle est persuadée que c'était réciproque. À quel jeu joue-t-il ? A-t-il pu se trouver par hasard près du terrain de stationnement ? Lui aurait-il donné des fleurs destinées à une autre femme, qui aurait manqué un rendez-vous? Ou l'aurait-il suivie, les jours précédents, pour découvrir où elle garait sa voiture, jugeant qu'il ne pouvait l'attendre à la porte de l'immeuble sans attirer l'attention?

Dans son appartement, Louise regarde les fleurs, en respire le bouquet. Devrait-elle les jeter à la poubelle, comme tout son passé? Mais peut-on, décemment, détruire des fleurs? Et puis, elle n'a pas réussi à se débarrasser de son passé. Elle met les roses dans un vase et fait jouer un disque de Sinatra. Elle écoute *Strangers in the Night,* en fumant une cigarette: deux étrangers, dans la nuit, échangent des regards en se demandant quelles sont leurs chances de faire de leur rencontre une histoire d'amour...

Brusquement, elle va chercher un album. Là, sous la photo de Daniel, elle retrouve une carte de visite: «*Princesse, j'ai vraiment envie de beaucoup te connaître.*» Elle a tellement eu le sentiment de s'être trompée de victime! Au début de cette soirée, dans le bar, elle a rêvé qu'il serait agréable de vivre une liaison avec cette homme-là. Mais elle n'a pas reculé.

Maintenant, il est tard, trop tard. Il n'y a plus de place que pour la tristesse et, au mieux, la sérénité. Louise effleure la carte du bout des lèvres et la remet derrière la photo, comme on enterre ses morts.

Le lendemain, à midi, elle hésite à sortir et déjeune en vitesse à la cafétéria. Le soir, elle quitte le bureau vers quatre heures et demie, en prétextant une course à faire. Elle se dit alors qu'elle a été bête, elle ne passera tout de même pas sa vie dans la crainte de revoir un homme. Le jour suivant, elle sort à cinq heures. Un sens profond de fatalité la retient de sursauter en apercevant Dominique à la porte de l'immeuble, qui l'accueille avec un sourire et deux bouquets de trois roses chacun. Elle comprend qu'il l'a attendue, la veille. Ne vaudrait-il pas mieux lui dire carrément qu'elle ne veut plus le voir?

— Monsieur Lalonde, c'est très gentil à vous, mais...

Il l'interrompt:

— Non!... Les fleurs, c'est toujours un cadeau du destin. Il faut les prendre simplement, sans même se demander pourquoi elles nous arrivent.

Louise se sent quelque peu ridicule devant ces bouquets qu'elle ne se résout pas à accepter.

— Il n'y a pas de cadeau gratuit, murmure-t-elle.

— Pourquoi pas? Et s'il y a un prix à payer, eh bien, on verra ça plus tard. Dans ce cas-ci, ça n'engage à rien.

Elle secoue la tête. Elle ne veut vraiment pas le blesser, mais elle ne tient aucunement à lui permettre d'avancer davantage. Et pourquoi a-t-il souligné qu'il y aurait un prix à payer, *plus tard*?

— Oh! les belles fleurs!

C'est Maryse, sa collègue.

— Vous permettez? J'aime tellement sentir des roses!

Elle prend les bouquets des mains de Dominique et les respire presque avec gloutonnerie. Elle les tend ensuite à Louise, qui se voit bien obligée de les prendre.

— Chanceuse! Ce n'est pas mon David qui m'apporterait des fleurs à la sortie du bureau! Bonne soirée, tous les deux!

Dominique la regarde s'éloigner, une pointe d'espièglerie dans les yeux.

— Des fois, dit-il, le destin intervient au bon moment.

— Je me méfie toujours du destin. Il a trop souvent des idées derrière la tête.

— Il est surtout aveugle. Il avance clopin-clopant. Il fait tellement pitié! Quand on peut, il faut l'aider à marcher droit. Aujourd'hui, il ne veut que vous offrir des fleurs.

Louise réfléchit à une façon de s'en sortir. *Aujourd'hui*, ceci; et demain? La vengeance qu'il prépare sans doute. Pourtant, elle ne peut pas lui remettre ses bouquets, ce serait trop grossier. Et puis, elle a peut-être tort, il se peut qu'il ne l'ait pas reconnue. Elle doit toutefois lui faire savoir qu'elle ne tient pas à recevoir d'autres fleurs.

— Écoutez-moi, monsieur Lalonde. La semaine dernière, je vous rencontre pour la première fois. Avant-hier, je vous trouve près de ma voiture. Aujourd'hui, c'est ici. Vous vous approchez trop. Lundi, vous seriez capable de revenir dans mon bureau. Ensuite, vous ferez des rêves, des projets. Finalement, vous croirez que des liens se sont tissés, que vous avez des droits sur moi, parce que je ne vous aurais pas arrêté à temps. Je préfère...

Il secoue la tête, sûr de lui, en la regardant fixement:

— On n'a jamais de droits sur personne. Ces fleurs n'engagent que moi.

Il pose un doigt sur ses lèvres, comme pour l'inviter gentiment à ne plus prononcer un mot, puis lui souhaite une bonne fin de semaine, en souriant.

Louise, décontenancée, le regarde s'éloigner. Pourquoi s'est-elle laissée arrêter au moment où elle allait lui demander de ne plus l'importuner? Elle rentre chez elle, perplexe. Que lui veut-il? Il nourrit sans doute des soupçons à son endroit. Comme il n'est pas sûr de l'avoir reconnue, il cherche à s'approcher d'elle, à la fréquenter. Quand il sera convaincu de son identité, il se vengera. Et elle ne sait même pas si elle aura envie de se défendre.

Après une heure de natation, elle se rend chez Monique et Henri, qui l'ont invitée à dîner. Monique, à la veille d'accoucher, dégage un calme rassurant, contagieux. Louise raconte que depuis quelques jours, un homme qu'elle connaît à peine lui apporte des fleurs à la sortie du bureau. Monique s'émerveille devant cette galanterie quelque peu désuète, inattendue, et si délicate. Louise en convient, mais elle cherche surtout un moyen d'y mettre fin sans mufflerie. Cette réaction surprend Henri: trouve-t-elle cet homme vraiment déplaisant? Non, mais elle ne se sent pas d'humeur à encourager l'espoir inutile d'une liaison. Pourquoi inutile? Monique, amusée, rappelle à son amie qu'elle n'a jamais eu de difficulté à mettre fin à une relation amoureuse quand celle-ci commençait à lui peser. Pourquoi ne pas essayer? Henri, de son côté, a de la peine à croire qu'elle ait vraiment reçu les fleurs contre sa volonté. Pourtant, si c'est le cas, il lui suffirait de les accepter, par politesse, en refusant toute autre invitation. À la longue, l'inconnu se lassera: les soupirants infatigables ont disparu depuis l'époque des amours courtois. Ce serait sans doute plus élégant que de rabrouer cet étrange romantique.

Louise prend note de la suggestion, qu'elle trouve toutefois insuffisante dans le cas de Dominique, dont elle soupçonne les motivations. Il est en train de lui dresser un piège. Ses fleurs finiront par lui tresser une couronne mortuaire. Cette nuit, elle dort mal: elle a cru reconnaître la voiture de Pierre dans le terrain de stationnement de son immeuble. Le lendemain, qui est un samedi, elle se lève en se disant que Daniel pourrait lui être de bon conseil. Elle l'appelle. Ça tombe bien, Daniel et Jasmine sont libres et ravis de l'inviter à passer la soirée et la nuit chez eux. Elle achète *La Presse*. Tout s'arrange à merveille, il y a des nouveaux films de Truffaut et de Rohmer, elle pourra prendre un bain d'humanité avant de retrouver ses amis.

Le soir, après un agréable repas, elle aborde la question qui la préoccupe.

— Je pense à notre première conversation, l'hiver dernier...

— C'était ton anniversaire, se rappelle Jasmine. Tu as dû me trouver bien naïve. Et puis, ça m'énervait, de rencontrer une amie de Daniel. On a parlé de choses très sauvages...

— De guerre, de rapine et de viol, précise Daniel. Mais qu'est-ce qu'on en disait? Ah, oui! Tu tenais mordicus à la vieille loi: œil pour œil et dent pour dent. Pourquoi pas: orteil pour orteil?

Ils éclatent de rire. Brusquement, cette image inusitée fait voir à Louise le côté ridicule de la vengeance.

— Je crois que j'avais de la sympathie pour cette forme de justice, dit Jasmine. J'ai changé d'avis, un peu à cause d'une histoire. Ça s'est passé en Iran, il n'y a pas longtemps. Un homme, à tort ou à raison, soupçonnait sa femme de trop regarder un autre type. Avec l'aide d'un ami, il a entraîné sa femme dans le désert. Là, il lui a crevé les yeux avec un couteau. Cela n'est pas spécialement musulman: les chrétiens aussi avaient l'habitude de punir les gens par là où ils avaient péché. La femme, rendue aveugle, a porté plainte. Ils sont très orthodoxes dans ce pays, ils prennent vraiment le Coran à la lettre. Le juge a décidé d'appliquer la loi, mot pour mot. L'épouse a déjà déclaré qu'elle choisissait des ciseaux. Elle crèvera donc les yeux de son mari. Œil pour œil, dent pour dent. Il semble même qu'on montrera cela à la télévision, dans un but éducatif.

— Ensuite, suppose Daniel, les frères et les cousins du mari se vengeront sur les parents de la femme, qui prendront leur revanche à leur tour, et ça fera assez de vendettas pour nourrir un roman-savon pendant des années.

— C'est atroce, murmure Louise, sidérée par l'anecdote. Je comprends la femme, mais c'est atroce.

— Ce qu'on lui a fait est aussi atroce. C'est très difficile, reconnaît Jasmine. Tendre l'autre joue, pardonner... C'est pourtant, à la longue, la meilleure solution.

Daniel ne manque pas de signaler, cependant, qu'on ne pourrait pas vivre en société si on comptait toujours sur le pardon automatique des autres.

— Il y aurait des abus à n'en plus finir! Sur le plan individuel, oui, la plupart du temps il suffit d'oublier, de passer l'éponge...

— Mais, dit Louise, si, au lieu de tendre l'autre joue, tu as déjà donné une paire de baffes à celui qui t'a giflé? Qu'est-ce que tu fais, ensuite? Tu le laisses prendre sa revanche, pour qu'il ait le dernier mot et que tout soit fini?

— Là, tu compliques les choses. Tu te mets à la place du gars, pas de sa femme. Comment faire, quand on est coupable? Offrir ses yeux, sans rechigner? Crevez-les, je le mérite? Demander pardon? Au fond, je n'aime pas le pardon, ce n'est pas une solution: c'est trop insultant. C'est dire à quelqu'un: tu as été stupide mais ce que tu as fait est si bête, si puéril, que je nie son importance en te pardonnant.

Le lendemain, Louise rentre à Ottawa, cette ville où elle ne se sent plus en sécurité mais découverte, poursuivie, traquée. Elle n'a rien décidé. Le temps passé avec ses amis lui a fait beaucoup de bien mais elle n'est pas plus avancée quant à l'attitude à prendre face à Dominique, et peut-être Pierre. Elle ne regrette rien, elle n'éprouve aucun remords, mais elle ignore comment elle fera face à cette menace venue de son passé. Elle a peut-être *oublié* ses assaillants, elle n'y pense plus, mais cela lui a pris tellement de temps! Comment s'attendre à la réciproque? La règle, c'est la revanche, la punition. Le monde réel n'est pas celui des solutions mais des cercles vicieux.

Le lundi matin, chemin du bureau, elle s'arrête brusquement en passant entre les tours de Place de Ville. Ces

deux hommes qui attendent, immobiles, menaçants...
C'est eux! Elle les voit de dos, mais elle sait que c'est eux.

Elle se sent défaillir. Rebrousser chemin, rentrer chez
elle, changer de ville... Non: se battre, affronter son
destin, quel qu'il soit. Elle avance.

Quand elle dépasse les deux hommes, elle se rend
compte qu'il s'agissait de parfaits inconnus. Encore
fébrile, elle gagne son immeuble et s'enferme dans son
bureau avec le comptable de la direction pour passer en
revue des documents budgétaires qui concernent le
secrétariat. Avec le temps, le comptable s'est habitué à
l'idée qu'elle ait son mot à dire sur toutes les dépenses qui
touchent au fonctionnement du bureau. À dix heures et
demie, le téléphone sonne. Louise prend l'appareil. Ce
doit être Elliott, vue qu'elle a demandé à n'être pas
dérangée.

— Il y a quelqu'un pour toi, annonce Maryse, excitée.

— Je ne veux voir personne, je te l'ai dit.

— C'est *très* important, Louise. Ça te prendra deux
minutes.

— Est-ce qu'il insiste vraiment? C'est qui? De quoi
s'agit-il?

— Sors, et tu le sauras. Ça te fera du bien, une petite
pause.

Maryse n'aurait pas pris cette initiative sans raison.
Louise ouvre sa porte, résignée et un peu curieuse.
Dominique s'avance, un bouquet à la main.

— Bonjour. Vous avez suggéré que je vous apporte
ce petit présent ici-même, lui rappelle-t-il.

Louise se sent absolument mal à l'aise. Maryse a de la
peine à ne pas rire, cachée derrière sa machine à écrire.
Louise pense aussi au comptable, qui doit sans doute la
regarder. Peut-elle vraiment se montrer de mauvaise
humeur?

— C'est très gentil, dit-elle, en fusillant Dominique du regard. Je me demande si on a un vase.

— Oh, oui! s'écrie Maryse, en en tirant un d'une armoire. Je vais chercher de l'eau.

Louise dévisage Dominique avec une politesse glaciale:

— Je regrette d'être trop occupée pour vous offrir un café. Les roses sont très belles.

Le comptable en profite pour s'excuser: il a deux coups de téléphone à donner, il sera de retour dans cinq minutes. Dominique sourit, sans manifester la moindre intention de s'en aller.

— On pourrait commencer par ouvrir davantage le bouquet, suggère-t-il. Les fleurs aiment respirer.

Maurice Elliott arrive à ce moment. Il regarde les roses, surpris. Il reconnaît ensuite le photographe.

— Alors, Dominique, on vient draguer mes secrétaires, et sous mon nez? Méfie-toi, Louise: j'ai été voir Dominique pour une simple photo, et ça fait trois ans que je suis son client, et son ami.

Louise sourit, difficilement. Si Dominique connaît Maurice, ça complique davantage la situation. Après quelques courtoisies, Maurice entre dans son bureau en se demandant bien comment Louise a pu rencontrer Dominique, et quelles sont leurs relations. Maryse revient avec le vase et aide Louise à arranger le bouquet.

— C'est si beau! Quand je pense, Louise, que tu vas le cacher dans ton bureau!...

— On a tous des choses à cacher, dit Dominique, en souriant.

Louise, silencieuse, choisit de ne pas relever l'allusion. Non, elle ne cédera pas à cette brusque envie de pleurer. En se contrôlant, elle reconduit Dominique vers l'ascenseur.

— C'est gentil, c'est très gentil, les fleurs. Mais je préfère ne plus vous voir ici.

— C'est la moindre des choses, dit-il. Il suffira de trouver un autre endroit.

Il l'observe, intensément. Louise se sent partagée entre la tristesse et la fatigue : n'importe quoi, du moment que ça finisse... Avant qu'elle réagisse, il ajoute :

— Si vous préférez, je vous les apporterai à domicile.

Là, c'est en trop. Elle frémit :

— Vous connaissez mon adresse?

— C'est tellement facile, de suivre quelqu'un! Mais je me demande une chose... Vous me permettez une question?

La gorge nouée, les yeux marqués de lassitude, elle fait oui de la tête.

— Seriez-vous une *princesse* inaccessible, ou accepteriez-vous une invitation à déjeuner?

La Princesse! C'est donc bien cela, il n'y a plus aucun doute, il l'a reconnue. Louise n'a pas envie de nier. Au contraire, elle éprouve une violente tentation de se battre, d'affronter ce revenant jailli de son passé le plus sinistre.

— Mercredi, à midi, au *Suisha Garden*. Ça vous convient?

— À merveille.

— Et d'ici là, pas de fleurs. D'accord?

— D'accord. Celles-ci seront encore fraîches.

Pendant deux jours, Louise se débat contre des impulsions contradictoires. Prendre la fuite? Partir en vacances, seule ou avec Maurice? Jouer l'amnésique? Le provoquer, se faire teindre les cheveux et se rendre au rendez-vous avec des lunettes rondes? Protester de son innocence, en prétendant qu'ils avaient accepté de vivre une expérience dans le style qu'elle leur a imposé? S'excuser, tout bonnement? Tout nier, fermement, sans discussion?

Elle arrive au restaurant à midi juste. Dominique s'y trouve déjà, avec un apéritif. Louise commande une bouteille de saké.

— Est-ce que ce sera un duel? demande-t-elle, avec un sourire dur.

— Surtout pas! Vous êtes mon invitée. Je suis ravi que vous aimiez la cuisine japonaise.

— Oh! j'ai choisi le restaurant au hasard. Je voulais surtout rester proche du bureau. Comme cela, ça me prendra moins de temps.

Elle tient à se montrer désagréable. Dominique lui offre une cigarette. Elle refuse et sort son paquet, de la même marque. Il sourit et lui tend le briquet allumé. Elle accepte au moins cela.

— J'aime bien le hasard, dit-il, en pointant les deux paquets. Une fois, par hasard, j'ai rencontré une femme qui a été très importante dans ma vie.

— Je ne tiens pas vraiment à connaître vos conquêtes.

Le ton de Louise demeure calme et courtois, malgré ce qu'elle dit. Dominique se prend à penser que si elle n'est pas la Princesse, il risque de commettre une bévue considérable. Mais non, il est sûr de ne pas se tromper sur son identité.

— Si vous aimez partager, je suggère que nous commandions toutes les entrées, le *sashimi* en double. Ça nous fera un excellent repas.

— Je n'ai pas le goût de partager.

Lit-elle de l'ironie dans ses yeux, ou une tendresse patiente, affectueuse?

— Que choisissez-vous? demande-t-il.

— Le spécial de *sushis*.

— Excellente idée! Moi aussi.

Il fait signe au garçon. Louise songe qu'il y a quelque chose de ridicule à faire venir deux plats du même assortiment. Par contre, elle se voit encore moins en position de céder. Dominique commande les deux spéciaux, avec un autre saké.

Il la dévisage, posément. Louise comprend qu'il cherche à la faire parler en premier, pour qu'elle se compromettre d'une façon ou d'une autre. Elle attend, impassible. Finalement, elle dit:

— Vous m'avez invitée pour me regarder?

— C'est une activité suffisante, et bien agréable.

— Moi, je trouve ça plutôt ennuyeux. C'est comme ça que vous vous y prenez pour séduire vos blondes?

— Vous êtes blonde *maintenant*, mais je ne cherche pas à vous séduire. Il s'agit d'autre chose.

Il lui adresse un grand sourire. Elle hésite. Si elle veut se battre, elle doit plonger.

— Pourquoi avez-vous dit: «maintenant»?

Il lui offre une porte de sortie:

— Parce que je me trouve *maintenant* avec vous. Excusez-moi, des fois on se laisse aller à des mots d'esprit boiteux.

Accrochera-t-elle quelque chose à cette autre allusion, en demandant de quel incompréhensible «mot d'esprit» il s'agit? Comme elle ne dit rien, il enchaîne:

— D'autres fois, on se laisse aller à des affrontements inutiles.

Louise a un peu honte, mais pas assez pour mettre la bride à son agressivité, qui est sa méthode de défense:

— La meilleure façon d'éviter les affrontements, c'est de suivre son chemin sans déranger les gens.

— Quelques fleurs ne devraient jamais déranger personne.

Elle vide un gobelet de saké. Et si elle se trompait? S'il ne l'avait pas reconnue? Non, il s'est trop trahi en accumulant les insinuations.

— Je me méfie des cadeaux empoisonnés. Il y a toujours un hameçon dans l'appât.

— Vous avez raison, reconnaît-il.

Elle serre les dents. L'heure de la vérité, enfin? Le garçon apporte les plats. Louise se demande si Dominique choisira ce moment pour étaler ses cartes, comme il semblait prêt à le faire avant l'interruption.

— C'est une bonne invention, les *sushis*. Le poisson garde une saveur exquise, qui se perd à la cuisson.

— Parlons plutôt de l'hameçon dans l'appât, et de la ligne au bout de l'hameçon dans les roses. C'est pour ça que je suis là, non? Je n'ai pas peur de vous.

Dominique savoure un *sushi* en la regardant, surpris:

— Pourquoi auriez-vous peur? Mangez donc, vos *sushis* vont *refroidir*.

Elle pouffe de rire. Serait-ce une brèche dans ce mur d'hostilité? Il décide de foncer:

— Ce n'est pas un hameçon, Louise: c'est une bouée de sauvetage. Vous le savez très bien.

Elle le regarde, immobile. Contre-attaquer, par exemple en lui interdisant de l'appeler par son prénom? À quoi bon?

— On a vu bien des pièges déguisés en bouées de sauvetage.

— Vous avouerez peut-être que le risque de tomber dans un piège vaut mieux que la certitude de la noyade. Même quand on sait nager, ajoute-t-il, en devançant un argument possible. On arrête là? Il faut manger tranquillement pour digérer en paix.

Louise lui sait gré de cette pause. Son cœur lui fait mal, tellement il bat fort. Mais peut-elle faire confiance à ce sourire patient, plein d'une sympathie dangereusement contagieuse?

Elle mange lentement, en silence, comme si elle mâchait des pensées secrètes et non du riz et du poisson. Dominique évite de la regarder avec trop d'insistance, pour lui permettre de glisser dans le calme plutôt que de chercher d'autres occasions de croiser le fer. Ils échangent quelques coups d'œil, de temps en temps, qui valent bien une conversation.

À la fin du repas, Louise se sent flouée. Elle s'attendait à une attaque en règle, des accusations, des reproches. Comment se défendre contre quelqu'un qui vous tend la main? Mais même là, elle n'éprouve aucun désir de saisir cette main. Depuis un an et demi, depuis ce soir du 18 juin, elle s'est débrouillée seule, et elle n'est pas mécontente du résultat. Les plaies sont toujours là, mais bien cicatrisées.

Elle consulte sa montre.

— Oh! je dois partir! Maryse attend après moi pour aller manger. Merci beaucoup pour le déjeuner.

Dominique secoue la tête, gentiment, comme pour lui montrer qu'il n'est pas dupe. Louise, qui s'est levée, se dit qu'il serait trop lâche de s'enfuir ainsi. Elle se penche vers lui, les mains sur la table:

— Que me voulez-vous? Qu'attendez-vous de moi?

Il se lève et lui pose les mains sur les épaules. Elle frémit à ce contact, mais ne le repousse pas.

— Finir ce repas comme il se doit, avec une tasse de thé, dit-il, calmement.

— Vraiment, je n'ai pas le temps.

— Chez moi, après cinq heures, propose-t-il.

Louise cède brusquement à la tentation:

— J'y serai, convient-elle. Mais vers sept heures.

Après une seconde d'hésitation, elle lui offre sa joue, qu'il embrasse légèrement.

— Je n'habite plus rue Mackay. Voici ma nouvelle adresse.

Elle prend la carte de visite, enfile son manteau et se sauve, sans prétendre qu'elle ignorait son adresse précédente. Dominique la suit des yeux jusqu'à l'escalier, puis commande un thé. «*Oui, j'en suis amoureux*», se dit-il.

14

Louise s'est sentie étrangement, inopinément frénétique en marchant vers son bureau. Pourquoi a-t-elle accepté de le revoir? Et pas en terrain neutre, mais chez lui! Le plus vraisemblable, c'est qu'il l'attendra avec Pierre, tous deux prêts à lui faire un mauvais parti. Au moins, ce serait fini. La guillotine sera tombée, elle en serait débarrassée. Elle ne se défendra pas. Qu'ils prennent leur revanche comme ils voudront. Elle paiera le prix, sans se sentir volée.

Mais si Dominique représentait vraiment une bouée de sauvetage? Non, ce n'est pas ce qu'elle cherche. Elle voudrait plutôt l'oubli. Oublier le 18 juin, oublier le 28 avril, ces dates qui ont pris plus d'importance que n'importe quel anniversaire. Et si, justement, il lui offrait l'oubli? Elle se souvient qu'une fois, en vérifiant dans le *Petit Robert* l'orthographe du mot *amnistie*, elle avait remarqué qu'*amnêstos*, en grec, signifie: *oublié*. Il y avait aussi une citation extraordinaire de Victor Hugo: «*Sur une vaste faute il faut un vaste oubli, l'amnistie.*»

Une véritable amnistie, pleine, entière, est-elle possible? L'oubli, plutôt que toute justice, y compris la punition ou la revanche? A-t-elle déjà, elle-même, *amnistié* ses assaillants? Tourner la page, oublier... Louise a bien songé à se suicider, et plus d'une fois. Le plus souvent, elle rêvait de pouvoir s'endormir sans jamais plus se réveiller. Un obscur besoin de bonheur se débattait alors en elle et la forçait à vivre encore dans son monde déchiré. Peut-on *oublier* et passer à autre chose quand on saigne encore?

Au bureau, elle plonge férocement dans son travail, pour s'aveugler, ne plus penser. Elle va voir Maurice pour des riens, comme si sa présence lui fournissait un point d'appui, la lueur d'un phare. Il est tellement surpris de la sentir ainsi, les nerfs à fleur de peau, qu'il n'ose pas l'interroger au sujet du bouquet de fleurs et de ses relations avec Dominique. Chez elle, en prenant un bain mousseux, elle joue avec l'idée de ne pas se rendre au rendez-vous. À sept heures, elle sonne à la porte du studio.

Dominique, visiblement heureux, la remercie d'être venue.

— Je tiens mes engagements.

Elle regrette aussitôt la sécheresse de son ton. Comment réparer...? Dominique l'invite à s'asseoir.

— À sept heures du soir, on peut réaménager le programme: je vous offre un thé, comme convenu, ou un apéritif?

Louise laisse tomber une ligne de défense, et même deux:

— Apéritif, s'il te plaît.

— Vodka et jus d'orange, par exemple?

Décidément, il se souvient de tous les détails.

— Je n'en bois *plus*. Je préférerais un bloody mary.

Le cœur battant, il se rend dans la cuisine pour préparer le cocktail. A-t-il bien entendu? L'a-t-elle tutoyé? Commence-t-elle à s'apprivoiser? Il revient bientôt avec les verres. Elle a allumé une cigarette.

— J'aimerais savoir une chose: la raison véritable des fleurs.

Il hésite. Comment effacer cette lueur de défi dans les yeux de son invitée? Il choisit de louvoyer.

— Des fois, une femme nous impressionne, et on a envie de la connaître.

— C'est tout?

Elle ne semble vraiment pas convaincue.

— Ce n'est pas tout, admet-il, mais c'est l'essentiel. *On a vraiment envie de beaucoup la connaître.* C'est un désir tellement éblouissant que tout le reste disparaît.

Louise réfléchit, en fumant. Dominique lui semble d'une honnêteté désarmante. Mais pourrait-elle se résigner à faire comme si de rien n'était? Par contre, oserait-elle prendre les devants et évoquer ce qu'il met lui-même de côté?

Et si tout était faux? Si Pierre se cachait quelque part, dans une pièce prudemment capitonnée où ils lui feraient payer ce qu'elle leur a fait subir? Eh bien, elle n'attendra pas, elle courra au devant du danger.

— Tu me fais visiter? Je n'ai jamais vu un studio.

— Avec plaisir.

Ils descendent au rez-de-chaussée, où se trouvent la salle d'attente, le bureau, la pièce où se prennent les photos, la chambre noire, les lavabos, les pièces d'archives et d'entreposage. C'est ici que ça se passera, songe-t-elle à chaque fois qu'il pousse une porte. Mais rien n'arrive. On joue avec ses nerfs, se dit-elle, pour mieux l'affaiblir. Ensuite, au moment le plus inattendu...

— Quand j'ai quitté le journal pour ouvrir ma petite entreprise, j'ai eu des problèmes de zonage sur la rue Mackay. Ici, j'ai pu louer cette ancienne épicerie. On a aménagé le bas en studio et le haut en appartement.

Là, il s'est trahi! Pierre est donc dans le coup.

— «On»? demande-t-elle, pour s'en assurer.

— J'ai une partenaire, Miriam, une excellente portraitiste. Elle est aussi meilleure technicienne que moi et elle a le sens des affaires. Si je finis par me débrouiller dans le commerce, ce sera grâce à elle.

— Elle habite avec toi?

Louise pose des questions au hasard, en s'attendant à voir surgir Pierre. Que fera-t-elle, quand il la frappera? Mais Dominique répond simplement:

— Non. Elle est charmante et très belle, mais notre relation est exclusivement professionnelle.

Craignant toujours de voir bondir Pierre, Louise cherche à se calmer en feignant la plus grande légèreté:

— C'est dommage. C'est agréable, une liaison avec des gens qu'on côtoie dans le travail. Quand ils nous plaisent, évidemment. Ça vous donnerait quelque chose à faire, entre deux clients...

— Tu essaieras de la convaincre, suggère-t-il, en riant. Pour l'instant, les affaires vont trop bien. On a toujours un paquet de choses à faire, «entre deux clients».

Ils remontent à l'étage. Louise se sent les jambes flageolantes. Elle est de nouveau la souris et on joue avec elle. Pierre prépare les courroies, quelque part. Ils l'attacheront, ils la bâillonneront, ils lui briseront les os. Mais qu'attendent-ils?

— Tu te sens mal? s'inquiète Dominique, en la voyant si pâle.

Elle secoue la tête, les mâchoires serrées, et insiste pour visiter l'appartement. Elle est particulièrement impressionnée par les deux salles de bains, l'une avec un bain romain et l'autre avec une douche à têtes multiples dans un cabinet privé.

— C'est mon esprit d'indécision. Je rêvais de l'un et de l'autre. Alors, tant qu'à rénover, j'ai fait construire les deux. Je suis horriblement endetté, maintenant.

À bout de nerfs, elle badine encore:

— Si tu vivais avec quelqu'un, vous pourriez partager les frais.

— La vie n'est pas si raisonnable que ça. De toute façon, pour fins d'impôt, mon commerce me permet quelques déductions intéressantes. Je ne suis pas à plaindre.

Ils poursuivent la tournée. Louise remarque, fascinée, les décorations africaines, les masques, les batiks, les statuettes.

— J'imagine que tu as *aussi* des photos d'Afrique?

Il se souvient d'avoir parlé de cette école de journalisme, à Dakar, avec *la Princesse*. La jeune femme vient-elle de faire un premier aveu? Dominique repasse sa phrase dans sa tête. Peut-être mais pas nécessairement.

— Oui, mais elles étaient mal encadrées et je les ai rangées. Je te les montrerai plus tard.

En entrant dans le bureau, Louise voit tout de suite les piles de photographies inquiétantes, cruelles, brutales, saisissantes. Les yeux écarquillés, elle commence à les feuilleter, en prenant soin de les tenir par le côté. Dominique lui raconte le projet auquel il travaille avec Josiane et Lucie. Troublée, Louise examine les photos qu'ils ont retenues, tandis qu'il lui explique brièvement les cas de violence qu'elles illustreront.

— J'ai soif, murmure-t-elle, la voix enrouée.

De retour au salon, elle allume une cigarette et vide la moitié de son verre.

— C'est une drôle d'idée, un bouquin sur les victimes, commente-t-elle, en reprenant contenance.

— Je devais le faire, dit-il, simplement.

Elle le dévisage, deux points d'interrogation dans les yeux. Va-t-il enfin aborder *la question*?

— À vingt ans, explique-t-il, j'étais attiré par tout ce qui bouge. Toutes les formes de vie me fascinaient. C'est pour ça que je suis devenu photographe. Photographe-journaliste. Saisir l'instant de l'action. J'étais assez bon, j'ai même gagné quelques prix. Ensuite...

Il hésite. Peut-il mettre en danger le début d'harmonie qui semble s'être établi entre eux? Mais ne doit-il pas, justement, mettre cette harmonie à l'épreuve, pour pouvoir aller plus loin?

— Ensuite, poursuit-il, quelque chose est arrivé. En avril dernier. C'est peut-être à cause de l'âge: je m'attendris en vieillissant. Enfin, depuis quelque temps, j'éprouve une... une énorme compassion pour... tout ce qui bouge. Ce bouquin me fournit l'occasion de faire état de cette compassion devant la souffrance. Toutes les souffrances. Nous avons aussi choisi de ne pas montrer trop de scènes atroces, pour mettre surtout l'accent sur les conséquences.

Louise se sent glisser dans un monde de silence. En avril dernier, *lui aussi*... La révélation de l'horreur, de la démence. Et elle en a été la cause...

— Parle-moi des conclusions de votre livre. Après la violence, qu'est-ce qu'il y a?

Elle a parlé machinalement, comme si elle s'adressait à elle-même. Dominique fait une moue, incertain.

— Je ne sais pas. Ou peut-être je sais autre chose : la vie continue, tout bonnement. On a vécu. On a eu tort ou on a eu raison. C'est souvent la même chose. Une monnaie a son côté pile et son côté face, ça dépend d'où on la regarde. On a vécu, et on continue à vivre, en laissant le passé à sa place.

Louise ne bouge pas, les yeux vides, inexpressifs. Dominique voudrait tellement la prendre dans ses bras, l'arracher à sa stupeur ! Mais comment ?

— Laisser le passé à sa place, répète-t-il. Quand nous aurons fini ce livre, je voudrais faire des photos sur la beauté des choses. La beauté quotidienne qu'on trouve dans... dans un verre de cognac, un bourgeon, un baiser d'amoureux, un corps de femme, un profil, un chat, une rose.

Dominique hésite encore une fois devant l'absence de réaction de la jeune femme. Ce qu'il souhaite avant tout, c'est la revoir, la fréquenter, longtemps. Vaut-il mieux laisser une zone trouble entre eux, ou y porter un éclairage brutal mais peut-être salutaire ? Mais non, se dit-il, la brutalité n'est jamais salutaire. Il ne se décide pas.

— Ce serait fascinant, un album de photos de toi. Tu es très belle. Surtout, tu as l'essentiel, pour un photographe : un regard inoubliable. Que tu aies l'air vibrante, triste, ironique ou sereine, c'est comme si on retrouvait à chaque fois toute l'humanité dans tes yeux.

Louise se sent soudainement à bout, le cœur prêt à fondre. Elle repousse son verre et regarde Dominique dans les yeux. Finalement, elle écrase sa cigarette et en allume une autre, puis elle se couche sur le divan, la nuque contre l'accoudoir, le cendrier sur l'estomac.

— Pendant un temps, j'ai cru que nous serions trois, ce soir.

Doit-il feindre l'étonnement? Évidemment, elle pense à Pierre. Dominique se dit qu'il n'y a aucune raison de jouer à ces jeux-là.

— Non, la rassure-t-il. As-tu déjà pris des vacances à l'étranger?

— Oui, répond-elle, surprise. J'ai été au Mexique et en Europe: Espagne, France, Italie. Pourquoi?

— Tu as des photos?

— Oui.

— On choisira des photos d'un de ces voyages et on dira à Pierre que tu y as passé tout le mois d'avril, jusqu'au début de mai. Il est déjà convaincu que... que ce n'est pas toi.

Louise se tourne vers lui, les yeux mouillés.

— Ton accoudoir est très dur, dit-elle, la voix brisée. Viens t'asseoir ici.

Une minute plus tard, elle se recouche, la nuque sur la cuisse de Dominique. Elle lui prend une main et la pose sur son sein, à l'endroit du cœur.

— Je ne regrette rien. J'ai fait ce que je devais faire, dans l'état où je me trouvais. Mais même à ce moment, j'étais triste que ce soit toi.

Dominique lui sourit, affectueusement. Il essuie délicatement les larmes qui ont coulé sur les joues de la jeune femme.

— Tu n'as de comptes à rendre à personne, et personne n'a le droit de te demander quoi que ce soit sur ta vie. Même ce jour-là, je ne t'en voulais pas, ajoute-t-il. Quand on se débat, on ne regarde pas les choses à la loupe. On essaie surtout de ne pas se noyer.

— Tu demandais: «*Pourquoi?*» Veux-tu encore le savoir?

Il secoue la tête. Il ne veut surtout pas qu'elle ait mal en revivant cela.

— Il y a des choses dont il est inutile de parler.

Elle sourit aussi, reconnaissante.

— Tu as dû quand même en garder un souvenir pénible, songe-t-elle.

Il lui caresse les cheveux, tendrement.

— Mon seul souvenir, dit-il, c'est le soulier de Cendrillon.

Il la repousse, doucement, et va chercher un étui à caméra. Elle l'ouvre et reconnaît son slip bleu. Sa voix tremble, émue:

— Moi aussi, j'ai gardé un souvenir.

Elle sort une carte de visite de son sac à main, avec le message à la Princesse. Dominique la prend et la glisse dans l'étui.

— On en fera une capsule du temps, à ouvrir dans cinquante ans.

— Ensemble?

— Ensemble.

Louise lui met les mains sur les épaules, comme si elle s'y accrochait. Le monde lui est devenu soudainement léger, et transparent. C'est étourdissant: la réconciliation avec la vie... Serait-ce possible?

— C'est étrange, n'est-ce pas?

Dominique répond par un sourire. Il lui effleure les joues, délicatement, comme s'il devait absolument se rassurer sur sa présence tout en évitant de l'effaroucher. Elle lui saisit la main et la tient sur son front.

— Je vais quand même te dire une chose ou deux. L'an dernier, en juin, on m'a tendu un piège. J'y suis tombée. C'était horrible, et ç'a été une année atroce. J'essayais de m'en sortir. C'est pourquoi... ce qui est arrivé en avril... est arrivé. Mais je suis alors tombée... dans un autre piège. C'est tout.

Il la regarde, pensif. Du bout des doigts, il lui lisse les cheveux et le front, comme s'il effaçait quelque chose. Louise approche son visage, l'embrasse, se blottit contre lui. Elle a l'impression violente que tout est fini, qu'elle vient de s'arracher au piège, à tous les pièges. Pourquoi ne pas foncer dans le bonheur, tout de suite?

— Tu es une plage, murmure-t-elle. L'île de Robionson.

— Je t'attendais. Tu es le miracle.

Ils restent immobiles, front contre front, les bras mêlés, nourris d'éternité.

— Je n'ai pas vraiment visité ta chambre à coucher, lui souffle-t-elle à l'oreille.

Un dernier réflexe de prudence se dissout dans les gestes émerveillés qu'elle a le sentiment de réapprendre. Vivre, vivre encore la métamorphose familière du cauchemar en rêve dans la magie charnelle de la douceur humaine... Louise se laisse chavirer dans cette musique à laquelle elle ne croyait déjà plus. L'oubli? Non: de nouveaux souvenirs.

Plus tard, elle lui confie un secret:

— Ça fait des années que je n'ai pas fait l'amour de cette façon: avec amour.

Il l'étreint, infiniment tendre. Soudain, ils éclatent de rire en entendant un gargouillement indiscret. Dominique remarque qu'il est déjà dix heures et qu'ils n'ont pas dîné. Elle avoue qu'elle a faim, mais elle ne tient aucunement à sortir pour aller manger. Il propose un plat de charcuterie et de fromage, avec une bonne bouteille.

— Magnifique! En attendant, j'ai un coup de téléphone à faire. Ce sera un interurbain. Je peux?

— Mais bien sûr!

Louise sort son calepin d'adresses et compose le numéro de Daniel. Jasmine répond: Il n'est pas là, mais elle l'attend vers onze heures. Doit-il la rappeler?

— Non, ce n'est pas la peine. Tu pourras lui faire le message, il comprendra. Dis-lui, tout simplement, que *la terre a recommencé à tourner*.

Jakarta, 6 septembre — 23 octobre 1984

Composition et mise en pages:
LES ATELIERS CHIORA INC.
Montréal

Achevé   Imprimerie
d'imprimer Gagné Ltée
au Canada Louiseville